T5-AFA-923

婴幼儿睡眠全书

——小土教你守护安睡宝贝

图书在版编目（CIP）数据

婴幼儿睡眠全书／小土大橙子著．—北京：北京师范大学出版社，2017.3（2018.4 重印）

ISBN 978-7-303-21911-7

Ⅰ．①婴…　Ⅱ．①小…　Ⅲ．①婴幼儿－睡眠－基本知识　Ⅳ．①R174

中国版本图书馆CIP数据核字（2017）第013749号

营销中心电话　010-58805072 58807651
北师大出版社学术著作与大众读物分社　http://xueda.bnup.com

YINGYOUER SHUIMIANQUANSHU

出版发行：北京师范大学出版社 www.bnup.com
北京市海淀区新街口外大街 19 号
邮政编码：100875

印　　刷：大厂回族自治县正兴印务有限公司
经　　销：全国新华书店
开　　本：730 mm × 980 mm　1/16
印　　张：23.75
字　　数：378 千字
版　　次：2017 年 3 月第 1 版
印　　次：2018 年 4 月第 8 次印刷
定　　价：45.00 元

策划编辑：刘　冬　　　责任编辑：刘　冬
美术编辑：袁　麟　　　装帧设计：天　禾
责任校对：陈　民　　　责任印制：李汝星

序

Preface

执着的小土

网络上每天都有很多的家长向我咨询睡眠问题，因为睡觉对婴幼儿大脑发育、体力恢复很重要，频繁的夜醒使得孩子不能处于深度睡眠状态，会影响孩子的睡眠质量，也让家长疲惫不堪。帮助孩子建立起昼夜分明的规律作息，培养良好的入睡习惯，能够让家长和孩子都受益。

三年前，小土通过新浪微博私信我，给我发来她写的有关睡眠的文章。从那时候起，我开始注意到她。小土的文章写得很接地气，既有详细的理论，又有很多自己的体会和总结，当时我进行了转发，家长也反映效果不错。

后来我在上海书城讲座的时候，她又特地带着打印好的文章来给我看，那是我们第一次见面。小土看起来比较柔弱的样子，但却很有毅力。

这三年多，看着她始终如一地坚持钻研婴幼儿的睡眠问题，给家长们答疑，总结经验，写文章，很踏实地做自己的事情。看着她从一个普通的网络热心人，逐渐通过努力获得了婴幼儿睡眠咨询师的认证，2016年还去了全美排名第一的波士顿儿童医院的睡眠中心进行了观摩学习。

我一向支持和欣赏有毅力、有热情的年轻人，在微博和我的讲座上，多次向家长们推荐过她。如今，她的书终于要面世了，真心替她感到高兴。我非常喜欢她对专业执着的精神，走一条造福大家的路。从网上认识，到实际生活的接触，让我感到我没有看错人。

相信这本结合中国国情的育儿书，能够帮助很多的家长，找到改善婴幼儿睡眠的方式、方法，让那些遇到此类问题的爸爸妈妈获得信心和鼓励。

张思莱

自序

Preface

这几年生活中最重要的事情之一便是这本书，如今终于能够面世，欣喜之余亦很感慨。

回想起来，我的新浪微博@小土大橙子已经注册快4年了，号是临产前特地申请，用来专门记录宝宝生活琐事的。误打误撞和睡眠结下不解之缘，要追溯到2013年年中，那时候宝宝才刚出生几个月，我经历了盲目按需喂养、小睡短、频繁夜醒、早醒等一系列问题，已然是走投无路。

彼时网上关于睡眠的系统资料还不多，我偶然中从网帖得知《实用程序育儿法》这本书，后来又陆续看了《婴幼儿睡眠圣经》《法伯睡眠宝典》等书。在结合这些内容的实践中，幸运地找到了改善之道，将这些体会写成网帖《向整夜觉前进》《没有不会睡的宝宝，只有不会哄的大人》等，发布在微博，收到很多的回复，转发数千次，阅读量更是以百万计。

我才发现原来这么多人，都有着相同的困扰，却仍在迷茫中找不到方向……每天收到的数十成百的家长求助，是最初坚持的动力。

我2009年从上海交通大学硕士毕业后，一直在一家外企工作，有着不错的职位和稳定的收入。从业余兴趣转变为全职专注于睡眠，对我来说是行业的巨大转变，也一下子失去了收入。但当时的想法就是，集中精力专心把书完成，写一本中国妈妈自己的睡眠书，把大家的经历、感受、智慧都汇集起来，有理论更有接地气的实操，让需要的人能系统地参照。当时我想也就一两年时间，大不了之后再回去工作。

岂知，冥冥中自有天意，我自学、写帖、答疑，获得了睡眠咨询师的认证，后来又开了好几场线下的公益讲座，开了公众号，通过电子睡眠课帮助了数千位妈妈改善了宝宝的睡眠状况。这一切让我有了更大的勇气和力量坚持下去。

2016年6月，我还有幸去全美排名第一的波士顿儿童医院观摩学习了4周。从零开始，一路的曲折和艰辛，就不多言了。“成人的世界，本就没有容易二字”，但能够做有意义、有价值感的事情，对我来说是值得的。

曾经有一位妈妈给我留言：“30年前医院里并没有对母乳喂养的宣传，现在已经有了孕妇学校专门对孕产及育儿知识的科学宣传。婴幼儿的睡眠问题是更复杂的育儿知识。国外的医院、专业网站和书籍都有关于婴幼儿睡眠知识的介绍、宣传及研究。而我们仍在像买六合彩一样对待孩子的睡眠问题。我认为，方法可以不一致，但对问题认识应该有些共识，才不至于盲乱。”

这段话一直激励着我，希望自己能有所坚持，为婴幼儿睡眠知识的普及、研究的推进做出自己的贡献。没有前人的研究，没有数以万计妈妈们的留言，就不会有今天的这本书。正因如此，我要努力比前人做得更好，帮助更多的家长在婴幼儿睡眠问题上得到更加具体、清晰地指导。

这几年累积的文字很多都收录于本书。

第一章，重点谈基础知识，偏学术一些，令读者不单能够知其然，还能知其所以然。

第二章，介绍宝宝安睡的入门概念，系统地回答家长最关心的睡眠问题，诸如宝宝需要多少睡眠量、什么时间睡觉、入睡的过程等，以及如何安抚宝宝、如何在入睡后维持睡眠状态，大床、小床的纠结等。

第三章，介绍当宝宝已经出现比较严重的睡眠问题时，如何做睡眠引导，引导的步骤，每一步有哪些要注意的地方。

第四章，由于睡眠引导中，改变入睡习惯是最难的，所以单独辟一章来讲述，最常见的难题，如入睡难、小睡短、夜醒频繁、断奶等问题也归在这一章。

第五章～第九章，结合每个月龄的具体特点，讲述和睡眠相关的常见、罕见问题，并探讨解决方案。在每一章中，都给出了参考作息，帮妈妈建立起对宝宝日常生活状态的预期。

这些章节的末尾，分享了一些具体的睡眠摸索案例。宝宝的个体差异很大，这些案例也意在体现这种差异，没有哪一种方法能够应对全部的情况，最终如何还需要家长灵活地处理和解决问题，我也根据自己的理解做了一些评注，帮助大家更好地理解这些案例。

第十章，介绍跨越年龄存在的特殊状况，方便大家查找。

第十一章，讲述睡眠的安全和健康方面的问题，同样这些问题也是跨年龄存在的。

第十二章，由于为宝宝选购物品会牵扯很多精力，这章围绕睡眠这个主线，列出一些相关用品，供准妈妈、新妈妈们囤货参考（本书未接受任何广告赞助），信息由妈妈们的使用反馈获取，力求客观。

我们身处快节奏的时代，各个渠道充斥着诸如“三招解决孩子所有问题”“十招改变孩子的一生”“一分钟哄睡小宝宝”之类一切均力求速成的信息。《婴幼儿睡眠全书》不是一本能帮你走捷径的书，它不会解决所有问题，但我希望它能启发你思考，陪你找到自己的解决之道。

安睡是给宝宝最好的礼物，照顾宝宝的睡眠是每个父母的必修课。这本书带着我满满的诚意和数年心血，希望可以帮你换回几十小时甚至数百小时睡眠。

写到这里，我又想起一位妈妈给我的留言："今天是除夕之夜，外面鞭炮声声，我在陌生的宾馆里面抱着宝宝睡觉，突然想给你写信……"这个陌生妈妈的留言淹没在众多没办法一一答复的私信中。数月后，当我无意中发现时，我很是歉疚。完成这本书，既是我自己的心愿，也希望这本书能陪伴更多的妈妈们度过那些无助的时刻。

每每孤单到无力支撑时，想想身边可爱的孩子，想想无数透过窗子看月光的母亲，坚信山重水复疑无路，柳暗花明又一村。

育儿路上，我们不是一个人在战斗，加油！

致谢

Acknowledgement

感谢德高望重、热心公益的张思莱张奶奶对我的知遇之恩、无私帮助和引荐，没有张奶奶的支持和鼓励，就没有这本书的问世。

感谢勤勉无私、正直坚毅的儿科医生妈妈“虾米妈咪”在睡眠问题讲述逻辑等诸多问题上给予我指点。

感谢刘冬姐姐细致地付出让这本书更完美。

感谢澳大利亚妇幼韩珊珊医生、儿科医生钟乐、口腔颅颌面科张强医生、旻苏对书中部分内容的审阅和指导。

在接触婴儿睡眠的道路上，首先感谢佑佑妈，从她的帖子里我第一次知道《实用程序育儿法》这本书，也是这本书改变了我的人生轨迹。感谢爱莲莘妈妈，从她那里我第一次知道睡眠训练这个词，也因她而对睡眠训练的利弊有更深的思考。

感谢前人辛苦的写就各种睡眠书，尤其是《实用程序育儿法》（作者已离世）、《婴幼儿睡眠圣经》对我的启发和影响很大，也是我学习婴儿睡眠的启蒙书。感谢国际孕婴和育儿研究中心（IMPI）给我提供了进一步系统了解婴儿睡眠的机会。

感谢陈忻博士在儿童心理、行为等问题上，给我的指点。感谢彤画妈在对哭声的理解、自主性、入睡的内力外力等方面给我的启发。感谢小暖在法伯法的实践和理解上做的深入探讨。感谢秋千在安抚物、作息等问题上给予的启发。

感谢每一章节留言的妈妈们，这部分有百人之多，原本想一一问询后摘引，但实在精力有限，所以统一以“妈妈们的经历”来体现，在此对每一位留言的妈妈表示感谢，没有你们的记录就没有这本书。

感谢每一章节长案例的作者（排名不分先后），尤其是萌祺骏妈妈、小小高妈、妞儿妈、球球妈、为为妈、云朵妈、小妹妈、可可妈、爱莲莘妈、潼潼妈、十月妈、肉球妈、多鸽妈、一一妈、楷妈、提拉妈、秋千、冰激凌妈、阿彤妈、圆圆妈、翔翔妈、金虎妈、琳琳妈、团子妈、嘟哥恬妹妈、未未和末末妈等，是你们的记录和总结，让这些睡眠状况得以还原，为后来者提供了宝贵的经验。

感谢几十位看过不同章节，并提出详细修改意见的家长们，尤其是困困妈、米娘、提拉妈、养乐多妈妈、萌芽君、布布妈、文达妈、心心和千千妈、豌豆妈、姚姚姐、莘莘妈、满满妈、桃子妈、豆豆妈、晓宁、糖果妈、小蓝莓妈妈等。

感谢无数鼓励、帮助过我的人们，尤其是佩蓉姐、美然姐、云窗姐、豆子妈、泰哥妈、微微姐、刘丽姐、永照姐、宁宁姐、珊珊姐、小米妈、蓝兮妈、肉肉姥姥、小妹妈、天天妈、多宝妈、可乐妈、青青、梓亨妈、小花、花卷儿妈、胡蝶妈、薇安、小君、跳妈、王斌、接力、蕴宝妈、芒果妈等。

感谢小土陪伴法测试群的妈妈们所提供的图片、视频以及对方法的反馈意见。感谢无数位帮助过、鼓励过、启发过甚至是批评过我的人，虽然没有办法一一鸣谢，但希望我已不负所托，将大家思考的火花、所经历的笑与痛，都整理和总结下来了。

感谢我的公公婆婆，养育宝宝的路上他们付出了很多心血。感谢我的父母养育我，感谢我的亲人给予我的照顾。感谢我的先生支持、体谅、包容我，让我得以在困难环境中，坚持下来。

最后感谢儿子，他改变了我人生的轨迹，赋予我人生新的意义。

目录

Contents

第一章

初识婴幼儿睡眠

纵观人的一生，有1/3的时间在睡眠中渡过。新生儿90%的时间都在睡觉，胎儿时睡眠比例甚至超过90%，睡眠不是浪费时间，而是人赖以生存的必需品，其重要性不言而喻。

睡眠是与觉醒交替出现的一种生理状态，帮助人们消除疲劳、增强免疫力、保护记忆力、促进生长发育……遗憾的是，其中很多奥秘尚未揭开。本章根据现有的研究成果，介绍成人及婴儿睡眠的特点，并从常见现象入手解读，帮你建立起对婴儿睡眠的初步了解。

一 睡眠问题的影响

妈妈们的经历

随着宝宝睡眠质量的越来越好，我在她身上看到最大的变化就是，她变得特别爱笑，睡醒后看见人就笑。

众所周知缺乏睡眠的危害包括：脾气暴躁、情绪低落、头痛、体重增加、反应迟缓、免疫力下降、学习能力降低、健忘等。

孩子如果缺乏睡眠会出现烦躁、哭闹、精神亢奋或萎靡等现象，长期缺觉甚至会影响大脑的发育、认知的发展。

一个针对591个孩子的研究，分别在出生、1岁、3岁半、7岁这几个节点上对睡眠进行评估。睡得少的孩子更可能超重、注意力不集中、情绪不稳定。

——摘自《婴幼儿睡眠圣经》

孩子的睡眠问题会让父母疲惫不堪，进而产生一系列情绪、身体状况危机，这又直接影响着亲子互动，进一步影响孩子成长。

我常收到这样令人唏嘘的留言，这也是我投身婴幼儿睡眠研究的动力。

留言之1

宝宝8个月了，因为不规律的作息，我现在严重睡眠障碍。如果说我是一盏油灯，有时非常渴望赶紧把油耗尽了，这样就能歇歇了。

留言之2

宝宝21个月了，从15个月断奶后晚上已经不吃东西了，但会喝几次水。从小夜醒频繁，断奶后依然夜醒3次以上，要反复拍1～2小时才会睡，然后1～2小时又开始重复。我已经要靠安眠药才能入睡了，怕自己扛不到他三四岁好转了。

二 成人的睡眠周期及特点

“睡和醒”类似“饥和饱”，日复一日有着独特的周期。人类通过进食获取营养和能量，通过睡眠则恢复体力乃至梳理记忆。睡得香，如同胃口好，是身体处于好状态的标志。根据脑功能的不同，睡眠被分成非快速眼动睡眠（NREM睡眠）和快速眼动睡眠（REM睡眠）。其中非快速眼动睡眠（NREM睡眠）分为4期：第1期入睡期，第2期浅睡期，第3期中度睡眠期，第4期深度睡眠期。快速眼动睡眠（REM睡眠），因眼球快速转动而得名。在这个阶段，全身肌肉放松，但会出现弥散而频繁的肌肉抽动，以面部和手部为多，婴儿在这个阶段常有微笑、皱眉等动作。整个夜间睡眠期间，这种NREM到REM的睡眠周期会反复循环3～5次。

将成人每天都经历的睡眠过程直观分解开看[①]如下表所示：

① 内容参考来源：《睡出活力》（Power sleep）。

时钟PM	大类	睡眠阶段	占比	状况
10:00—10:15	清醒	准备入睡		上床后清醒但身体放松一些了，脑电波是β波。 闭上眼睛，开始进入睡眠状态，心率下降了，呼吸也减慢了，脑电波频率变慢，波幅逐渐升高，以α波为主
10:15—10:25	NREM睡眠	第1期	4%～5%	第1期，脑电波为θ波。 四肢的肌肉突然放松，有从高处掉下、瞬间惊醒的感觉。此时别人轻轻跟我们说话，我们不会有反应，因为在第1期已经不能对外界刺激进行响应了。 但如果此时被叫醒，会觉得还没睡着，只是半梦半醒
10:25—10:40		第2期	45%～55%	第2期，是进入正式睡眠的分水岭，此时被叫醒会觉得已经睡着了，离闭上眼睛20～30分钟
10:40—10:50		第3期	4%～6%	第3期，脑电波由θ波和慢速高波幅的δ波组成。δ波占20%～50%，尚未主导，这也是第3、4期的区别所在。 本阶段已经很难叫醒了，也是身体机能恢复的主要阶段
10:50—11:20		第4期	12%～15%	第4期，这也是睡眠最深的阶段,持续20～30分钟。 θ波消失，只剩下δ波，肌肉完全松弛，血压、脉搏和呼吸都会降低，流经大脑的血液也会减少。供应肌肉的血流量增加，为体力恢复做好了充足的准备
11:20—11:40		第2、3期	4%～6%	11点20分，深睡持续30～40分钟后，睡眠变浅，恢复到第3期和第2期
11:40	REM睡眠	REM睡眠	20%～25%	NREM睡眠结束后，开始会做很多梦的快速眼动睡眠（REM睡眠），距睡着已经90～110分钟。 交感神经开始兴奋，大脑的血流量增加，忙碌起来，呼吸和脉搏加快，此时脑电波以θ波为主，伴随活跃的α波。而k复合波和纺锤形脑电波消失

睡眠结构图

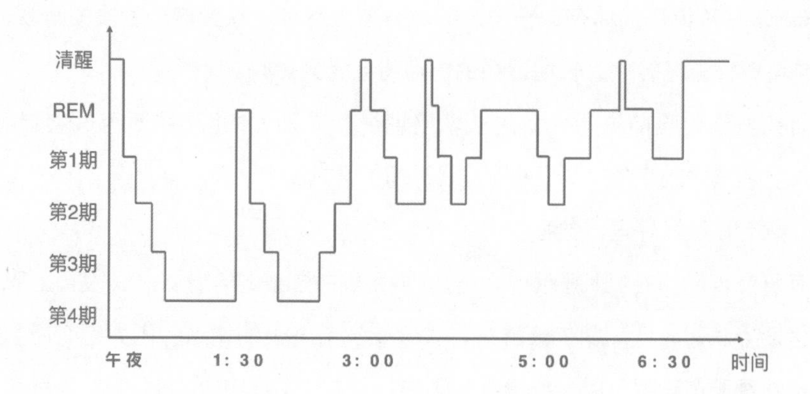

从凌晨开始，睡眠深度变浅，达不到第4期了，也就是通常说的越睡越浅。正如上图所示，在成人的睡眠中，也同样会出现几次短暂的觉醒，但由于成人睡眠能力强，往往翻个身就能继续睡，而不会彻底清醒。

1. 睡眠趣识

（1）关于脑电波

当大脑处于睡眠状态时，更多的神经细胞同时开始工作，就好像很多只脚按相同的节拍一起踏步。这些神经细胞，同时放电，从而形成更慢、更强的脑电波。

（2）关于深睡眠

★ 睡眠不足或者剧烈运动后，深睡期会明显拉长。

★ 在深睡中被惊醒，会有好几分钟的反应时间，也会觉得不舒服。

★ 婴幼儿在深睡时几乎叫不醒，婴儿的深睡比成人深，浅睡比成人的浅，这也是很多问题的根源。比如，夜惊就属于深睡眠阶段的非正常觉醒，发生夜惊，婴儿会哭闹、难安抚。实际上身体器官都正常，但就是感觉不舒服，类似于成人的起床气。

（3）关于REM睡眠

★ REM睡眠对记忆的储存、整理、重现有重大意义，缺少这一阶段的睡眠，大脑将短暂记忆转化为长期记忆的能力将会受到影响。

研究发现，睡前进行大量的技术培训后，受训者的REM睡眠时间会显著增加。考试刚结束的几天，REM睡眠时间也会延长。

★ 心情不好？好好睡一觉吧。

有研究表明：在REM睡眠中，与压力相关的脑部化学物质“去甲肾上腺素”含量会急速降低。第二天醒来，人会感觉前一天的情绪、压力都有所弱化，也就是所谓睡眠可以治疗情绪的创伤。

★ 每个睡眠周期REM睡眠的长度是逐渐递增的，晨醒之前那次最长，如果醒太早，就错过了REM最长的这个周期，对大脑的休息和恢复有所影响。

（4）生长激素和睡眠

A 生长激素由脑垂体分泌，它不但促进生长发育，还有利于组织的修复。

B 生长激素分泌量在青春期达到顶峰，之后随着年龄的增长，生长激素的分泌量也随之减少，50岁后几乎检测不到生长激素的分泌。

C 在人醒着时，生长激素的分泌量，很稳定，几乎没有任何变动。入睡30～40分钟后，分泌量急剧上升，进入深睡期时达到高峰，其后的睡眠中便缓慢下降。待第二次进入深睡眠，分泌量再次上升，呈现双向性的高峰。此后的几个睡眠周期中，不再上升。和成年人不同的是：新生儿在其全部睡眠中，生长激素分泌均处于旺盛状态；16周后，才出现分泌曲线的双向性高峰。

D 睡觉的时间推迟了，生长激素分泌的增加也随之向后推。

正因如此，处于生长发育期的儿童和青少年更需要充足的睡眠。

（5）睡眠和体温

体温也是随睡眠周期变化的，这些变化和醒困的周期变化息息相关。温度也会影响到睡眠的结构，比如在适宜温度，深睡眠、REM睡眠的比例可以达到最长。

人体的体温调节能力在NREM期要比醒时低，在REM期还会被抑制，若环境温度太低，则人会醒来，造成睡眠中断。婴儿后半夜REM睡眠比例高，后半夜是着凉的高危时段。

（6）睡眠和生物钟

受地球自转产生的昼夜变化影响，生物有感知时间的生物钟（biological clock），专门负责从时间上调节机体生理功能。

人定时清醒机制的运转周期是25小时而不是24小时，每天我们会把生物钟和自然界的昼夜周期做一次同步调整，1小时的微调难度不大，但如果常常不按时就寝，就容易越睡越晚，出现生物钟的紊乱。

（7）睡眠和情绪

很多人都会在兴奋或忧虑的时候睡不着觉。如一个实验中规定，能最快入睡者就可以得到现金奖励，但实际上参加实验的人入睡所需时间比对照组延长了一倍多，也就是越想睡可能越睡不着。

人们通常认为，6小时的连续睡眠质量远胜8小时间断睡眠。但睡眠必须连续这种想法，也会让人晚上醒来后感到焦虑，进而影响睡眠质量。

有些妈妈常有在喂完夜奶后，尽管宝宝已经睡着了，但自己仍处于失眠中。超过半小时还睡不着，不妨试试离开卧室，在黑暗中待一会或点一盏昏暗的小灯，听听轻音乐，做些轻松的家务。可能过一会儿，就有疲倦的感觉，再入睡会容易一些。

听说过一个很有意思的现象：哄宝宝睡觉的时候，妈妈困得要命，但宝宝一入睡妈妈立马就像打了鸡血一样。这就是身体状况没有改变，但是情绪影响着睡眠的意愿。同理，宝宝已经很困了，但一看到下班回家的妈妈，就立刻精神了，硬扛着不睡。

三 婴儿睡眠模式的特点

睡眠周期中各阶段的变化，就好像春夏秋冬的更叠。成人睡眠周期的时间是90～100分钟。

0～6个月的婴儿，一个睡眠周期的时间较短，一般为30～50分钟，分为安静睡眠和活动睡眠，类似于只有冬夏两季，随着宝宝年龄的增长，四季才逐渐分明。人们常说的“睡得像婴儿一样”，其实特指安静睡眠阶段。而摇篮曲中唱到的“娘的宝宝睡在梦中，微微地露出笑容”，指的则是活动睡眠阶段。在讨论婴儿睡眠时，活动睡眠尤为值得关注。

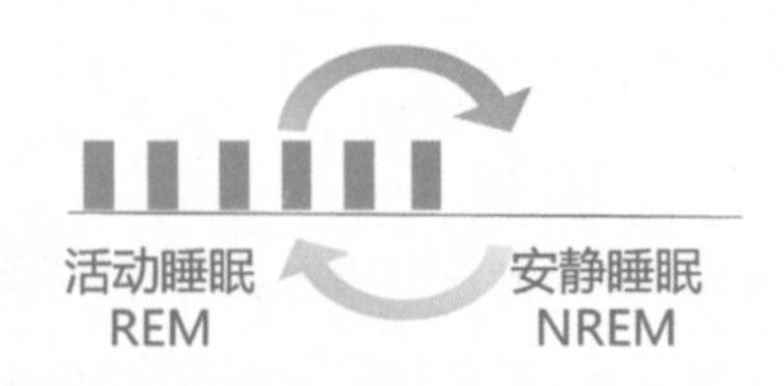

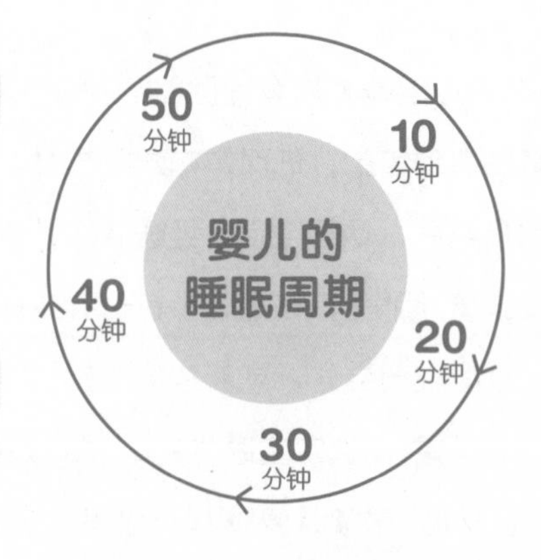

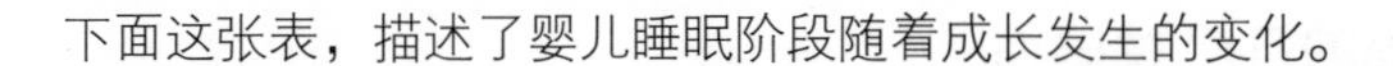

下面这张表，描述了婴儿睡眠阶段随着成长发生的变化。

月龄	所处的睡眠阶段	阶段性特点
0～3个月	入睡后，先进入活动睡眠阶段	婴儿眼睛偶尔转动、甚至睁开； 肌肉会偶尔抽动；有时手臂像是赶苍蝇似的挥舞； 呼吸时缓时急、翻身、梦语、甚至哭叫两声
	睡眠周期过半，转入安静睡眠阶段	呼吸均匀，肢体活动减少，不容易被唤醒
	周期结束	可能顺利进入下个周期，或者哭泣甚至彻底转醒
4～5个月	入睡后，先进入安静睡眠阶段	放下就醒的情况会有所好转 活动睡眠的比例下降到了40%左右，看起来睡得更踏实
6个月以上	安静睡眠开始细分成不同的阶段，睡眠周期逐渐延长； 更趋向于成人，但要完全达到成人水平还需数年	

从下表中可以看出婴幼儿活动睡眠比例的变化。

月龄	活动睡眠的比例
出生前10周	80%
早产4周的婴儿	65%
足月新生儿	50%
3个月	40%
3岁	30%
10岁	25%

为什么要专门讲活动睡眠呢？

因为高比例的REM睡眠，是婴儿看起来睡得较轻的一个重要原因。虽然睡眠中的动静可能会让家长感到不安和紧张，但婴儿的活动睡眠类似成人的REM睡眠，其比例的高峰和大脑发育的高峰是一致的，而且对大脑发育非常关键。

了解这一点后，再遇到宝宝“觉轻”的情况，家长就能相对放松一些，也可避免把活动性睡眠当成清醒，过度干预而干扰到宝宝睡眠。

四 婴儿睡眠的几个关键点

睡眠总量逐渐降低：0～3个月每日睡眠总量为14～17小时，4～11个月睡眠总量为12～15小时，1～2岁睡眠总量则下降到11～14小时。

醒睡间隔逐渐延长：3个月内醒后1～2小时，3～6个月醒后1.5～2.5小时，6～9个月醒后2～3小时，一般需要再次入睡。

睡眠规律逐渐形成：3个月之内，孩子出门容易入睡；3个月之后，外界环境对婴儿睡眠的影响增强了，比如宝宝对风、树、云等兴趣增加，于是在外面反而不容易入睡了。受体内褪黑激素等激素的影响，日夜颠倒等现象也逐渐消失。4～6个月是睡眠规律形成的关键时期。

6个月以上的宝宝白天的小睡时间延长的可能性增加，逐渐摆脱不规律打盹从而形成2～3次的规律小睡。

白天小睡次数的减少：月子里，一天可能有5～6次小睡，3～4个月减少到3～4次，6～9月第3次小睡（黄昏觉）消失，12～18个月上午觉消失。

随着睡眠的不断成熟，小睡的时间也由原先的半小时并时常需要接觉，逐渐延长至1小时甚至更长，无须接觉。

夜间睡眠的变化：夜间睡眠从新生儿期的9小时左右逐渐延长至1岁的11小时。夜间进食的次数大致是新生儿期3～4次，4个月时2次左右，6～9个月1～2次。9个月以上不需要夜间进食，仅有一部分宝宝会保留一顿晨奶。

入睡时间的差异：很多0～9个月的宝宝无论睡得多晚，都会在早晨五六点醒来，所以为了保证睡眠时长，应该让宝宝早点入睡。比较理想的作息是晚上7～9点入睡，早上6～8点醒来。如果小婴儿入睡时间晚于9点，可能会有其他相关的睡眠问题。也有的妈妈认为宝宝白天睡太多、晚上睡太早，早上会醒太早或夜间醒来就不睡了，这种现象多发生于9个月至1岁以上的宝宝。

也就是说，在1岁之内，较早的入睡时间更能满足宝宝的睡眠需求。

自主入睡能力的发展：入睡是一种需要通过不断学习获得的能力，宝宝摆脱家长的帮助，依靠自己的力量顺利入睡，是自身能力发展的重大里程碑。宝宝夜间自主入

睡的能力是在4个月以后才逐渐成熟的，小睡则要到6个月后才逐渐成熟。此外这个能力发展的时间和睡眠习惯直接相关，具有很强的个体差异。

五　睡眠驱动力模型

生物钟负责控制人体清醒、体温和激素分泌的周期变化，大约24小时重复一次，又称为“昼夜节律”，并受光线的影响。

睡眠专家Dement博士和Edgar博士提出的理论认为，人类在生理上同时存在着“恒定睡眠机制”和“定时清醒机制”两个机制，两者相互抗衡，最终决定人是清醒还是昏睡。受其中睡和醒驱动力的启发，笔者构建了婴儿睡眠驱动力模型，来帮助读者理解睡眠问题。

该模型的基本公式是，**入睡时：醒的驱动力 < 睡的驱动力 = 顺利进入睡眠状态。睡眠中醒来时：醒的驱动力 < 维持睡眠的驱动力 = 继续睡。**此时醒的驱动力大于入睡时，相应的需要维持睡眠的驱动力也更大。睡眠中最易醒来的点是在睡眠周期结束时，该点是整个睡眠链上最脆弱的一环。

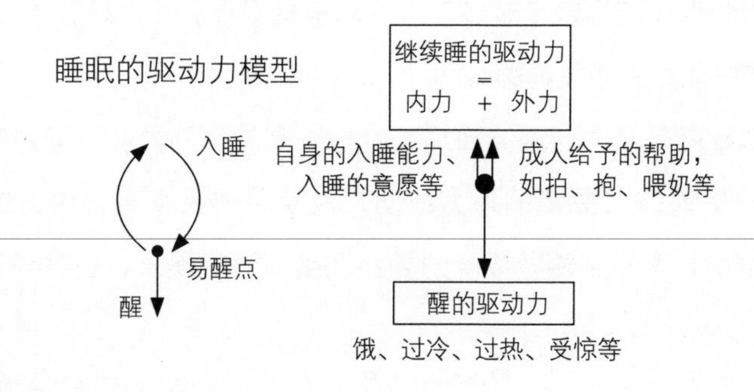

1. 醒的驱动力

简要列举醒的驱动力：

★ 光线、声音的刺激，比如楼下电瓶车防盗警铃声等。

★ 身体不舒适，比如盖多了被子或者肚子饿、生病等。

★ 不当的睡眠联想，比如醒时环境和入睡相差很大。

★ 生物钟习惯性醒来。

随着孩子的成长，醒的驱动力增强，但与此同时大脑发育日趋完善，如果有充分机会练习，那么维持睡眠的内力也会同步增加。

2. 睡的驱动力

睡的驱动力由内力和外力两部分构成。**外力**包括所有成人给予的帮助，比如拍、抱、喂奶等。**内力**则是指婴儿自身的入睡能力、控制身体的能力、入睡的意愿等。

外力和内力都有一定极限。内力是受限于身体发育阶段，有个体差异但也不会偏离基准太远，比如睡整觉的时间点。外力则受限于养育者的承受能力，例如，长时间的抱哄、抱睡，其实无法长期维持。有时单独靠内力或外力就能够入睡，更多时候则需双管齐下。

当外力一直存在，内力的发展可能受到制约。没有机会发展入睡能力的孩子，睡眠需要的外力帮助可能会越来越多，入睡越来越困难。外力是辅助，内力才是根本，培养和提高入睡能力是最关键的。

睡眠的奥秘就是从内外两方面增加维持睡眠的驱动力。不同月龄的内力外力情况不同，小月龄时需要更多的外力帮助，但随着成长发育，内力的作用会越来越凸显，成长很快，家长不随着成长的脚步调整养育的模式，就容易刻舟求剑、南辕北辙。

六 八大误区破解

下面这些观点，全部来自妈妈们给笔者的留言，可谓老生常谈。笔者特地将这些广为流传的睡眠误区，放在开篇进行剖析，如果下次再有妈妈有此类疑问，相信你也可以顺便给她科普一下了。

1.“玩累了就困了”“累到不行自然就睡了”

对婴儿来说，常常越累越难睡，很难安抚，出现“闹觉”，无法“自然就睡”。虽然累到极致最终一定会睡着，但基本是闹着闹着瞬间睡着，这种入眠突然发生，其实是不健康的崩溃式入眠，睡后还容易出现夜惊等现象。

“累到不行自然就睡了”的说法流传甚广，是因为这某种程度上符合成人自身的睡眠经历，但套用到还不会自主入睡的婴儿上，却是谬误。

简言之 就像饿极了再吃会伤胃，累到不行再入睡其实很痛苦。

2.“精神那么好，玩得那么开心”“你看她一点儿不困，没有要睡的意思”

婴儿越困越兴奋，他们的睡眠信号和大人很不一样。有时候给予婴儿的刺激量多，会使他们在清醒时的困倦信号不易被发觉。乍一看，精神好、玩得开心，这对大人来说是清醒的特征，但对婴儿却可能是过度疲劳的表现。尝试换个安静的环境，远离刺激源，有可能就哈欠连天了。

简言之 打麻将、玩游戏到半夜的人，也不是都哈欠连天的，看起来“精神得很”，但其实是在硬扛。

3. “不睡觉那是不困”“不想睡就不睡”

“不睡觉”是个客观现象，但更准确的说法应该叫“没睡着”。差别在于“不睡觉”强调的是婴儿的主观意愿，意指婴儿“不愿意睡”。“没睡着”并非都是“不愿意睡”，而是有“想睡却没睡着”和“不想睡所以没睡着”两种。

婴儿不能自己拉窗帘，不能自己关灯，不能自己脱衣服，不能自己爬上床，不能自己躺下甚至还不能翻身……这些身体上的局限，让他们无法“想睡就睡”。总之，婴儿对睡眠的控制力非常有限，即使“愿意睡”也不代表就能睡着。他们的睡眠更像是只出不进的单向系统——醒来容易，睡觉难。

在婴儿困倦时，不哄睡并继续和宝宝玩，确实也可能暂时停止哭闹。对有些家长来说，“就不睡”反而是个相对容易的选择。但养育本身就无捷径可走，不要太轻易认为“不想睡”而放弃给宝宝安排休息。

简言之 “不睡觉有可能是不困”，但更多时候是“想睡却没有环境没有能力睡”。

4. “习惯不用培养，顺其自然，大了自然会睡”“我们都是这么熬过来的！孩子大一点大人就熬出头了”

睡眠和大脑的发育息息相关，儿童的睡眠状况确实比婴幼儿更好。但即便将来会好转，当前的每一天也仍旧重要。疤痕总会自然淡去，但不代表刚开始时没有疼痛。

如果好的习惯能够帮助孩子睡得更好，何乐而不为？顺其自然中的“自然”是没有受到太多不当干预，才能发生的。如果已经受到人为干预，养成了不良的睡眠习惯，却放任其自由发展，到两三岁仍旧缺觉无法安睡的情况也不罕见。小树苗长歪了，早做调整才不至于到长成时懊恼。

妈妈们的经历

我大女儿是奶睡到2岁多的，3岁上幼儿园后从未午睡，至今10岁了，入睡仍不算顺畅。所以这次老二出生之前我就一直在琢磨睡眠的事，现在刚满月，仍然在琢磨。

简言之 大了未必能熬出头，感觉有时候会骗人，如果你观察不够仔细，那么不要太相信自己所谓的“直觉”。好习惯是基础，需从点滴做起，在养育之路上，不拼运气、不赌将来。

5.“睡太多了所以不睡”

很多睡眠书中提到，睡眠促进睡眠，这也和妈妈们的经验相吻合。睡得少的婴儿，反而可能更难安睡，在入睡后很快醒来。（白天睡得少，反而夜里安睡的情况也有，但是比例上少一些）

随着年龄增加，白天和晚上的睡眠会逐渐此消彼长，但这个转折点要到6个月～1岁才会逐渐显现。

尤其是出生头几个月的婴儿，他们所需要的睡眠量高达成人的两倍之多，这是事实却并非常识，所以很多人直觉上认为婴儿“睡得太多”。

目前很多的大样本调研结果均显示，由于种种原因，我国婴儿普遍睡眠量偏少。所以，睡太多这个前提在很多时候，其实并不存在。

简言之 有很多原因都会导致小婴儿不睡觉，但大部分情况不是因为睡太多。

6. “白天睡多了晚上不睡”“白天不睡晚上才能好好睡”” 白天不睡留着晚上睡”

唠叨版解析

这和上一条思路相似，即认为睡眠是银行账户里的钱，白天取了钱，晚上就没了。其实还是睡眠促进睡眠的原理，白天按时充足的小睡能够保证孩子白天良好的状态，以4月龄婴儿为例，白天可能仍然需要4～5小时的小睡，这个时间是正常的，但却远超过很多成人的想象，一个白天有2小时小睡对成人来说很长，也许可以叫作睡多了，但却不适用于婴儿。

简言之 正如早饭不吃，也没办法把两顿的肚子留给晚餐。该睡的时候不睡，就像少吃了一顿饭。

7. “宝宝天生睡的少、喜欢晚睡，有的孩子就是睡的少”

唠叨版解析

这条传言走的是先想当然再顺其自然的套路，是用个体差异来掩盖由于养育不当引起的人为问题的可能性。宝宝没睡，可能是因为家长正抱着宝宝在客厅玩，也可能是宝宝才说了几声梦话，正想接着睡，就被抱出卧室。不排除有天生觉少的孩子，但应仔细观察鉴别，请别轻率给宝宝贴上“就是觉少”这样的标签。

简言之 俗话说“三分靠注定，七分靠打拼”，宝宝的睡眠确实有个体差异，但父母若尝试改变说不定就会有惊喜。

8.“整天睡觉的孩子都迂”“睡多了会傻”“聪明的孩子觉少”

如果你试过了所有办法，宝宝还是睡得少，那么这么做，至少好过焦虑。

新生儿大脑飞速发展，某种意义上白天一大半时间在睡觉，因此“整天睡觉”是他们生理的需求和特点。虽然睡眠的机理、作用至今还没有完全的定论，但睡眠对体力恢复的作用，对记忆力提高的帮助，无须多言。

为避免极端解读还需提醒一下：学习主要还是在清醒阶段进行的，如果没有足够的刺激，在需要清醒的时间反而昏睡，这也有不好的影响。

缺觉会损害宝宝的智力发育，该睡的时候不让睡才是“迂”。

七 十大高发疑问解读

如果睡眠领域也有十万个为什么，那下面这些疑惑一定名列前茅。这些问题相信很多父母都有过，这里先初步回答以缓解父母的焦虑。

1. 明明已经很困了，但就是不肯睡

人在困的时候，体内的化学物质对抗疲劳，会使宝宝变得兴奋、易怒。这种生理机制起源于原始人为了避免睡着时陷入危险，而对现代婴儿来说，太疲劳就容易引发睡前哭闹。

所以要在宝宝还没有困过头的时候，父母就应该进行安抚，安排宝宝就寝。

2. 白天呼呼睡叫不醒，晚上却要很晚才睡

胎儿在妈妈肚子里几乎都在呼呼大睡，只偶尔醒来踹踹妈妈的肚子，出生后也有一阵子睡得昏天黑地，婴儿的昼夜节律需要一段时间才能建立起来。

如果宝宝白天连睡三四个小时或者早上起太晚，就容易发生昼夜颠倒的现象，表现为：晚上入睡困难，睡后2小时甚至1小时一醒，半夜起来玩等。

引导宝宝白天增加活动量、接受日光照射，若连续睡2～3小时，进行叫醒；晚上早些休息，屋里要暗，这些都能帮助减少昼夜颠倒发生的可能。

额外提醒一下，小睡环境过亮会刺激较敏感的婴儿，影响白天的睡眠。其实仅在小睡期间保持室内较暗一般不会造成昼夜颠倒。

3. 怎么明明睡得挺沉，一放下去就醒呢

3个月内的婴儿，入睡后，前20分钟是浅睡眠，如果此时将宝宝从怀中挪动到床上比较容易醒。20分钟后宝宝进入深睡眠后再将宝宝放下，或开始时直接在床上入睡以减少放下的步骤，可缓解这一现象。

3个月后的婴儿，入睡会先进入深睡眠，放不下的现象会有所好转。

另外，要注意放下时小心翼翼反而不如坦然告之：“妈妈要把宝贝放在床上睡啦！”宝宝有所准备，就不会受到惊吓而惊醒。

此外，婴儿在浅睡眠期间偶尔睁眼睛或是哭两声都是正常现象。如果妈妈误以为宝宝已经醒了，反而会对孩子睡眠造成干扰。

4. 人一走就醒，他是自带了雷达吗

有时宝宝已经一动不动睡着十分钟了，可妈妈一走开宝宝就醒，哪怕动作再轻，宝宝都像自带雷达般醒来。不同的声音对人的觉醒作用不同，是否会被声音干扰，和心理预期相关。比如在相同音量下，人听见的是正常杂音，往往能继续安睡，而若是听到火警就会立即觉醒。

遇到这种现象时可以安抚宝宝解释说：“宝宝安心睡觉，妈妈在呢，没有走远”。

有的妈妈说孩子对声音特敏感，有时候妈妈翻身，床发出很轻微的声音宝宝就醒了，只好憋着不翻身。这种情况可以尝试做“脱敏”。比如清醒时演示给孩子看：“你睡觉的时候妈妈是这样翻的，然后床就响啦，你听是这个声音哦，不要害怕，正常

的。”通过场景再现，复现了声音的来源，帮助宝宝不把这类声音和恐惧关联起来，下次再遇到也就不会那么害怕了。

5. 好不容易哄睡着，怎么才半小时就又醒了

婴儿睡眠周期比成人短，一般在30～45分钟，且周期结束后容易醒来。睡眠周期在宝宝4～6个月龄时逐渐延长，届时会睡得更长一些。宝宝睡眠能力增强，也能够增加单次小睡所含的睡眠周期，延长小睡时间。

另外，家长往往先入为主认为小睡就是半小时结束，安排起床活动，而不像半夜醒来那样鼓励婴儿接着睡。长久如此，可能宝宝也就没有醒来还需继续睡的意识，小睡短变成了习惯。

小睡时间短受发育阶段和睡眠习惯影响，是出生前6个月睡眠问题中最大的难题之一。在排除人为干扰因素后，受生理条件所限，宝宝仍有可能睡得短，家长要耐心镇定，避免过度焦虑。

6. 发现宝宝入睡后抽动，要不要去医院看看

婴儿大脑发育尚不完善，睡眠时大脑中控制肌肉运动的部分仍然局部活跃，从而产生间歇性的抽动。

最初的3～6个月可采用襁褓、搂压等方式缓解抽动对睡眠的影响，一般这个现象会随着成长自愈。此外，有研究认为，缺乏维生素D，导致血钙水平低的宝宝，也容易出现入睡后抽动。

7. 为什么学会翻身，夜里就睡不好了

大运动发展期和大脑发育跳跃期，面临大量的学习和记忆工作，而快速眼动睡眠（REM）正具有存储、整理白天记忆的功能，所以在此期间睡眠也会受到相应的影响。

类似于白天文件杂乱地放在电脑桌面，晚上下班后电脑内部在做磁盘清理，将不同文件放到各个磁盘内。

宝宝在学爬、学坐、学站期都会干扰到睡眠。对于大脑来说，翻身期是第一次比较大的刺激，对睡眠的影响也最大。突然学会翻身，好比误打误撞走出了迷宫，非常兴奋，甚至有些迷茫，不知道是如何做到的，会迫不及待再回头走，一遍遍确认来时的路。这种复习的迫切感冲击着大脑，容易出现梦中惊醒、翻身、抬头等干扰睡眠的现象。

在宝宝的大运动发展期，白天要给足条件和时间练习，熟悉后运动刺激就相应减少了。睡眠能力的底子也很重要，底子不好容易在这种时期“崩盘”。宝宝有时候在睡梦中出现翻身翻不过来，或者坐起来不会躺下等情况，家长可以温和地帮助复位，但不要过度干预，更不要一味采用喂奶来催睡。以不变应万变，耐心等待是更好的选择。

8. 病已经好了，怎么还是醒那么多

宝宝本来睡得挺好，但自从生了场病就夜醒无数次。

这是个常见的困扰，类似的还有妈妈上班或孩子回了趟老家之后，原来的好睡眠就一去不复返了。

这种现象与**习惯性夜醒**有关，一般是由于偶然的原因醒了，但受到喂奶、抱哄等干预，又没有及时调整，就变成会主动醒的习惯固化下来。佐证是，原本不在11点夜醒的，如果家长连续三四天都在夜里11点主动喂奶，之后宝宝就可能会在这个点主动醒来。这表明父母的行为是能够影响和改变宝宝的睡眠情况。

习惯性夜醒的模式会延续相当长的时间，只有采取相应的措施，勇敢打破原有的习惯，才能维护好婴儿睡眠的完整性。

9. 后半夜吃完奶一小时必醒，比闹钟还准，为什么

妈妈有时会发现，婴儿的夜醒每天差不多在同一时间出现，呈现类似1点、3点、5点这种“对表醒”。其间隔往往是整点或半点。此外，还涉及习惯性夜醒，如前几天都在这个点醒，生物钟巧妙地记忆、追踪着之前的情况，今天很可能还是如此。不过并不是所有的“对表醒”都是习惯性夜醒，有时候确实是饿了等原因。

10. 不是饿了也不是不舒服，怎么还醒那么频繁

有一项研究曾经在网上疯转，其结论是“婴儿频繁起夜是为了不让爹娘有力气生老二”。笔者觉得好笑荒诞之余，似乎也有那么点道理。

言归正传，婴儿胃容量很小，刚出生进食量小，一顿吃完后2小时就会饿，这是**早期夜醒频繁的生理因素**。随着婴儿的长大，饿不再是夜醒的主导因素，尤其远远小于饥饿周期的夜醒，更可能是**睡眠**习惯导致的。

类似于成人入睡前看手机，半夜醒来要摸出手机看一眼现在几点了，发现“哦，才半夜”，于是接着再睡。要是哪天怎么也摸不着手机，有人可以接着睡，但还有人很可能接下来就难入睡了。这是一种习惯和心理因素，当然婴幼儿睡眠相较于成人更复杂一些。

困－ 吃奶 －睡着－放床上－ 半醒继续要吃奶 －易醒

困－抱着走－睡着－放床上－ 半醒继续要抱 －易醒

不易复现

电视里面常出现这样的画面：阳光照在主角脸上，他睁开眼，发现自己在陌生的环境，一下子惊醒了。对婴儿来说也是一样，宝宝睡前在妈妈温暖的怀抱中，吃着奶睡着了，醒来却发现周围一片漆黑，妈妈不知道到哪里去了，有的宝宝可以继续入睡，那么这种感受还不至于蔓延。但有的宝宝从来都是被抱着奶睡，根本没有在其他条件下入睡过，这类宝宝认为只有吃奶才能睡，也就是睡眠联想很单一，那哭也是难免的了。

入睡时和睡眠中的环境不一致，孩子会很警觉地经常醒来以确认睡眠环境是否发生了改变，觉自然就很轻了。

当然宝宝夜醒夜哭的原因很多很复杂，夜醒不等于饿。大小便、湿疹、冷热、白天受到了刺激、换床、家里来人、妈妈上班、学翻身、长牙，甚至蚊子咬都可能引起宝宝夜醒，妈妈要冷静判断，不要一醒就喂奶，无原则夜奶是导致习惯性夜醒的主因，这个后文会再具体谈。

八 孕期睡眠

这本书重点讲婴儿睡眠，但笔者希望准妈妈们可以提前关注，防微杜渐。所以我们也谈一些孕期睡眠的知识送给准妈妈们。

准妈妈是否感觉孕期比平时睡得差？大概有80%的孕妇，尤其孕晚期的准妈妈，会觉得比孕前睡得差，还伴随夜醒、早醒等困扰。

关于孕晚期睡眠变差，有一个有意思的解释是，为了提前适应照顾新生儿时期的频繁起夜。

家长问 有哪些方法能帮我在孕期睡得好一些?

小土答 **可以尝试以下方式：**

★ 每天锻炼至少30分钟，白天多喝水晚上少喝、睡前按摩放松、左侧卧位睡等。

★ 将孕妇枕夹在两腿之间同时支撑背部。

★ 夜间如厕时尽量保持灯光幽暗，避免强光驱散睡意。

★ 辗转难眠时，别太焦虑，不妨起来轻微活动一下再睡。

家长问 我宝宝睡得不好，是因为我孕期没睡好吗?

小土答 我也曾听说过这样的说法：“婴儿睡觉不好，是因为妈妈孕期熬夜的结果，睡眠好的宝宝都是母亲孕期早睡的。”

我做过的一个调查（共有110位网友的有效留言），结果虽然不精确，但却基本回答了这个疑问，也就是**孕期母亲的作息和宝宝的睡眠好坏没有必然因果联系**。不过胎儿能感知到母体的压力水平，睡得多可以帮助降低压力水平，希望孕妈妈还是尽量保证充足休息。

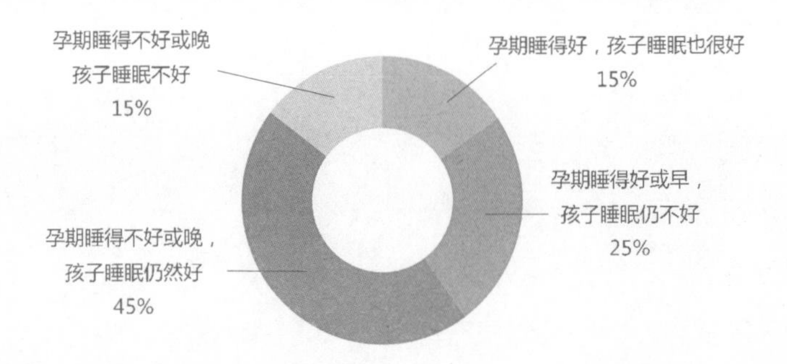

有位双胞胎的妈妈，说两个孩子一个睡得好另一个睡得不好，可见是否能睡得好真是个成因复杂的问题。先天因素是一部分，后天的养育和习惯的培养也很重要。准妈妈如果睡不好也不要焦虑，不用担心给宝宝带来影响，事情的因果联系没有那么明确，放松心情反而可能带来意外之喜。

日盼夜盼总算等到了“卸货”，有了新的身份——爸爸、妈妈。很多新妈妈都感觉新生儿的睡眠和孕期时自己的想象差很多。根据笔者的调查后统计，在500多人的投票中，有高达68%的人孕期没有接触过婴幼儿睡眠知识，被现实难住了，即便是已经有准备的18%被调查者，也仍觉得实践起来并非易事，从投票结果看遇到天使宝宝的概率也不大。

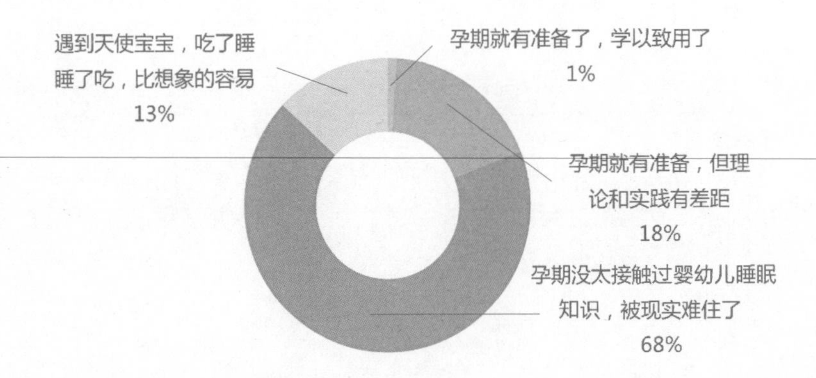

如果读这本书的你是一位准妈妈，祝福你能够成为那幸运的1%。希望这本书的问世，使得准妈妈在孕期就有所准备，不会遇到困难才措手不及。笔者希望通过这本书，可以尽可能地缩小理论和实践间的鸿沟，让更多的人学以致用。

第二章

小土安睡入门

良好的睡眠有助于孩子身心健康的发展，甚至对家庭的和睦程度、亲子互动的质量也会起到积极的作用。

妈妈们的经历

出了月子，我一个人带孩子。宝宝特别难入睡，我只能抱着不停走动、摇晃，好不容易睡着以后，放下就醒，必须得一直抱着。宝宝夜里还爱闹腾，不知道有多少次了，半夜宝宝醒了，我怕她哭把家里人都吵醒了，抱着她在楼下一遍遍走着哄着，巡逻的保安都异样地看着我。那时候完全不知道宝宝什么时候该睡觉，该怎样哄。

熟睡的孩子最能激发母性，如何让宝宝顺利入睡并且维持比较高的睡眠质量呢？解答这个问题，涉及对睡眠量的合理预期、入睡时机的选择、安抚孩子的方式、维持睡眠状态的方法、睡眠地点的选择，也就是睡多少、何时睡、如何睡、睡多久、睡在哪这五大问题。

第一节 睡多少——设定合理预期

很多家长都认为：我的宝贝就是不愿意睡、只能抱着睡、睡不长……千万不要轻易下这种结论，不要给宝宝贴上这样的标签。

“睡多少”受先天基因的影响，又和养育方式、环境等后天因素紧密相关，存在较大的个体差异，没有标准答案。季节更叠、居住环境等因素都会使睡眠量产生波动，比如夏天比冬天睡得少，旅游时睡得比在家少，人造光源的应用造成我们这代人比上一代睡眠量少等。

宝宝是否缺觉

人们常常将“兴奋”等同于“精神状态好”，其实婴儿的“兴奋”还可能是过度疲劳的一种表现，像大人喝醉酒似的，一会儿笑一会儿哭，翻脸比翻书还快。而真正“状态好”时情绪是相对稳定的，不易激动不易怒，反应是机敏的，仿佛世界的观察者。

当出现以下几种情况时，可能意味着宝宝缺觉了。

玩耍状态：莫名的发脾气、稍不如意就尖叫哭闹、啃咬严重；

临睡前：大闹，拼命揉眼睛吃手，看起来已经很困了，但就是难以入睡，或常需借助推车、餐椅、安全座椅才能睡着；

入睡方式：需要比较强的辅助（摇晃、长时间吃奶）才能入睡以及维持睡眠；

睡眠期间：小睡时长特别短，常常只有20分钟，夜里醒很多次且无法立即再入睡。

这些情况累积一段时间，会变成“利滚利的睡眠负债”。虽然不排除天生觉少的情况，但有很多“睡得少”“不肯睡”的情况是受到了人为干扰，需要家长从养育细节上积极寻求改善，别轻率得出“我孩子就是天生觉少”的结论。

除了精神状态，还可以结合睡眠量参考值来判断宝宝是否缺觉。

婴儿需要多少睡眠量

网络上、睡眠类书籍中，能找到多个不同的睡眠量版本，难免让人困惑究竟哪个是比较靠谱的?

下表为美国睡眠基金会（National Sleep Foundation）于2015年发布的最新睡眠量建议。

月/年龄	推荐的睡眠量（小时）	可能也合适的睡眠量（小时）	不推荐睡眠量（小时）
0~3个月	14~17	11~13，18~19	低于11，高于19
4~11个月	12~15	10~11，16~18	低于10，高于18
1~2岁	11~14	9~10，15~16	低于9，高于16
3~5岁	10~13	8~9，14	低于8，高于14

很遗憾这个推荐仍旧不是很细，本书结合现有的多个版本、调研做了经验级汇总①，更为细致，供读者参考。睡眠需求就像人的胃口，难免有波动，最终具体到每个孩子，应以状态而非数值为准。

月龄	小睡次数（次）	平均全天睡眠总量（小时）
1~3个月	4~6	14~17
4~6个月	3~4	13~15
7~9个月	2~3	12~14
10~15个月	1~2	11.5~13.5
16~24个月	1	11~13

三 小睡演化史

小睡（Nap）次数决定了作息的格局，其次数的减少，正是由婴儿期多相睡眠向成人期单相睡眠的转变，也是并觉的过程。

月/年龄	小睡次数（次）	点评
新生儿	6~7	新生儿尚未建立起完全的昼夜分别，基本处于吃了睡、睡了吃的状况，醒睡间隔非常短，处于典型的多相睡眠阶段
1个月	5~6	这时昼夜颠倒的生理基础逐渐消失，白天被以较短的醒睡间隔，划分成5~6次小睡，具体数量也和小睡长短有关
3个月	4	3个月左右时，早上有两觉、午觉加傍晚觉共四觉。如果小睡很短或晚间入睡晚，则小睡数量可能更多
6个月	3	4个月左右，小睡减少至早中晚三觉了，这个转变和进食间隔的延长处于同一时期
9个月	2	6~9个月傍晚觉消失，仅仅保留早觉和晚觉。并觉期间，傍晚觉入睡困难，但不睡又无法支撑到晚上，是颇为难熬的时期
12个月	1~2	两觉到一觉的转变是个较大的里程碑，一般研究认为发生在15~18个月，也有研究认为在1岁至15个月
2岁	1	此时仅剩午觉，生活和出行都比较方便，大部分孩子的夜间睡眠已经不再是问题
3岁	0~1	一些幼儿已经不睡午觉，还有一些会有短暂的午间小憩

① 数据来源：来自瑞士的一项调查“493名孩子的追踪”、《法伯睡眠宝典》《宝宝不哭之夜间安睡秘诀》《韦氏婴幼儿睡眠圣经》《婴幼儿睡眠圣经》全球最大的专业育儿网之一的baby center（中译名：宝宝中心）、实际案例、样本调研等。

四 何时能不吃夜奶

关于夜奶，有的说是夜间10点至凌晨3点，有的说夜间12点至早晨6点，那么到底夜奶是指什么时间段？

夜奶（nighttime feeding）的定义很多书中都不相同，在本书的讨论中，将晚间入睡到早晨起床之间的喂奶，统称为夜奶。晨奶特指早晨四五点钟醒来的那顿奶，也仍在夜奶范畴。

关于夜奶的次数，各方看法不一：比较激进的说法认为，4个月就可以仅1次夜奶了，中间派认为要到6~9个月，保守的则认为要到1岁。

笔者比较认同的时间节点如下表。

月龄	夜间进食情况
3个月左右	2~3次夜间进食（新生儿更多）
6个月左右	0~2顿
9个月左右	添加辅食后逐渐减少到0~1顿
9个月后	可以一夜不进食，但连续睡9~10小时后的晨奶，是最晚戒掉的，由于个体差异，这顿奶有可能保留至1岁甚至更久

夜间进食有个体差异，也需考虑宝宝是否是早产儿、低体重、辅食添加缓慢、白天进食量不高等特殊情况。有时宝宝看起来吃了很多次，其实没吃几口就睡着了，所以还要考虑总进食量。

五 最长一觉一般能睡多久

宝宝夜间真正睡稳之后的第一觉，一般是全夜中时间最长的，被称为“连续睡眠（stretch）”。大致的时间范围如下。

月/年龄	连续睡眠长度（小时）
1～3个月	3～6
4～6个月	5～8
7～9个月	7～11
1岁	9～12

妈妈需注意：新生儿胃容量很小，频繁进食是正常现象。如果孩子一直睡得很好，突然开始频繁夜醒，多半是有特殊的情况，要仔细排查原因。

六 多大可以睡整夜觉

对疲惫不堪的父母来说，“整夜觉”是个心驰神往的美丽传说。有定义将5～6小时连续睡眠视为整夜觉（sleep through the night），但在国内，通常人们说起“整夜”时常常不是特指多少小时。为了避免混淆，本书的**“整夜”指入睡到醒来的整晚。**

根据夜奶和连续睡眠的情况，宝宝完全的整夜觉要到9个月～1岁之后，但即便没有了夜间进食，也还可能短暂的醒来。

这样的结论是否听起来很令人沮丧？不要怕，很多妈妈都认为，宝宝只吃1次夜奶，吃完就继续睡的情况，已经很令妈妈感觉幸福了。这就是她们心中的整夜觉了，这个福利大概在宝宝6个月就能够享受到了。

宝宝最终会断奶，有一天他会彻夜睡觉，这种高需求的育儿阶段很快就会过去。宝宝在你床上的时间，在你怀里的时间，吃奶的时间在人的一生都是非常短暂的，但是那些爱与信任的记忆会持续一生。

——西尔斯

七 何时能自主入睡

家长问 什么是自主入睡呢?

小土答 笔者给自主入睡下的定义是：完成睡眠仪式，能够不依赖“吃至睡着”“抱着走至睡着”等较强的外界帮助，宝宝主要靠自己完成从迷糊到入睡的过程。

宝宝马上11个月了，最近能自主入睡后，小睡从原来的半小时延长到1～1.5小时，原来夜里醒多次，现在一觉到天亮。

像这样自主入睡后，睡眠状况即得到改善的例子，在本书中多处可见。宝宝自主入睡维持了睡眠环境的一致性。将学习机会交给孩子，不但减轻了家长的负担，还能提高宝宝的睡眠质量、睡眠量。虽然自主入睡并不一定能解决所有睡眠问题，但确实是一种可行的尝试。

宝宝3个月左右能够有偶然地自主入睡，4～6个月是尝试自主入睡的时机。但和掌握其他技能一样，娴熟需要更久的练习，甚至伴随着倒退。

家长问 总听人说“顺其自然，大了自然会睡，我们都是这么熬过来的”，自主入睡和顺其自然矛盾吗?

小土答 就像一直被抱着就没机会学爬，不放手就学不会走路一样，宝宝的睡眠也需要有机会去学习。生理条件具备了，给宝宝机会去学习就是一种顺其自然。将来会好转，不代表现在没有痛苦过，熬要熬的值得。如果能让孩子睡得更好，何乐而不为？有研究表明，小时候睡得不好的孩子，在3岁左右仍然睡不好的风险更高。随着年龄增长慢慢变好的确有可能，但却不是一定的。所以从小培养良好的睡眠习惯非常重要。

第二节 何时睡——把握入睡时机的五个要点

宝宝还小，不能自己拉窗帘、脱衣服，甚至还不会自如躺下……所以能不能顺利入睡，得依靠家长在恰当的时机安排就寝。

但其难度在于睡前常出现的“闹觉”“磨觉”等哭闹现象，宝宝躺下就安静入睡是很多妈妈所可望而不可即的。这些现象并非宝宝不懂事胡搅蛮缠，而多是疲劳过度或不良睡眠习惯导致的。

留意睡眠信号，并结合月龄对应的平均醒睡间隔，建立稳定作息，能帮助家长判断入睡时机，减少哭闹。

一 睡前哭闹的主要来由——因为困所以哭

宝宝快两个月的时候，早上醒来特别乖，不哭不闹，上午几乎不睡。渐渐的宝宝需要有人抱，中午就放不下了，不然一直哭，下午有时候哭崩溃了秒睡，但是睡个十几分钟又尖叫着哭醒，反复闹到晚上之后持续大哭，到11:00才肯睡。

困过头时，宝宝反而可能表现得很兴奋、易怒、难以入睡。缺乏睡眠会导致中枢神经系统高度清醒，累积的疲倦会让孩子总处于兴奋状态无法放松。[①]

其实宝宝不一定是玩累了，只是醒久了就会疲劳。宝宝哭闹也说明已经困倦，此时入睡难度也飙升。虽然累到极致最终还是会睡着，但却是以不健康的崩溃方式入眠。

很多孩子被认为是脾气暴躁，但其实起因是缺乏睡眠，睡多了脾气自然就变好了。当然，睡前哭闹还可能是由于在宝宝不困时哄睡，导致宝宝用哭闹来抗拒睡眠。

---

① 观点来自《婴幼儿睡眠圣经》。

二 睡眠信号——功夫在哈欠之外

说起宝宝的睡眠信号，很多人都知道“哈欠”是明显的睡眠信号，其实揉眼睛、眼睛没神、一直啃手、用力咬东西、晃头、抓头发、手乱舞、尖叫等都有可能是宝宝发出的睡眠信号。

关于睡眠信号，需要了解以下几点。

1. 发脾气也是困的信号

想要的东西得不到，在刚睡醒的时候孩子也许可以忍受，但在宝宝很困时，这些挫折却很可能激怒孩子，引发尖叫、哭闹等。因磕碰等引起的疼痛，会激起宝宝比平常更严重的哭闹。家长往往把这些现象归结为宝宝叛逆、脾气大，其实孩子是困了难受，情绪的容忍度下降了。

2. 错过了平时入睡的时间，可能会表现得异常兴奋，并且意愿上更加抗拒睡眠

有点像大人喝酒微醺时常说：“不行不行我喝多了。”醉了的人不会承认自己喝大了，还嚷嚷着“再来再来”，表面很有战斗力，其实已经很不稳定了。过了睡点的兴奋很可能是由疲劳引起的假象，不一定是不想睡，这时家长需要坚定一点并及时做睡眠安排。

3. 困了咬东西是常和出牙搞混淆的信号

临睡前孩子啃咬的现象会加重，竖抱的时候他们可能会咬你的下巴、肩头。如果这是临睡前独有的，则属于困的可能性更大。

4. 困时吸引宝宝的注意力往往较难

比如平常有声音宝宝常会将头转向声源，或是比较容易被好玩儿的事或物吸引，困时却不那么容易。

5. 随着成长，有时候睡眠信号会被隐藏，不易发觉

例如“前一秒生龙活虎，后一秒已经歪头呼呼叫不醒了”“怎么也不肯睡，吃饭吃着吃着居然睡着了”“一上车就睡着了”“本来很兴奋，抱到屋里就开始哈欠连天”。这些情况反而可以按时间、按醒睡间隔进行睡眠安排，而不是苦等睡眠信号。

妈妈们观察对比睡醒、睡前半小时之内的状态表现，很快就能发现你家宝宝特有的睡眠信号。小婴儿轻微睡眠信号出现到真正入睡往往需要十几分钟的过渡。观察到信号后妈妈不要太着急，按部就班地去做睡眠准备工作即可。

醒睡间隔（清醒时间）

醒睡间隔是指宝宝醒来后到再次睡着的时间。宝宝开始尝试入睡至真正睡着，这个时间称为尝试入睡的时间。醒睡间隔的活动包括喂奶、玩耍、入睡准备、尝试入睡。

宝宝7个月后基本就没有之前揉眼、打哈欠的信号了。不过白天两觉隔2.5小时，看着很精神但放床上后，结果都是分分钟睡着。

各个年龄段醒睡间隔的大致范围如下表[①]。

月/年龄	醒睡间隔
新生儿	45分钟～1小时
2～3个月	1～2小时
4～6个月	1.5～2.5小时
7～9个月	2～3小时
10个月～1岁	2.5～4小时
1岁	3～4小时（如果睡2觉）
	4～6小时（如果睡1觉）
1岁半	5～6小时

① 此表是笔者基于诸多睡眠专著、baby sleep site、睡眠基金会睡眠量参考标准以及诸多妈妈们的实践汇总的。

关于醒睡间隔要注意以下几点。

★ 数值仅供参考。妈妈过于纠结反而会陷入焦虑，宝宝的状态才是最终的评判标准。

★ 醒睡间隔是平均值，且有个体差异。虽然一段时期内相对稳定，但其受环境、生长突发状况影响，会有短暂大幅波动的可能。宝宝何时入睡需要结合其他信息综合判断。

★ 婴儿的醒睡间隔会逐渐增加，这和长大了胃口见长类似。小时候，就像容量小的手机电池，冲满也只能用一两个小时。随着宝宝长大容量也跟着大了，续航时间才长起来。手机的电总是用光才充对电池性能可能有影响，而能用多久，和开了什么程序也有关。

★ 一天内的不同时段，醒睡间隔可能是逐渐增加的。早上醒睡间隔就可能比下午的短。第一个早觉一般被称为回笼觉，也是由于它和夜觉相隔较短。

以7个月的孩子为例，醒睡间隔平均是2.5小时，全天是有波动的。有可能早上醒来1.5小时就会睡第一觉，上午觉和午觉之间的醒睡间隔增加到2.5小时，晚觉之前则达到3.5小时。也有晚觉之前因为已经累了一天，醒睡间隔反而短的情况。实际属于哪种情况，需要具体情况具体分析。

比如成人早上7:00起床中午十二点多睡午觉，晚上却能清醒到10:00才睡，这两段的醒睡间隔就有很大的差别。

★ 每个孩子有作息上的特点，并且可能很早就开始了分化。比如有的孩子早上醒睡间隔短，下午却很长，还有的孩子早上和下午醒睡间隔差不多。这两种在作息上的特点就很不相同，需要具体情况具体分析。

★ 小睡很短和夜里没睡好的情况，醒睡间隔也会相应缩短。小睡时间很长（2～3小时），下一次睡觉前的醒睡间隔也更长。比如，2～3个月的宝宝，醒睡间隔是1～1.5小时，但小睡如果30分钟就醒，再次入睡的时间差可能远小于平常的醒睡间隔，甚至也只有30分钟。

★ 晚上务必让宝宝早点休息，7:00～8:00是1岁前宝宝较为合适的入睡时间。

妈妈们的经历

宝宝平时八点多奶完要睡，但我一离开床就醒。我特意做完事和他一起睡，避免起床。八点多奶完一侧宝宝睡着了，睡了大概有半小时吧，我开始迷迷糊糊了，他醒了，又奶另一侧，吃后继续睡。原来，之前晚上11:00左右睡的焦躁，是太困导致的，以前是我不懂他。

最后，睡觉不是完成任务，妈妈们别盯着清醒时间不放，结合宝宝的状态多观察。

四 入睡时机——易睡窗口

让宝宝在合适的时间点入睡很重要，提前或滞后过多都会让入睡变得困难。能相对顺利入睡的区间英文里称为sleep window，笔者翻译为易睡窗口。

和大人一样，错过了一波困意就又可以精神一段时间。宝宝不肯睡，既有可能是疲劳过度，也有可能是还不困。对于小月龄宝宝来说过度疲劳是常见的原因，大概是在9个月至1岁后，不肯睡更多由于还不困。

1. 及时安排睡眠环境，并对哄睡有所坚持

有时孩子哭闹，大人会逗乐，以求停止哭闹，其实宝宝哭闹可能是疲劳引起的。当务之急不是靠逗乐熬过困倦时光，而是要及时安排睡眠，并对哄睡有所坚持，避免错过易睡窗口。尤其缺觉的情况及时甚至提早哄睡很必要。

我们大都有过熬红眼追剧、打游戏到半夜的经历，不是不困而是无法自控。当宝宝需要睡眠却想玩时，陪着他玩就是在剥夺他的睡眠时间，家长需要区分宝宝的意愿和需要。

2. 适时重启，不要硬扛

笔者曾遇到一些案例，妈妈担心宝宝越困越疲劳，所以持续哄睡。但实际哄太久不睡就像电脑死机需要适时重启，不要硬扛，不然大人小孩都有压力。比如尝试入睡

的时间超过20～30分钟，可以考虑暂时终止哄睡，等待时机，一般再过十几分钟到半小时，又会有新的易睡窗口出现。

昨天中午哄睡时过了时间我就没有死扛，安静地陪着他玩儿，捕捉到了再次困的信号才去哄，感觉入睡比过了时间硬哄要容易许多。

3. 作息记录很重要

妈妈将醒睡间隔和再次入睡的难易程度记录下来，几天的平均值进行比对就容易发现孩子特有的规律。

五 维护生物钟的稳定

何时困何时醒并不是全由人的意志决定，而是受内在生物钟驱动的，每天都在差不多的时间入睡，有利于生物钟形成，会比今天晚上7:00睡明天晚上9:00睡的混乱状态来得容易。

1. 好睡眠需要小心翼翼地呵护

玩儿、出门遛弯、逛街等活动应该让步于睡眠，但这样说，并不代表生活不能有任何变化，只是别太随意，否则是对宝宝的不负责任（0～3个月的宝宝抱出门反而易于入睡的情况除外）。由多个人带或者白天晚上不同人带，更是要如此，养育者都清楚什么时候需要安排睡觉，才能更好地响应宝宝的需求。

有时候孩子睡得晚，很可能是家长无意识中慢慢延迟了孩子的入睡时间造成的。我小侄女本来早睡早起加午睡不误，可我半年没见她，这次发现她现在变成晚上11点入睡，睡到第二天上午10:00，傍晚五点多累了，睡两小时后起来疯玩成了常有的事。

2. 适应变化也很重要

宝宝有稳定的生物钟之后，一两次的变动也不必太紧张。适应不同的情况的变化，也是宝宝需要学习的功课。

在并觉时期，傍晚觉多睡半小时，有可能推迟夜间入睡时间数小时，那么这种觉权衡之下就未必要睡。

3. 睡在生物钟的睡眠时段

成年人即使夜里睡得再不好，上午10:00补觉也不会睡很久，但中午之后入睡则不同。疲劳的时间点和生物钟吻合，入睡也会容易。

所以如果宝宝不缺觉，针对白天小睡，偶尔困的信号出现得太早，也可以不哄睡而让孩子保持清醒：和生物钟吻合的小睡一般入睡容易也睡得更长。

某种原因错过了某次小睡，也可以保持低强度活动，到下一次睡眠时间再哄睡，不过多地打破规律，从而维持生物钟的稳定。

第三节 如何睡——熟悉安抚技巧

把宝宝放在床上瞬间就睡着，这可能是已经累过头崩溃式入睡了。通常睡眠是一个渐进的过程，从开始尝试入睡至真正睡着（清醒至迷糊至睡着）的时间一般是几分钟到十几分钟不等。的确是困，就要有充分的耐心，坚持一下，让宝宝有足够的时间去尝试入睡。

睡眠是渐进的：

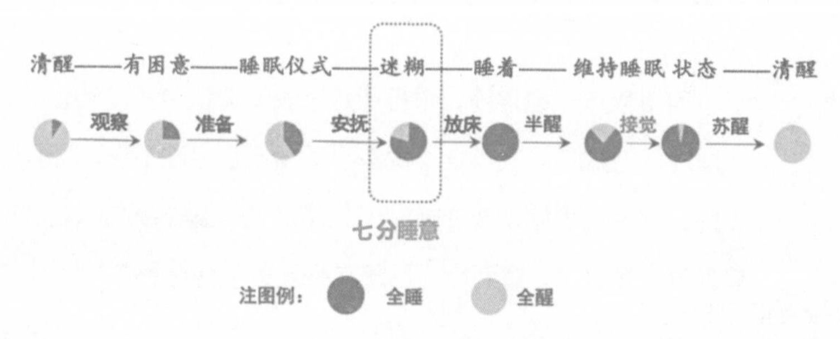

要在宝宝昏昏欲睡却还没睡着的时候，就把他放在床上。但不少妈妈执行起来却发现很困难。因为宝宝明明很困，但放床时却会大哭，长时间无法入睡。**入睡最大的奥秘在于平静**！这其中所缺的很关键的一步，就是**通过安抚使宝宝平静下来**。

平静是一种微妙的状态，并非宝宝不哭泣就是平静。当宝宝平静时，你能感受到情绪的张力正在逐渐减小，逐渐可控。

下面这些方式，都是围绕这个目的。本小节的内容，对月龄范围做了标注，供读者选取所需的部分。

生理上还不成熟时，需要一些辅助过渡，促进宝宝睡眠能力的发展。**对于更大的孩子，入睡困难的原因逐渐由生理主导转向心理**，要靠激发内力。

一 基本功——如何抱孩子

一个深深的拥抱可令误解消融——拥抱有着独特的作用，并非言语、轻拍可以完全替代的，对婴儿就更是意义非凡。

婴幼儿与母亲的接触过少，会导致婴儿的神经架构变得不稳定，并且效率低下，因而使得婴儿的部分生理结构变弱，最终造成交流能力、情感表达能力、自我调节能力和对食物的反应能力的发育迟滞。

——摘自《与宝宝同眠》

刚成为父母的你第一次触碰宝宝稚嫩的身体时，可能会很紧张，生怕伤到小宝贝。安抚过程会涉及抱孩子，别小看这一个“抱”字，其实学问挺多，这是基本功中的基本功。

抱分竖抱、横抱、前抱、飞机抱、橄榄球抱等，这里对各种应用场景进行介绍，帮你更轻松自信地抱宝宝。

场景1　把平躺的宝宝竖抱起来活动：也就是图1向图2的转变，先俯身，一手四指并拢从宝宝颈部穿过，张开手掌先托住头部，另一手从另一边托住屁股，托头的手先向上抬，然后起身。

婴儿重量集中在头部，3个月内颈部肌肉力量还不强，到4个月后颈部力量才会逐渐增强以支撑头部。故而，竖抱时，要给头部、颈部足够的支撑，换手、换姿势也要先护住头颈。

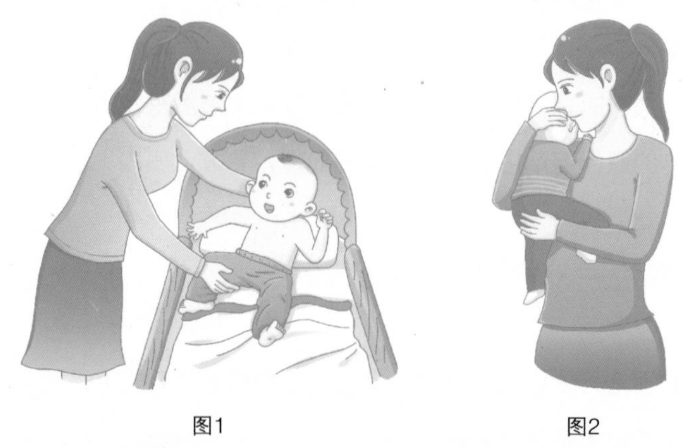

图1　　　　图2

场景2　竖抱哄睡：像图2那样让宝宝趴在肩头或像图3贴在妈妈胸口，侧着头使宝宝呼吸通畅，这样宝宝能够听到父母的心跳和感受到父母的体温。用不托屁股的手，轻拍宝宝后背，手臂遮挡住他的视线，轻轻地给宝宝唱歌，发出一些有规律节奏的“嗯嗯”“哦哦”“嘘嘘”之类的声音。

图3

场景3 躺着到横抱：如图4，一只手托宝宝的头，用另一只手去穿过屁股支持背部，屁股一般在手肘附近，起身。如图5，俯身一只手先穿过颈部，延伸到背部，在这个过程中使宝宝微微侧身，头枕在妈妈手臂上，这支手臂既支撑头部也支撑整个背部，另一只手托臀部。起身后，在背部的手延伸到臀部，这时另一只手，可以助力或者腾出。

如果是横抱哄睡，抱稳后以手腕为轴，轻轻拍动背部、摇晃。

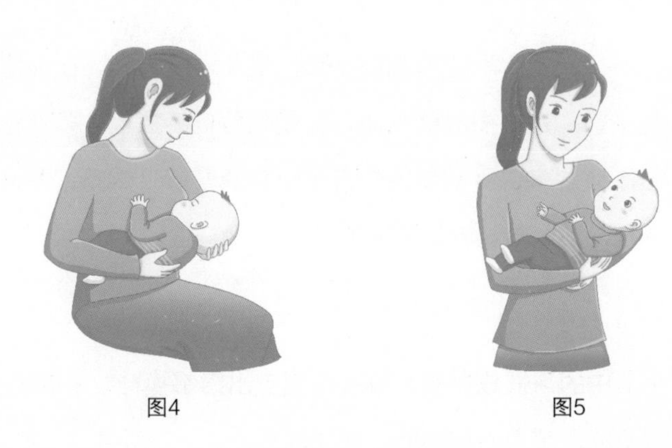

图4　　图5

场景4 宝宝胀气哭闹：参照图6的飞机抱姿势，把宝宝的头和肚子都搁在手臂上，另一只手轻拍宝宝的背部。飞机抱是难度较高但很有安抚力的抱法，对缓解胀气、哭闹很有帮助。

场景5 陪宝宝一起玩：可以参照图7、图8、图9的抱法，比较简明，就不一一介绍了。

抱宝宝时，如果宝宝哭闹了，可以尝试切换到另一种姿势，分散他的注意力，也可缓解某种抱姿导致的不舒适。

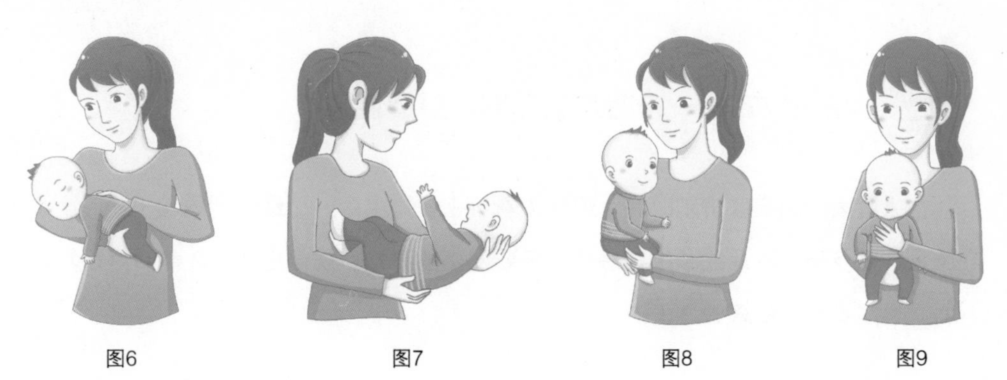

图6　　图7　　图8　　图9

常看到有人苦恼于宝宝睡前不接受“横抱”，其实这很正常，“竖抱”从视角和舒适度上都有天然优势，容易获得宝宝偏爱。

二 睡眠联想——易于复现是关键

妈妈们的经历

每次宝宝入睡前我都会陪他玩儿一段时间，让他能在睡前保持平静，比如播放催眠曲，即使睡着仍然播放，多次他在中间浅睡眠时醒来，听到熟悉的音乐也会慢慢闭上眼睛，并懂得这个音乐播放的时候，就是要睡觉了。

就好像日常生活中的习惯成自然，每次带宝宝出门都换鞋，逐渐地他看到换鞋就知道要出门了。孩子的联想力不容小觑，睡觉同理。

睡眠联想（sleep association）是使人联想到要睡觉的物体、事件。常见的睡眠联想包括：听音乐、吃奶、安抚奶嘴、被抱着走、躺床上或推车里等。一旦只依赖某个联想，且成为习惯固化后，很可能离不开。比如习惯奶睡的宝宝，尝试不奶睡就容易睡不着、醒来也无法继续睡。

随着宝宝的成长，躺床上、自己睡之类的睡眠联想比抱睡、奶睡更稳定，也更容易复现。但因为舒适度上的差别，宝宝会有偏好，新睡眠联想的建立需要一个过程，也可能会比较辛苦。

三 睡眠仪式——布置睡眠环境、舒缓情绪

古人看太阳的高度辨别时间，现代人看表来安排生活。婴幼儿则依赖于光线、内在生物钟以及外在生活的顺序，来预计将要发生的事情。规律生活，才能更好地辨识时间，也是安全感的来源之一。

睡眠仪式（bedtime routine）应运而生，利用一系列稳定的、有先后顺序、能够舒缓情绪的事情，来帮助孩子意识到：要睡觉了。

比如拉窗帘布置睡眠环境、洗澡、换睡衣、拥抱、喝奶、刷牙、讲故事、抚触、听睡眠曲等，某种意义上其实都算睡眠仪式，它们帮助宝宝建立起易于复现的睡眠联想。

晚间的睡眠仪式可能持续0.5～1小时，妈妈们可以列出类似的事件清单。

★ 入睡前0.5～1小时，给宝宝洗完澡，抱到房间；

★ 宝宝躺在床上玩儿，妈妈拿睡衣、铺床，边做这些事情边和宝宝聊天；

★ 妈妈给宝宝按摩身体，按摩时给宝宝唱歌或者打开音乐；

★ 给宝宝喂睡前奶或者水；

★ 拉上窗帘，调暗灯光，使屋内光线暗下来，提醒宝宝马上就要睡觉了；

★ 小月龄的宝宝可以躺着自己玩儿一会儿、大人抱着轻轻走动，给大一些的宝宝讲故事；

★ 出现烦躁信号或者接近入睡点时，把安抚物给宝宝，将灯关闭；

★ 轻吻宝宝，告诉他现在就正式睡觉了，减少对话，可在黑暗中陪躺或者离开房间，宝宝翻身，爬起来，又躺倒，几番轮回最终睡着。

有人会把睡眠仪式里面的抱和抱睡搞混。其实，前者是在宝宝迷糊之前的清醒时段进行，用来平稳其情绪，时间短，不持续到入睡；后者是一直持续到入睡之后。

一般晚间入睡的睡眠仪式还会包含洗澡，洗澡可使脑部的血液流向皮肤，令宝宝全身放松想睡觉，如果卧室温度适宜，刚刚升高的体温就会下降，容易产生困意。对婴儿来说洗澡水不宜过热，若洗澡时玩水会引起宝宝兴奋，可以把洗澡挪到白天。

妈妈们的经历

宝宝现在的睡眠程序是这样：脱外衣，换睡衣，放床上，盖上被子，玩儿一分钟捉迷藏的游戏，逗逗乐。然后我躺她身边，给安抚奶嘴。这时她就知道我要让她睡觉，有些许抗拒，哼哼是正常的，然后在她眼前舞手指或者打响指吸引她注意力，立刻就安静了。然后我控制住她的双手，单手搂着她装睡，很快她就双眼迷离睡着了。

四 小土安抚技

父母善于“阅读”孩子的情绪线索并做出疼爱反应，他们的孩子就较少烦恼，容易抚慰，探索环境的兴趣更强。相形之下，父母等到孩子大发脾气才采取抚慰，会强化孩子的痛苦，使之快速增强。如果养育者不善于调节婴儿的压力体验，那么，经常处于应激状态的脑结构就不能正常发育，导致儿童容易焦虑、冲动，调节情绪的能力减弱。

——《伯克毕生儿童发展心理学》

借鉴前人比较著名的4S[①]、5S[②]，结合中国妈妈的实践，笔者总结出有助入睡的“小土安抚技”来配合睡眠仪式的进行：包括裹襁褓、催眠曲白噪音、抚触按摩、轻拍轻摇、自我安抚、吸引注意力、放松心情、宣泄情绪8方面内容。

1. 裹襁褓——身体受控睡眠才能受控

中国民间有“蜡烛包”“粽子包”的传统，指用毯子将婴儿紧紧裹住。

---

① 出自《实用程序育儿法》，4S包括布置环境（setting the stage）、裹襁褓（Swaddling）、安静坐着（Sitting）、嘘-拍(Shush-pat method）。

② 出自《卡普新生儿安抚法》，5S包括裹襁褓（Swaddle）、侧躺（Side or stomach position）、嘘声（Shush）、摇摆（Swing）、吮吸（Suck）。

（1）襁褓（Swaddle）的原理、利弊

女宝宝65天了，晚上奶睡之后几分钟会突然大哭，手一动就把自己惊醒。

新生儿还无法灵活控制手脚。在临睡时、睡眠周期间隔中，手脚不受控乱舞、抽动，会很容易受到惊扰，裹襁褓就是为了缓解这种现象，通过模拟子宫环境让宝宝觉得安心、舒适。按住手、搂紧、抱着、侧躺、背巾哄睡其实是相似原理。

关于裹襁褓的利弊稍有争议。有人认为，这会限制婴儿的运动自由，但有更多的研究表明会有积极作用。各国人民不约而同地发现，裹襁褓这种“限制自由”的方式对缓解婴儿的哭闹有帮助，并非巧合而是有某种程度的必然。

（2）如何裹襁褓?

襁褓最好从出生即开始就让宝宝习惯。有妈妈发现，后期突然引入会不太顺利，因为宝宝已经不习惯被束缚住。

裹襁褓的过程，参见图示。如果宝宝爱吃手，还可以在裹襁褓时，将手臂放在胸前露出手指，步骤稍有不同。网上也有不少视频介绍，更为直观。

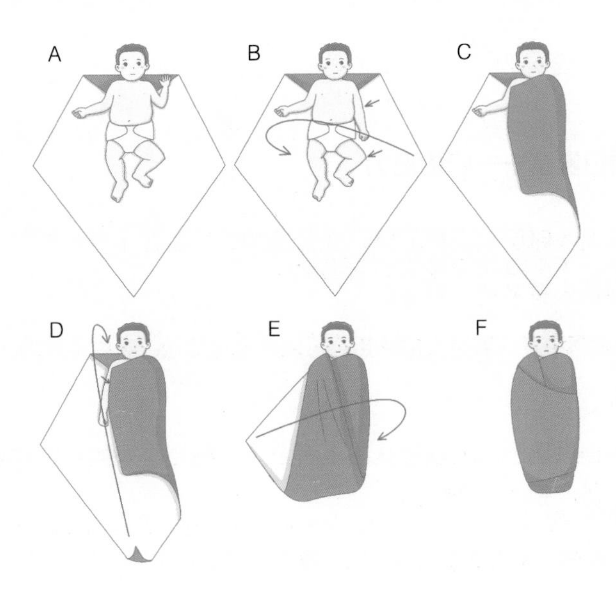

家长问 使用襁褓有哪些注意事项?

小土答
★ 襁褓要稍微紧一些，不然容易松开或遮住婴儿的脸。
★ 仅包住宝宝手臂上部，腿仍然要相对放松，有活动空间，不要强行将腿按直，否则可能导致髋关节脱位。
★ 市面上有襁褓式睡袋，仅包手臂，使用也比较方便。
★ 尽量仅在睡眠时段使用，避免全天使用，以防束缚身体，延缓大运动发展。
★ 裹襁褓时新妈妈最好坐姿或者站立操作，以免腰部90度弯曲，减少损伤。

家长问 襁褓能用到多大？如何戒除?

小土答
★ 襁褓的使用范围一般是在宝宝0～3个月时，也有少数情况延续到6个月，和惊跳反射消失的时间大致同步。
★ 去除襁褓需要提前做好准备，可以从逐渐减少使用频率开始，先尝试放出一只手直至放出两只手完成过渡。
★ 过渡期间可能会出现睡眠倒退，可以适当搂压宝宝，以缓解宝宝的不适应。

2. 催眠曲白噪音——听的魔力

人们在背井离乡时听歌安抚心情，在孤独的时候听音乐寻找勇气……处于完全无声的环境，反而使人莫名的不舒服。

声音在婴儿睡眠中发挥着巨大的作用，可以使宝宝放松、吸引注意力、建立睡眠联想。

（1）催眠曲

催眠曲是人们最熟悉的入睡安抚。笔者至今仍然记得妈妈唱的那首“月儿明，风儿静，树叶遮窗棂”。

毫无疑问，熟悉的人的温柔低语、独特嗓音也能安抚宝宝，其应用也没有年龄限制。

第一次把《宝贝你听见了吗》放给宝宝听，听了两遍宝宝就自己睡着了。虽然从7个月开始能自己睡觉，可一般要扭20分钟，从来没像这样安安静静地听歌就睡。

妈妈们反馈有效的歌曲还有：《小燕子》《宝贝》《军港的夜》《月亮代表我的心》《花火》《送别》《让我们荡起双桨》等，歌曲风格多变，听烦一首了还可以对曲目进行切换，多去尝试，相信你也能找到宝宝喜欢的歌。

给宝宝放催眠曲时一般先放节奏快、声音大的音乐，吸引宝宝的注意力，等宝宝情绪稳定了，可以再切换为节奏更舒缓的曲子。

柔和的音乐也能让家长放松下来，不觉得入睡漫长。情绪是会相互传染的，家长不烦躁，宝宝也能感受到平静，更容易入睡。

有说法是每次都要放固定曲子，但这件事别走到极端去，一首再好听的曲子，循环上几百遍，只怕也会审美疲劳，宝宝不再喜欢时，不要勉强，果断换。

（2）白噪音（white noise）

白噪音和婴儿在子宫内的环境音接近，属于婴儿熟悉的“乡音”，对部分婴儿有安抚作用。除了模拟子宫环境，白噪音还可以抵抗吵闹的环境噪声。

使用时限：过了头3个月，它的效果会大打折扣，对少数4~6个月的宝宝仍然有效。

常见的白噪音有：吹风机、洗衣机、吸尘器、收音机、电视机空白频道声音、揉搓塑料袋声、雨声、海浪声等。

从哪里能获取白噪音?

★ 可以把吹风机、洗衣机之类的声音录在手机里。

★ 自己模拟白噪音发声。成人发出的“xixixi”“xuxuxu”“oooo”“enenen”等持续有节奏的声音也有类似白噪音的效果。

★ 用手机下载白噪音软件，有混音模式的白噪音软件效果更好。雨声、海浪声等温和的白噪音，失眠的成人也可以使用。

妈妈们的经历

宝宝睡觉中途醒了哭，轻拍等安抚不管用，想起搓塑料袋似乎也可以，果然马上有效，宝宝不哭不闹瞪眼看，平静后放旁边，自己睡着了。

使用的注意事项：要随着睡眠的不同状态调整声音的大小。长期处在噪声环境下对宝宝有害，所以不要长期持续播放白噪音，如有需要接觉时可以再次打开。

家长问

白噪音是否有害?

小土答

目前相关研究比较少，一般观点认为白噪音是比较安全的，但音量不可过大、使用频率不能太高。市面上有些劣质白噪音软件，播放的声音超过60分贝，有可能对宝宝听力造成损伤。

（3）用声音吸引注意力

宝宝大哭时，一旦注意力被吸引，常能止哭，减少再次入睡的困难。

妈妈们的经历

宝宝这几天夜里哼唧眼看要大哭，我边唱边咚咚咚用力敲床板，宝宝居然渐渐不吱声自己又睡了，这个方法我多次验证发现很有效。

熟悉的人的声音，特别能够抚慰宝宝的情绪。可以选一个你和宝宝特有的安抚词，比如每次宝宝快睡着放松的时候，对他说“放松”，让他知道这种状态就是“放松”，把这个词和睡眠联系在一起。下次临睡处于紧张状态时，当宝宝再听到“放松”这个词时也许能帮助他真的放松下来。

跟宝宝说话也是安抚的一种，诸如“宝宝要睡觉了”“宝宝累了”等，要相信虽然宝宝还不能表达，但已经可以理解并感受到大人的意思。

用轻松的语气告诉孩子，身体上的不适是因为困，睡着会感觉好一点儿，没有关系，爸爸妈妈在陪着你，你能够做到。

妈妈们的心得

我家宝宝倔强又爱听表扬，我耐心地告诉宝宝："加油哦，宝贝，妈妈和你一起努力。""哎哟，你是不是觉得妈妈放下不抱你睡就是不爱你了？不是哦，妈妈很爱你所以想你学会自己入睡。宝贝，你昨晚和今天中午都是自己在床上睡着的哦，好厉害啊！其实自己睡觉也不是那么难嘛，你比好多哥哥姐姐都厉害呢！"

3. 抚触、按摩——触觉学问多

触摸是一种非常重要的刺激，在动物幼仔中，触摸皮肤能够促使脑部释放化学物质，促进身体发育，这种效应在人类身上也同样会出现。如果早产儿在医院中每天接受几次按摩，那么他们的体重增长的更快。到一周岁时，其智力和动作发展，比没有接受过这种刺激的早产儿更超前。

——《伯克毕生发展心理学》

（1）抚触

网络上有很多有关抚触的教程，这里就不再赘述了。

给还不会翻身的婴儿做抚触或按摩都要容易一些。宝宝越大越无法安稳地躺着，需要在征得宝宝同意的前提下进行，不要勉强。

（2）按摩

这是从成人睡眠书中找到的灵感。比如双腿绷直微微抬起，坚持几秒再放松，会有助于睡眠。同理，对身体某些部位（如虎口、掌心、脚跟）进行有规律的施力按压、按摩，然后放松，也可以起到类似的效果。

妈妈们的经历

案例1：之前宝宝是抱睡，后来过渡到先睡熟再放下，然后再到刚睡着放下。有一天我实在抱累了，就和宝宝一起躺床上，给他按摩后背，闹的时候手法快速些，结果几分钟就睡着了，试了几次效果不错。

案例2：宝宝在外婆的悉心照料下，十天的推拿按摩显出了惊人的效果。现在宝宝白天可以躺睡且睡得深，晚上哄睡容易了，而且醒来不再大哭、打挺，睡后半小时必醒的难题也攻破了！

（3）小技巧——“I Love U”按摩腹部

小月龄宝宝肠胀气、腹部不适，还可以尝试围绕腹部做“I Love U”的手法。先用手掌在腹部右侧从上至下按下去，路径呈“I”；然后从原来位置开始用手掌写倒“L”按摩至右下腹，最后连贯起来用手掌从左下按摩至右下，路径呈倒“U”。

妈妈们的经历

宝宝两个半月，常早上5点醒，醒来并不愉快，是哭醒。一直想办法破，后来参考建议，在肚脐附近做“I love U”式按摩。睡前按摩了20分钟，早上居然睡到6点，醒了安静地要奶吃，吃完换尿片才醒。

（4）摩擦的安抚效果

在观察宝宝入睡的过程中可以发现：宝宝会用手在床单上摩擦、转动头部让脑袋和床摩擦。也就是，摩擦引起的触感，能起到一定的安抚作用。给宝宝挠痒、挠头皮，用手掌顺额头往眼部抚摸，按摩眉心、耳郭等，都有比较好的效果。

妈妈们的经历

案例1：用我的小拇指放在他耳朵里转几圈，很快就安静下来睡了。

案例2：我家妞每次眼睛发呆想睡时，抚摸下额头就马上闭眼睡了，从第一个月到现在每次都有效。

（5）拥抱、肌肤接触

十句“我爱你”比不上一句“我爱你”加一个深深的拥抱。身体接触对人意义独特，虽然几小时抱睡那种并不合适，但临睡前尤其晚上的睡眠仪式不妨和宝宝来个脸贴脸、握住小手放在胸口、紧紧搂住、深深拥抱之类的亲密接触。不吝惜爱的表达会让宝宝更直接地感受到爱和被关注，带着愉快的心情入睡。只要方式对，爱永不嫌多。

妈妈们的经历

前段时间宝宝哭一场累了就睡了，现在哭个不停时，我抱在手上慢慢哄，感觉她一有点睡意就慢慢脸贴脸，没哭就睡了。

被爱抚是婴儿发育成长中最重要的渴求，这种爱抚得到的越多，婴儿的成长发育就越快……每天接受15分钟按摩的宝宝，其体重的增长速度超过那些没有接受按摩的宝宝47%，有的甚至更高。

——《与宝宝同眠》

4. 轻拍轻摇——开启充沛舒适感

（1）轻轻晃动

轻轻晃动能够让婴儿感觉舒适，“摇篮”“秋千”“汽车”“推车”能够安抚婴儿，就是基于这个原理。

还有采用抱着婴儿反复屈膝再站起，做类似升降机运动，甚至抱着爬楼来安抚婴儿的。这些在宝宝小月龄时，都有比较好的效果，但随着宝宝体重增加，逐渐难以继续，需要跟随孩子成长脚步及时有意识地调整，不要过于依赖。

家长问

摇晃会把婴儿脑袋摇坏吗?

小土答

妈妈抱着宝宝轻轻摇晃时，宝宝会感觉很舒适，轻摇风险不大但应避免用力摇晃，防止引起摇晃综合征。

宝宝哭闹无法安静时，妈妈可以轻轻晃动宝宝。经过一段时间的改善，宝宝入睡容易了，妈妈应该有意识地过渡到静止，并减少抱哄的时间，避免形成依赖。

家长问

有专家说绝对不要摇晃宝宝入睡，是这样吗?

小土答

轻轻摇晃能够安抚婴儿，尤其是新生儿，适当的摇晃是可以的。随着宝宝慢慢长大应该逐渐减少摇晃，避免形成过度依赖。

摇晃逐渐戒除的一般过程是：快速走着摇——慢速走着摇——站着持续摇——站着偶尔摇——静止抱——坐着抱——躺着半抱——躺着。

妈妈们的分享

我家试过一招“拔萝卜”，用手握住宝宝手腕，手臂和身体面垂直，唱“嘿呦嘿呦拔萝卜”，拔的时候顺势让他身体左右摇摆（类似自己摇头，左右翻），宝宝挺喜欢。（要注意力度）

市面上有售内置摇晃模式的电子秋千，模式如图所示。有的模拟汽车上的震动，有的模拟袋鼠的跳跃。家长在安抚婴儿的过程中也可以借鉴，找到宝宝喜欢的模式。

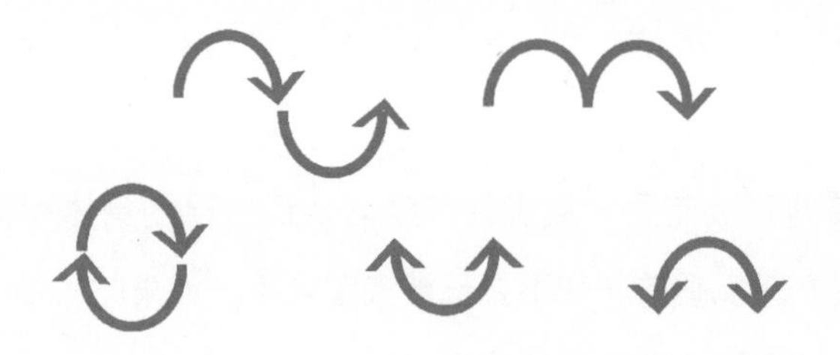

（2）轻拍

宝宝躺着，妈妈轻拍，这样妈妈比较省力，也是常见的安抚手段。拍动的位置主要有宝宝的背部、手臂、臀部、大腿等，一般上半身效果优于下半身。妈妈有节奏轻拍时，宝宝的身体产生晃动会更舒适，注意力也可能从哭中转移，从而有机会平静下来。

拍动的同时可以配合有节奏的声音“xuxu”“xixi”“sisi”“enen”“oo”等。

要注意的是“拍”是为了安抚情绪而不是催促入睡。“一直拍”对于超过6个月以上的孩子，可能传递给宝宝一种“你怎么还不睡”的烦躁感，有可能起反作用。可替换为，用手掌按摩宝宝的后背，或者搭在后背即可，意图告诉孩子：“妈妈就在你身边，你可以安心。”还有些妈妈发现，宝宝夜醒哼哼唧唧，不拍没事，拍了反而越哭越厉害。

（3）睡姿影响感觉

很多家长都会发现，婴儿趴、侧着睡会明显比仰着睡容易，且睡得深。睡眠仪式、接觉等特殊状态下，微微侧睡可以帮助降低难度。

仰睡时婴儿猝死症的发生率更低，建议要仰面入睡，这部分内容可进一步参考第十二章。待到宝宝能够自如翻身时，趴睡风险降低。

5. 自我安抚——不把鸡蛋都放一个篮子里

（1）自我安抚（Self-soothe）第一步——学会吮吸

吃乳头、吃安抚奶嘴、吃手都是通过吮吸产生愉悦，也是小月龄宝宝睡前安抚很重要的一环。

吸吮妈妈的乳头，既可以饱腹又能够安抚自己，这对每个婴儿来说都很有吸引力。喂奶能够安抚哭闹，也是很多妈妈走上奶睡之路的起因。

安抚奶嘴的产生就是模拟乳头，满足婴儿的吮吸需求，让宝宝的肠胃和妈妈的乳房得以休息。

几乎每一个婴儿都会吃手，这是他们学习认识自己的身体和尝试自我安抚的方法，是成长的必经之路。睡前一般不要干涉宝宝吃手，如果吃手情况严重，可以采用分散注意力的方式，多安抚宝宝自然吃手就少了。

我曾在一本书中看到："儿童心理学家贝里·布雷泽尔顿发现超过85%的婴儿进行了大量与喂养无关的吮吸行为，吮吸手指、拳头、奶嘴，这些行为到1岁左右才会逐渐消失。"

（2）引入安抚物——减少分离焦虑

妈妈不在身边常会引发宝宝的焦虑，利用玩具熊等安抚物陪伴宝宝入睡能帮助宝宝在没有妈妈陪伴时心安一些。

宝宝6个月左右即可引入诸如玩偶、安抚巾等安抚物（参看本书第十二章），参与到宝宝的日常活动中去，作为宝宝的小伙伴一起玩、一起睡。

宝宝到现在都对小海马情有独钟，每天睡觉时都要抱着，还学着妈妈的样子拍拍小海马哄它睡觉。

（3）用气味构建熟悉环境

婴儿对于气味是比较敏感的，有时候夜里哭，就是闭着眼睛也知道谁在抱他，闻见妈妈身上的奶味就要喝奶，或者知道妈妈在身旁就能安睡。

如果是爸爸哄睡，不妨试试套上带着妈妈奶香的衣服。如果宝宝睡着，家长要离开，也不妨放一块有妈妈气味的小手帕在旁边。

妈妈们的经历

最近想调整宝宝的作息晚上早点入睡，结果她老是睡不安稳。于是，妈妈突发奇想，把脱下的衣服放到宝贝的旁边再离开（要注意安全）。宝宝居然睡安稳了！

（4）避免过度干预

“自我安抚”这项技能是终生所需的，溺爱会剥夺孩子学习自我入睡、寻找替代妈妈安抚自己的渠道。

婴儿睡觉时可能会动来动去，其实有时候只是活动性睡眠，大人不要过度干预，否则会好心办坏事。尤其夜间宝宝醒来，妈妈可先装睡，耐心观察几分钟来判断一下，而不是贸然响应，打扰宝宝的睡眠。

因为错信新生儿必须两小时吃一次奶，导致夜间宝宝只要哼唧，妈妈就抱起来喂奶，使宝宝夜间的睡眠支离破碎。

（5）醒后不要立即逗玩

宝宝早上醒来或者小睡醒来了，如果很安静，妈妈不要立刻去逗玩或安排起床。这是为了不打扰宝宝有可能再继续的睡眠，也是避免他潜意识期待醒来后的活动，提前醒来想和爸爸妈妈玩儿。

这和睡前活动不要太兴奋类似：如果好玩得很，那谁还乐意乖乖去睡呢。

6. 吸引注意力——跳出持续哭闹怪圈

宝宝有时睡前大哭不止，陷入了为了哭而哭的混乱。可以通过吸引其注意力让宝宝先冷静下来，这种方式没有年龄限制。

比如妈妈可以说“咦，你看墙上是不是有个小虫”“啊，你听外面是不是有小狗在叫”“哎哟，是不是想妈妈亲亲”……或是通过一些动作如打响指、用手拍床等吸引宝宝的注意力。前文提到的用声音分散注意力，也是同样原理，先稳住情绪不强迫，以退为进。

转移注意力很有效，要善用而不滥用，如果孩子还来不及体会和试着处理情绪就被转移，某种程度上意味着情绪没被接纳，也剥夺了学习的机会。

（1）用视觉吸引注意力

小月龄的孩子躺着看床铃，目光随着床铃上的玩具转动，有时候就会安静地睡着，偶尔难入睡的时候也可以尝试一下。

妈妈们的
经历

案例1： 宝宝5个多月，有时候吃奶吃的就要睡着了，其实已经吃饱了，但就是想吮吸那种，只要拔出乳头宝宝就生气。这时我就对她轻轻吹口气（类似吹蜡烛），她一下子就停了，闹觉时候也试过好几次。

案例2： 宝宝7个多月，有几次哄睡时宝宝焦躁，我尝试改变了场景：有几次放小床就哭闹，可挪回大床又好了。有一次我哄不睡，阿姨过来哄就睡着了。

案例3： 宝宝1岁7个月，睡前闹了会儿，但是我没吼他，而是转移他的注意力，然后问他星星月亮的问题。宝宝情绪立马好了，放床上自己就睡了。有时真不是孩子闹，而是我的不良情绪让孩子焦虑了。

还有的小宝宝喜欢黑白卡或者彩色卡，在哭闹烦躁的时候给他看一张会瞬间吸引他的注意力，再配合其他安抚就能安静下来。

宝宝睡不着的时候妈妈可以把宝宝抱到窗边，看看窗外的绿色植物或是远处，这都是视觉吸引，可以帮助宝宝的情绪从烦躁中得以摆脱。

有时候宝宝过于兴奋，我们还需要遮挡宝宝的视线，比如用手遮眼睛，将宝宝的头埋在妈妈的胸口，拉上窗帘降低室内亮度，避免眼神接触，或许会有意想不到的效果。

网上流传用一张纸42秒哄睡婴儿的视频，其背后的原因是宝宝已经进入临睡状态，另一个原因正是遮挡了视线。

妈妈们的
经历

案例1： 宝宝3个多月，我在小床两边各放一个玩偶，作为她的安抚物而不是道具，她看着玩具渐渐眼睛失神就睡着了，她还喜欢看着我一页页翻书来入睡。

案例2： 我家宝贝比较喜欢看我做广播体操，把他放小床上，我站在床边做各种肢体运动，他有时看着看着就闭眼睡了。

（2）言传不如身教——打哈欠也会传染

《全脑养育》一书中提到，人自己吃花生时某神经元点亮，而看到别人吃花生能点亮同一部位的神经元，这个现象被称为“镜像神经元”。正因为这样，我们看到别人笑自己也会笑，情绪有感染力，这也是人能够共情的生理基础。

打哈欠也会传染，大人如果陪躺的话不妨也闭上眼睛做放松状，有时候你不用做什么，你自己睡了，宝宝也会暗暗模仿。

有时候小朋友到要睡的点还挺精神的，我俩躺着的时候，我会表演打哈欠，一边打哈欠，一边说：“哎呀妈妈好困好累啊，妈妈眼睛闭上了。”不知道是学样还是好像想起来什么，他也开始打哈欠，过不多会儿就睡了，偶尔有用的。

7. 放松心情——焦虑是睡眠的大敌

怀有思虑或是因受到刺激、惊吓而造成情绪有波动很容易引起睡不安。情绪有感染力，家长过于急躁，心态不稳也会影响到孩子。

（1）避免思虑过度

平时8点起床，如果早上6点要开很重要的会，有的人即使不定闹钟，到时间也会自己醒来；有的更敏感一点的人可能一夜都睡不好——思虑越多越不易入睡。

在孩子焦躁时，我们可以做下面这些尝试（适用于具备理解能力的大孩子）。

不妨去想想，他在惦记什么？

有个故事说的是一个小男孩老不肯睡觉，因为他总觉得自己睡着后会错过很多精彩的事情，他想象着睡着之后，爸爸妈妈会开热闹的舞会，还有精彩的马戏团表演，有美味的大餐等。有一天他假装睡着，然后偷偷溜出房间，看到一切的想象中的精彩盛况都没有出现，爸爸妈妈平静地在灯下看书……从此他可以安心入睡了。

还有的孩子认为黑黑的屋里有怪兽，怪兽也许就藏在小床下面——各种各样的想象存在于孩童脑海，这些都有可能是孩子拒绝睡觉的原因。当你耐心去寻找，也许会发现自己更能读懂孩子。

引导孩子进行一些回忆

成人会有压力，其实婴儿也一样有压力：当家长一遍一遍念叨宝宝怎么还不会走、不会说话时，当宝宝又因尿裤子被指责时……这些都是压力。他们一天之中会体验不同的情绪，所感受到的压力会造成睡眠质量的下降。

和孩子一起复述白天的事情，可以帮助他们弄明白情绪的来由，弱化白天经历的负面事件的影响，也是很好的亲子互动。

妈妈们的经历

案例1：宝宝13个月，今天开始戒奶睡，8点半喂奶，9点抱上床，爸爸陪玩，9:20关灯陪她躺在床上，她一见灯灭就往我身上爬要吃奶，我不给，她就开哭，拍拍也不奏效。然后，我就跟宝宝聊白天我们一起做过的事，宝宝慢慢平静下来，还会应答我说的话。说完我就不出声了，她还在床上翻来翻去，没干涉，差不多9:35就睡熟了。

案例2：宝宝2岁半，现在临睡前的聊天已经成为越来越固定的环节。宝宝不愿意关灯时，我说："关上灯后，我们来聊天吧，说说妈妈和你今天都做了什么，怎么样？"她就很爽快地关灯了。晚上放松状态下，我们都会说出很多白天没说的话，我想这个习惯对以后的亲子沟通会很有帮助。

通过游戏、讲故事等方式，借助于想象力的强大魔力镇静心神

睡前逗笑，有时候可以帮助分散注意力，反而有助于入睡。应避免过度刺激宝宝，但这和以分散注意力、平复心情为目的逗笑不矛盾。

尝试躲猫猫的游戏，或是用手遮住脸再拿开等也颇受宝宝青睐。

妈妈们的经历

案例1： 宝宝19个月，临睡前以各种理由下床几次了，最后又提出一定要出去拿玩具飞机，分散注意力无果。我本想说“不行，太晚了不能出去了”，后来我转念一想，说：“天黑了，大飞机送月亮公公到天上上班了，要明天天亮月亮公公下班的时候才回来。”小朋友若有所思，很快睡了。

案例2： 宝宝3岁了，某次哄孩子睡觉渐入佳境时，突然窗外一道闪电，白亮白亮的，孩子吓哭：“不要闪电，不要闪电！”我灵机一动说：“宝贝不怕，这是因为雨姑娘要来找咱们玩，可天太黑，她看不见路。闪电哥哥说‘我来帮你照亮’，雷哥哥说‘我也帮忙提醒人们打伞避雨’。雨姑娘看到两个哥哥都来帮忙，高兴极了，开心地跳起来……”随后宝宝哭止鼾起。

案例3： 宝宝每天都要我用手臂把被子支出来个小空间，名曰支帐篷。然后模仿花园宝宝里开头那一幕，在他手心里画圈圈，唱睡眠曲，十分钟左右入睡。

（2）睡不着不硬睡

前人有个实验，一组有激励机制：入睡快的有钱拿；另一组是正常的对照组。结果发现第一组的人入睡时间反而比第二组长。可见入睡是要放松，越着急想睡可能越睡不着。

正如有人强迫你吃东西，可能反而会坏了胃口，让美味变得索然无味甚至面目可憎……睡觉也一样，欲速则不达。失眠时与其躺在床上辗转反侧，不如起身离开卧室，到另外一个房间做些简单的活动，如舒展下身体、听会儿优雅的音乐等。

我原来是看点哄睡，过了一分钟我就开始焦虑，越哄越烦躁。后来不看点直接观察他的睡眠信号，稍微好一些。

常有妈妈跟我提到宝宝1小时都哄不睡，或者不哄，但翻一小时都不睡。这种情况中，入睡尝试的时间过长，哄不好不妨暂停一下，尝试隔几分钟再试。既不一直哄着搞成对抗，也不完全放弃入睡的尝试，导致错过入睡时机，而是让入睡的尝试能够在可控的范围。

把宝宝闷在房里半天也没法睡，倒不如抱出去推车转转，孩子放松下来反而易于入睡，停下是为了更好地出发。

妈妈们的经历

案例1：每次宝宝睡觉太闹，就让爸爸抱去在安静的客厅晃两圈然后就睡着了！午睡怎么哄都越来越兴奋，就抱去小区转圈圈，回来再趴我身上安静走两分钟就睡了。

案例2：晚上关灯后宝宝又开始哭，我等他哭了一会儿，觉得照这个趋势下去，他只会越哭越厉害，思索之后又打开灯，让他玩玩具，玩到他情绪平静了才重新关灯。关灯后，宝宝没有哭，而是爬来爬去，自己躺着自言自语，还唱歌，最后趴在枕头上安然地睡着了。

案例3：宝宝才8个月，也能感受到我的心情，如果我焦急地想让他快点睡，他越是爬过来滚过去半天不睡，每次把他搬回去躺着，他更是哭闹。现在放松心情了，要是他没睡意我也不强迫，拿出绘本给他读书，陪他玩，十多分钟后关了灯宝宝就安静地睡了。

有时候孩子一听到睡觉就哭闹，妈妈一上来就着急哄睡就好像两人见第一面就表白，都容易被拒绝。不动声色地降低宝宝的活动兴奋度，再静待时机，不强求，但不放弃默默地努力。

妈妈们的经历

就像捕鱼，要慢慢接近目标，不可动作过大，要让他放松警惕，然后一击即中！

（3）100%的专注陪伴

大脑在似睡非睡时仍未完全休息，有一定程度的预警机制。让婴儿感受到纯粹的专注和爱，有利于他们减少焦虑更快入睡，这点普遍适用。

如果陪伴，请100%投入！小朋友们很敏感，最忌爹娘“人在曹营心在汉”。实在有事情着急，不妨直言相告，好过他们看出你心不在焉却又不知为何。

笔者给亲喂母乳妈妈的建议是：晚间入睡喂奶时不要看手机，不要想心事，将关注点完全放在婴儿身上。妈妈把宝宝喂睡着了不要马上就离开，陪伴至少10分钟，在这期间还是除了孩子啥都不想、不看手机。关于这个建议，执行的妈妈们有一部分表示有一定的效果。

在夜间，减少手机的使用有助于宝宝的睡眠。

妈妈们的经历

案例1：陪睡时候不玩手机，专心陪她躺着玩一小会儿，困意明显了她自己就开始挠脑袋，我就给她撸头发，让她把手放下，很快就睡着了。原来奶睡得吃20分钟，多的时候1小时，自从这样陪睡安抚之后全过程1～10分钟搞定。

案例2：真的很奇妙，当我盼着宝宝赶紧睡着，我好去打网游的时候，宝宝总是迟迟不能入睡，但当我想和他一起睡觉的时候，他总是可以睡得很快。

案例3：在解决孩子入睡的问题上，父母的心态和情绪控制很重要，跟孩子一起制定入睡规则，留出足够的时间一起读书和聊天，让孩子感受到父母的爱不会因为睡觉而隔断。

（4）充分的沟通才能减少误解

对9个月以上，理解能力已经大增的宝宝尤其关键的是：沟通和明晰的规则，不朝令夕改。

宝宝打哈欠时，你可以尝试告诉他：“宝宝累了，咱们睡觉好吗？”到睡觉的点，宝宝还爬着到处玩儿，在已经温柔提醒过很多遍之后，你可以严肃认真地说：“不许乱动了，乖乖闭上眼睛！”

当妈妈搞不清宝宝需求的时候，可以猜测他的需求并询问。

被猜中时宝宝的反应很可能是不同的，虽然他们还不会说，但是已经能够明白。只要家长坚持这样做，一定会减少沟通障碍。

宝宝在睡梦中一旦被惊扰，会很难平复，凡事知会他一下，就不容易受到惊吓。

当入睡方式及环境有变化、把宝宝放到床上、夜里给宝宝挪地方、换尿片时，家长都需要提前告诉宝宝，耐心地给他们解释，减少他们的恐惧感，宝宝能懂的比大人想象的多。

妈妈们的分享

案例1：我从女儿出生起就一直这么做，只要是我哄睡的，抱回小床时会轻声在她耳边说："乖宝宝，妈妈抱你去小床睡觉哦，宝宝乖乖睡，妈妈爱你。"轻轻放下之后我会摸一摸她的头发，整理一下她的衣服，期间如果宝宝微微睁开眼睛我就伏下身亲一下她的额头或眼睛，然后微笑着看她，说："困了就闭眼睛好好睡觉吧。"除非宝宝根本不困否则很管用。

案例2：3次夜奶，每次我侧躺累了，就说："妈妈想睡觉，宝贝也睡觉吧。"她扭几下，真的自己松开乳头，睡了。孩子比我们大人想象的懂事。

案例3：从宝宝4个月开始，如果我忽然要去个厕所之类的，都会跟他说，即使他听不懂，但是听得懂语气，看得懂表情。凡是说了之后，宝宝都能很平静地接受我离开一会儿。反之，宝宝会大哭大叫。

8. 释放能量——大禹治水不堵反疏

（1）睡前哭能够帮助释放因困倦而积攒的能量，更快入睡

人们觉得叹气不好，却忽视叹气能缓解压力。类似观念也发生在睡眠中，有时候，一味阻止宝宝哭泣，反而有可能适得其反。不许哭会阻碍情绪的表达，孩子也会

有压力，不利于入睡。

临睡前，宝宝哼唧哼唧、喃喃自语也是情绪的一种抒发和释放，妈妈可以陪伴但尽量不要打断。

妈妈要接受和了解宝宝的哭，放松一些，相信宝宝能入睡，给他时间和机会尝试，而不是用各种外力试图过度干预这个过程。读者可以在第四章查阅更多哭的内容。

简言之，不以“急着入睡”为目标，只有在实在困难的时候进行干预。

当然除了哭，笑也是一种释放能量的途径。有妈妈发现，睡前烦躁的时候，逗宝宝笑笑，哈哈哈大笑几声，反而睡踏实了。

（2）情绪上的认同能够帮助孩子缓解压力

特别对已经能听懂话的宝宝，表达理解比阻止有效：“宝宝困了，难受了，想喊一喊，宝宝需要一点时间。”这些语言均能起到安抚作用。

（3）运动可以帮助释放能量

原则上睡前不要太兴奋，但有时候已经处于比较混乱的状态，不妨放松下来让小朋友运动一下，尤其在大运动发展期，这反而会帮助情绪更快稳定下来。

没放够电的宝宝就像鼓鼓的气球，小心翼翼才能稳住，力道不巧就直接弹起甚至爆了。而情绪、体能得到充分宣泄的宝宝，则会像未吹气时那样，妥妥的，容易安置。

妈妈们的经历

宝宝已经大了，需要更多的时间来玩消耗体力，玩得好睡得才好。我也尝试过到点拍睡，发现效果并不好，会造成宝宝拍睡后经常哭泣醒来，睡不踏实。而睡醒后玩的时候又哈欠连连却睡不着。后来尊重孩子自己的状态，他玩的时候全心陪他玩，效果还行。

“小土安抚技”小结

小土安抚技比较长，这里再将一些提到的简单小招汇总一下：裹襁褓、趴一会儿、按住手；放催眠曲、白噪音；手掌顺额头往下按摩眉心、挠头、按摩耳朵、肚子、背部，遮住眼睛、侧身；利用推车、背巾、秋千、海马、襁褓、摇篮、奶嘴、安抚巾等“神器”；抱着轻摇、做蹲起；分散注意力，放松心情，允许能量释放。

实在太累了就使绝招，找家人替你……

第四节 睡多久——维持睡眠状态

妈妈们常问：“好不容易哄睡了，怎么半小时又醒？”“1小时前才吃了奶的，怎么又要吃，不吃不肯睡”——婴儿睡眠的真正难点，不在于入睡，而是睡眠状态的维持。能否睡长和入睡方式有较大关联，但又相对独立。这个在后文会重点讲，本节谈如何帮宝宝睡得更长更稳。

一 接觉详解

婴儿睡眠周期比成人短，如果一个周期（30～45分钟）结束后，无法顺利进入下一个周期，则会醒来。而接觉是指：靠家长帮助或自己进入下一个周期，类似于重新哄睡，甚至比先前入睡更难。

家长问

接觉太费事了，为什么要接觉？

小土答

★ 小睡30～45分钟醒来，有时会伴随哭泣，即使停止哭泣后也无法精力充沛地玩耍，所以为了保证全天的睡眠质量和精神状态，有时有必要接觉，来帮助宝宝多睡一会儿。

★ 半夜宝宝醒，家长会想办法让宝宝继续睡，但白天小睡半小时醒，却常被认为睡够了，于是宝宝被抱起来逗着玩，长期如此就一直睡得短了，接觉也是为了让宝宝习惯睡长。

每一觉都需要接吗?

须有所为有所不为，找到平衡点。以5个月大的宝宝为例，如果早觉45分钟，醒来精神好，则不必硬接，傍晚小觉本身就属于短觉，不需要接。而午觉最有潜力能睡长，是最值得争取的，可以作为接觉的重点。

1. 怎么才能成功接觉

奶睡、抱睡、推车睡其实都算是接觉的方式，大家对此也比较熟悉。这里谈如果不靠这几种方式，该如何接觉? 接觉和入睡方式一般是一致的，但可能会比入睡更难，需要的安抚更多，通常有以下几个方面。

★ 醒来再行动：趁宝宝刚醒还迷糊时，拍拍甚至抱起，这也是最常见的做法。

★ 提前行动：如果常常半小时秒醒，妈妈可尝试在25分钟、尚没有醒的迹象时，就拍拍或者压住宝宝手和肩部，甚至抱起来哄，把醒的迹象扑灭在摇篮。一般可以在午觉时尝试，保证一天至少有一个长觉。

★ 静观其变，不行动：醒来哼唧，给宝宝几分钟自己尝试的机会，看是否自己就能继续睡。

妈妈们的实践

宝宝白天睡40分钟必醒，我提前躺她身边抓住一只小手。她醒了之后扭来扭去还咿咿呀呀的，我装睡，她踢腾个十几分钟就又睡着了。

这源于有一天我太困了，把她哄睡后我也在旁边睡了，她醒来时我睡得正迷糊，就没动，结果她自己又睡着了。

宝宝再次入睡后，看似一动不动，但并不一定完全睡着，要巩固几分钟，否则一旦接觉“成功”过后几分钟再醒，想再哄就很难了。

2. 接觉的注意点有哪些

★ 宝宝刚开始接觉，以能习惯睡长为目标，作息稳定后，应逐步减少干预，避免过多介入变成帮倒忙。

★ 未满3个月的宝宝接觉时，可以睡着后放下，继续模拟抱着的感觉，用从屁股处挪出的手对身体进行轻拍安抚，脖子下的手可以过3～5分钟再抽出。

★ 宝宝6个月以后，直接在床上入睡有助于自己接觉。不然宝宝中途迷迷糊糊醒来，发现原本的温柔怀抱消失，会很容易惊醒。

3. 关于接觉的常见疑问

家长问 一般接觉需要花多长时间呢?

小土答 如果宝宝只睡了30分钟就哭醒，一般可能要用10～15分钟接觉。如果宝宝精神状态好，直接是笑着醒来的，可以只尝试3～5分钟。刚开始接觉会耗费较久的时间，这是正常的，要有心理准备，别气馁。

家长问 会不会一直要给宝宝接觉?

小土答 0～6个月的宝宝，受生理条件所限，可能常出现睡得短的情况。宝宝醒来如果状态不好，可多尝试接觉；状态好或者实在接不上，就不一定要接。因觉短而疲劳，可尝试增加全天的小睡数量或者提前下一觉的时间。随着宝宝的成长，6个月后，睡眠周期变长，接觉难度降低，自己接觉的可能也随之增加。

接觉失败了该怎么办?

接觉时间过长，可放弃当一次小睡，在房间内玩或将宝宝抱出房间，待半小时左右，再次尝试入睡，将下一觉的时间提前。有时，为了不让某一觉影响全天的作息，即便困也扛一扛，下一觉还跟往常的时间类似，家长可以具体情况具体分析。

唤醒去睡[1]

1. 方法的原理是什么

夜间睡眠由多个睡眠周期构成，在周期结束时宝宝容易醒来。如果能够在醒之前，提前唤醒打乱原有的节奏，开始新一轮的睡眠周期，就可能得以顺利度过原先要醒的点（下图仅为示意，并不精确）。

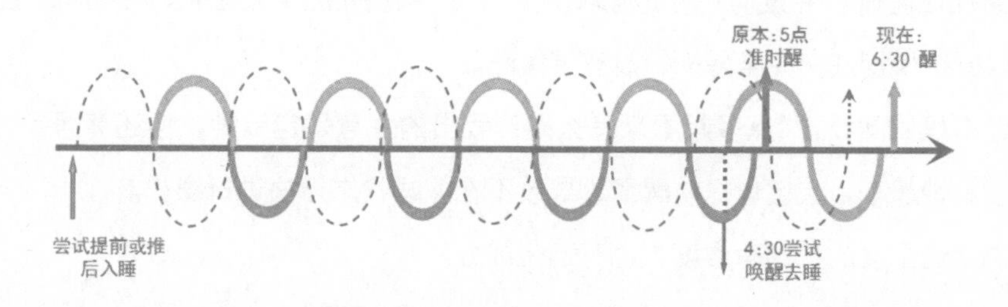

这个方法主要是用来改善早醒的问题，和提前接觉有相似之处。我还看到过一位妈妈的分享，她的宝宝小睡一直很短，后来在20分钟的时候把宝宝轻轻唤醒，此时，因为困意足，比周期结束后容易继续睡，于是小睡时间得以延长。

同理也可以用来推迟固定夜醒的点。

① 《实用程序育儿法》一书中对此亦有介绍。

2. 具体如何操作

唤醒去睡的重点是：醒来续上的觉能足够长，以覆盖原先易醒的点。如早醒定点在5点的，可以在此点前半小时至1小时，趁宝宝尚在熟睡状态时，轻轻碰碰他或整理衣物、调整睡姿，说一两句话也行，宝宝可能左右摆动一下头、翻个身、哼一声，然后继续睡。大概唤到八九分睡意，醒来的时间几十秒至几分钟。如果宝宝饿了，提前喂迷糊奶同样可行。

连续进行两天，到第三天可以按兵不动，观察醒来的点是否已正式推后。

3. 方法效果如何

宝宝14个月，每天都是不到6点醒，今天在5:45用5分钟的时间整理了睡袋被子，拍一拍，之后睡到6:30，比以前多睡40分钟。

在实践之前，还要泼泼冷水，常见的失败案例有：看宝宝睡得正香，不忍下手唤醒，象征性碰碰，并没有打破原有周期，于是原先的点照常醒来。更郁闷一些的情况，唤醒得太彻底，完全醒来，没有继续睡。

还有妈妈问我，4点多起不来怎么办？我出的主意是定闹钟，但还真遇到过，妈妈定了闹钟起来，宝宝也提前醒了，导致不在深睡状态无法进行操作。

总之这个度的把握有难度，也有运气成分。

 梦中喂食

1. 方法的原理及应用

维持夜间睡眠状态还有梦中喂食这个方法，指当婴儿还处于睡眠状态时，抱起进行哺喂，整个进食过程中，婴儿并未彻底醒来，吃完也会继续睡，就像梦里吃了一餐似的。一般建议的时间是在夜里10～11点，凌晨4～5点进行。

方法的原理是认为主动喂食属于“被动醒”区别于主动夜醒，如果一次夜奶不可避免，就干脆选在能控制的时间，妈妈可在自己就寝前（10~11点）喂一顿，以减少夜间睡眠被打断的次数，减轻养育压力。有些5个月的宝宝，夜间11点梦中进食后即可安睡至天明。

2. 梦中喂食的效果

以前看到过美国一个大学邀请13位妈妈参加一项实验。

实验内容：妈妈们每天晚上10~12点进行一次梦中喂食的尝试。当半夜宝宝醒来时，先检查尿布，抱着宝宝走动，安抚他而不急于哺乳，实在无法入睡时，再进行哺乳，延长两次哺乳的间隔。

实验结果：参与实验的小宝宝晚上吃奶次数减少，白天吃奶次数增多。而且晚上睡眠时间延长，醒来的次数也减少了。持续8周以后，参与实验的13位宝宝都从晚上12点一觉睡到早上5点了。对比之下，没有采取这种方法的，只有23%母乳喂养的宝宝可以做到。

3. 梦中喂食的弊端

★ 有些宝宝并不接受梦喂，甚至会因睡眠被打断而生气；有些宝宝吃着吃着就从睡眠状态转至清醒，还有一些宝宝在梦喂之后，仍然会夜醒。

★ 我家宝宝以前几乎从不会在夜里11点醒，梦喂后，几天就变被动为主动，在11点或者更早醒来。在我接触的案例中，很多敏感的宝宝也是如此。

★ 所以，梦中喂食有可能干扰正在进行的睡眠，破坏睡眠的完整性，需要酌情采用。

四 刚入睡后按摩身体

睡后按摩的想法，来自于陈宇清老师的分享：“**孩子睡觉很轻，伴随着身体抽动，**

且容易从睡眠中哭醒，对这种情况，我在孩子入睡后轻轻抚摸孩子身体7～8分钟，需坚持两三天，使用后一般睡得沉稳，即便旁边有人大声哭闹也不会醒。"

对于这个方式我曾做过多次调查，确实有多人反馈有效，实际效用之外也可能是心理安慰发挥了作用，但不管如何，此方式没有什么风险，值得一试。

1. 方法有效的原因

★ 按摩降低压力水平，增加宝宝的抵抗力，放松宝宝的情绪。曾经看到一则报道，纽约一家医院实行每天拥抱以及抚触婴儿的规定后，1岁以下宝宝的死亡率下降了。

★ 婴儿睡眠还不成熟，拍动、抚摸起到类似唤醒去睡的作用，帮助睡眠周期顺利转换。

★ 宝宝刚刚入睡时，还有潜意识，此时念念叨叨告诉宝宝："妈妈爱你，宝宝安心好好睡觉，一觉能睡到大天亮。"也许会有意外效果。

★ 妈妈对宝宝肌肤的按摩传递了爱意，让他知道即便睡着，父母也不曾远离。

2. 具体操作

可参考抚触的手法：将手掌从上至下，用力稍大一些，按摩背部；用指腹在耳朵上方的头皮揉搓；用虎口从大腿根部往膝盖方向揉、提捏；搓脚心、用拇指在手心划圈。隔着衣服或者涂抹润肤霜直接接触皮肤均可。

宝宝刚满6个月，之前不管白天黑夜，20分钟都会翻几个身就醒，第一次尝试入睡后按摩头部十几分钟，就顺利进入了深睡眠。

当然方法不是每次都奏效，具体的部位，要看宝宝的喜好、心情，妈妈要多一些耐心、多尝试，比如我家宝宝刚学站的时候，就偏好揉腿和膝盖。

按摩时，宝宝如果情绪不稳定，力道可大一些，配合“嗯嗯”之类的安抚音或者碎碎念，以免宝宝受惊。如果宝宝不喜欢，或是似乎打扰到他的睡眠，就不要勉强进行。

第五节 睡在哪——找寻恰当地点

一 大床小床的纠结

睡眠地点主要有3种，其实施的难度是递增的。

1. 母婴同床（Bed-sharing）：宝宝和妈妈一起睡大床

在我国母婴同床是很普遍的，主要是受到传统文化的影响，另外也是为了方便母乳喂养。

妈妈们的经历

夜里，我悄悄拉拉宝宝的手，感觉他是极度放松的柔软。过了一会儿，他似乎感觉到我的存在，翻了个身，滚到我怀里，紧紧贴着我，又香香沉沉地睡过去。这种时刻真美好！

2. 母婴同室不同床（Co-sleeping）：宝宝睡单独的小床

几乎每年都能看到，家长过度疲劳，睡眠中压到新生儿，导致孩子窒息的新闻。由于安全因素，目前主流意见推荐母婴同房不同床。既避免同床可能引起的安全隐患，也方便在夜间照顾宝宝，满足其情感需求。

妈妈们的经历

宝宝4个月，之前贴着他睡，可能母子睡眠周期不同步，互相干扰，越大反而夜醒增多，现在将小床拼在大床边上睡。

3. 分房睡：宝宝睡单独房间单独小床

在我国，由于观念和住房面积的限制，母婴分房睡并不很常见。有的家长睡眠轻，容易失眠，为了保证双方都能得到好的休息，于是分床分房。

宝宝2岁7个月，分房第二天，宝宝一觉到天亮。我虽然很爱孩子，但睡眠浅，所以不太享受母婴同睡，同床睡了两年多，幸福感有，但感受最深的还是腰酸背疼。

是否和孩子同房睡，这是比较私人的选择，并非原则问题。应注意在保证宝宝安全的前提下，可以根据家庭实际情况来决定。

不是所有同眠方式都是安全的，但也不是所有同眠方式都是危险的。

——摘自《与宝宝同眠》

二 分床的经历分享

由翔翔妈分享的大床转小床过程

宝宝5个月时，开始慢慢地把他从大床挪到小床：

★ 先把宝宝从大床的里面挪到了离小床近的外面；

★ 然后挪进了一边护栏是拆下的小床里（需注意安全）；

★ 最后一步安上小床的护栏；

★ 每一步让宝宝适应1周的时间，总共近1个月时间，过程没有引起睡眠倒退。

由秋千分享的独睡历程

宝宝2个月时，开始睡在和我同房间的婴儿床；10个月时，在自己房间独睡婴儿床；16～18个月，有分离焦虑现象，又回到大床和父母睡；25个月时，将婴儿床换成普通单人床，独立房间睡。

用温和的方式进行这一过程。开始时我在宝宝房间内的单人床上陪睡；之后躺着陪，到宝宝睡着就离开；再到坐着，等宝宝睡着后离开，同时提供安抚物陪伴他。当他要求与我同睡时，就入睡时陪，等睡熟放回小床，或是后半夜同睡几小时来度过清晨的浅睡期。

第三章
小土五步睡眠引导

妈妈们的经历

宝宝入睡困难，成天哭闹，睡很短时间就醒，睡眠量偏低，非常难哄，严重依赖抱睡奶睡，愁死了，不知道该从何处入手改善。

婴儿睡眠问题成因复杂，不可一概而论，也不一定能够顺利自愈。之前的基础知识章节，主要是防患于未然。本章重点谈当问题已经比较严重时，该如何入手改善。

首先，改善的必要性毋庸置疑。

研究表明：睡眠被剥夺的家长，更容易抑郁，甚至引起婚姻冲突，这样也影响亲子互动。如果家长改进了孩子的睡眠状况，整个家庭都受益。

妈妈们的经历

以前宝宝只能抱睡、搂睡，绝对的“落地响”。我和她爸都睡不好，每天筋疲力竭，焦虑烦躁，育儿书都没精力看，更别说其他了。睡眠改善后，有时间和精力安排她醒来的这段时间，最关键的，这些事是满怀爱意地去做，而不是又累又烦躁、强撑着去做。自己放松，才能把更多的平静传递给孩子。

其次，为什么是睡眠引导不是睡眠训练？

国外有“sleep training”的说法，传统上译成为“睡眠训练”，其实“训练”这个词并不准确，也会造成焦点的模糊、内涵的曲解。

睡眠的改善可能涉及，但不限于以下几个方面。

★ 基础知识的了解，对睡眠状态的观察记录。

★ 对睡眠问题产生原因的排查。

★ 对宝宝需求、作息的了解和梳理。

★ 改变入睡习惯。

传统的“睡眠训练”，主要着眼于改变入睡方式。而忽略了更为重要的前三条。事实上，不少家长发现，试图跳过基础直接“自己睡”，往往过程惨烈，即便有效也易出现反复。

笔者在前人研究基础上，结合中国妈妈们的实践、反馈，总结出睡眠改善的步骤，称为“**小土五步睡眠引导**”。其作用是：降低哄睡负担、增加睡眠时间和提高睡眠质量，令母婴都有更好的状态。

第一节 观察——不贸然行动

准备不充分，匆忙开始行动，想着“毕其功于一役”，往往会“铩羽而归”。所以，先按兵不动，维持原状观察几天，在此期间，做好充分的记录和思考。

观察一般从这几方面入手：睡眠环境、入睡时机、睡前互动、入睡方式、睡眠状态、睡眠时长。这些问题很多，并非事无巨细都要写下，参考以下几个表格，下载记录作息的**手机软件**亦可。

一 小睡情况记录表

尤其在观察期，妈妈需要记录得细致一些，表中没有包含的内容，可以记在备注中。但真正开始执行，不用特别纠结于几分钟的差距，我们是养孩子不是养数字，别把睡觉这件自然的事情变成了任务，抓大放小，把握大方向即可。

		观察期			执行改善					
	时间 项目	第1天（示例）	第2天	第3天	第1天	第2天	…	第14天	N天均值	改善目标
	起床时间/状态	5:30/哈欠								
第1觉	准备开始哄睡时间	7:30								
	睡着时间	8:00								
	睡前的清醒间隔	2.5小时								
	醒来时间	8:45								
	中途醒来接觉的情况	没接上								
	总长	45分钟								
	入睡方式/难度	抱走哄/轻微哭闹								
	进食时间	9:30/吃奶								
第2觉	准备开始哄睡时间	10:30								
	睡着时间	11:00								
	睡前的清醒间隔	2.5小时								
	醒来时间	12:30								
	中途醒来接觉的情况	接觉一次								
	总长	1.5小时								
	入睡方式/难度	抱走哄/哭闹								
	进食时间	13:00/吃奶								
第3觉	准备开始哄睡时间									
	睡着时间									
	睡前的清醒间隔									
	醒来时间									
	总长									
	入睡方式/难度									
	进食时间									
	全天小睡总长									

夜间睡眠情况记录表

夜觉和小睡的特点不同，有关联也相对独立。同步改进、先从夜间入手或只调整白天，虽然效果上稍有差别，但都可行，主要取决于家长精力以及宝宝的适应能力。

同样的，酌情记录自己觉得重要的信息，未必要事无巨细，记录是为了帮助记忆和总结，如果因此产生焦虑，就违背了初衷。

	观察			执行改善					
时间 项目	第1天（示例）	第2天	第3天	第1天	第2天	…	第14天	N天均值	改善目标
睡前进食时间/量	150ml奶								
准备开始哄睡时间	7:30								
入睡方式及睡前互动	按摩半小时								
白天有无须记录的特殊情况/情绪状态	下楼被狗吓到了								
睡着时间	8:00								
醒来时间	8:45								
醒来状态（哼唧/大哭/清醒等）	大哭								
再次入睡方式（未干预/拍/抱哄/喂奶等）	抱哄								
再次入睡时间	9:00								
重复上一夜醒记录									
最长单次连续睡眠									
夜醒次数	6次								
整晚睡眠总长	11小时								
整晚睡眠净值（扣除长时间清醒时间）	10.5小时								

三 睡眠情况总览表

这部分信息简洁明了，适合汇总起来看，睡眠注定有波动，一天的成败不能说明问题，需要抓大放小，多关注整体的趋势，从而增加信心和应对变化的勇气。

成长和养育都需要时间的沉淀，除却数值之外，更重要的是宝宝和妈妈的状态，如果这些调整让你和孩子都更不快乐，请问问自己是否忘记初心，不妨等一等、停一停。

	观察期			执行改善					
时间 项目	第1天 （示例）	第2天	第3天	第1天	第2天	…	第14天	N天均值	改善目标
小睡总长	2小时								
夜觉总长	11小时								
全天睡眠总量	13小时								
宝宝状态	傍晚觉有点烦躁								
你的状态	早上起来时累								
备注	早上新加辅食了								

四 考虑个性的影响

个性，也称“性情”“脾气”“气质”，受先天因素和后天养育的影响，正所谓“甲之糖饴乙之砒霜”“因材施教”，不结合个性的引导是脱离实际的。

《伯克毕生发展心理学》中提到A类宝宝在人群中占40%左右；B类占15%；C类10%；还有35%的孩子属于这几种的混合。

A类. "天使宝宝"好脾气、随和，是人们口中"好带的宝宝"

这类宝宝一般都比较冷静、快乐，睡眠和进食也属于按部就班的，适应性强，不是很容易发脾气。

宝宝18个月，男孩，很听话，我认为对这类小孩要充分利用和发扬他的好脾气，维护他对大人的信任感。

B类. "慢热的宝宝"也称"比较敏感""偏内向的宝宝"

这类宝宝相对来说没那么随和，但也不容易生气，对于不熟悉的事物表现出退缩谨慎的态度；比较喜欢程序化、规则、熟悉的环境，井井有条的生活让他们更放松。这类孩子一旦生活变化比较多，行为上则容易向C类转变。

女宝宝107天，白天不怎么哭，除非有原因，晚上睡觉也比较安稳。关于安抚一定是使用温柔的方式，用不得激烈的，不然反应太强烈。

C类. "精力旺盛倔强"也常用"活跃""高需求宝宝"来形容。还有人给这类宝宝贴上"难带""脾气大""挑剔""难伺候"等标签

这类宝宝一般容易急躁，饮食和睡眠的规律难建立，情绪变化有时像过山车。有睡眠问题的宝宝，属于这类个性的比例最大，因为他们多半比较坚持，不太愿意接受改变。这样的情况，家长会更辛苦。但从另一个角度看，这种执着的力量，其实能成为个性中闪光点。

宝宝一定要抱在手上还要立着，然后睡着才能平抱，接着慢慢放在床上。她给我的感觉就是很想玩舍不得睡，实在太累了才睡。宝宝睡前会哭，我只能用温柔的方法，强硬平着抱会越哭越大声，接着就兴奋，醒了。

总之，家长根据孩子个性调整养育、互动的模式很重要。

有不少原先被贴上“坏脾气”标签的宝宝，在睡眠状况好转之后，变成了“天使宝宝”，也就是说原先所谓的“坏脾气”其实是误解。这些消极的心理暗示，会影响到你看待孩子的角度。

妈妈们的经历

我有三个孩子，老大天生会睡，很早睡整觉；老二是进行睡眠引导后才睡得好；老三是个夜醒频繁的高需求宝宝，两周的哭泣法反而令情况恶化了。我觉得，没有人能比你更了解你的孩子，要仔细观察宝宝。

五 明确问题，排出优先级

这里列的常见问题，在本书中都有详细的阐释。哪些迫在眉睫，哪些可以缓一缓，都需要考虑、权衡，睡眠引导计划中，根据自己的情况排出优先级，先解决严重的、难度低的问题。

常见困扰	表现	改善难度	可能有用的对策
入睡困难	闹觉	低	及时哄睡/避免过度刺激/安抚技/规律作息/允许情绪宣泄/增加运动量
小睡短	不超过45分钟	高	接觉/陪睡/增强入睡能力/调整作息/等待成长
白天睡不稳	放下就醒	低	放的技巧/放下后继续安抚/抱至深睡眠放/襁褓/舒适的睡眠环境/缓解胀气等生理不适
睡着后不久大哭	突然出现激烈哭叫	低	避免过度刺激/及时入睡/注意维生素D补充/排查身体原因/及时安抚
夜间频繁醒	间隔短，激烈哭闹	高	注意区分夜醒原因/培养入睡能力减少干扰
夜间准点醒来	1点，3点，5点	中	改变习惯性夜醒
早上醒太早	5点钟翻来覆去随后醒来	高	提前安抚/唤醒去睡/醒后观察几分钟/避免早晨室内光线过亮/提早入睡时间
抱睡	必须持续抱睡	中	学习放下的技巧，逐渐改变入睡方式
奶睡	一定要含奶入睡	中	学习安抚技巧，不依赖奶睡

第二节 排查——找出影响睡眠的因素

宝宝3个月大时，我发出这样的感慨："像个侦探一样每天寻找事件背后的原因，前一秒还沉浸在找到原因的轻松中，也许下一秒猜测的'真相'，就被变化多端翻脸比翻书还快的你推翻，你每天都在成长，而且还不能表达，做父母的只能努力保持敏感，多想多猜，实在是沮丧的时候，仍然要鼓起勇气继续努力。"

睡眠问题成因复杂，可从环境、身体、心理、作息等因素入手排查。有时候甚至找不到原因，别太焦虑和内疚，一切困难都是暂时的，都会过去。

这里简要介绍各种可能的原因，复杂的问题后文还会详细讲述。

一 环境因素

原因	解读
刺激的噪声	户外的喇叭、汽笛声、父亲的呼噜声
光线太亮	晚上睡太晚，早上起太晚； 受人造光源的照射过久，而白天自然光源的照射不足； 夏季早晨室内过亮； 白天光线过于明亮，环境刺激较多
床品不舒服	床品避免丝、毛类引起过敏，选择纯棉的
穿得太多、太少	过冷过热都不利于睡眠，比较适宜的是20摄氏度左右，后脖子温热即可，睡觉别穿太多
衣物不舒服	衣服大小是否合适，有无勒住、缠绕、标签刺激皮肤等； 手指是否有头发等缠绕； 纸尿裤不够干爽透气也会影响睡眠
换地方	原先睡得很好的孩子，旅行换个地方睡眠变差
睡眠环境不一致	是否入睡和睡眠过程不在同一地点？环境的变化也容易引起孩子的警惕和敏感

二 身体因素

这些因素在第十章和第十一章中有更详细的解读，参见"特殊时期的睡眠""影响睡眠的身体状况”“营养与睡眠”。

原因	解读
先天不足	宝宝出生时是否经历过一些特殊的事情？早产儿、偏轻儿等
太饿、太饱	奶量充足吗？有没有厌奶的情况？白天摄入量不足，肚子饿，夜间就容易频繁醒 刚加辅食吗？有没有不小心喂多了？吃太饱也有可能导致睡眠不安
特殊情况	是不是快到了长牙的年纪？牙龈红肿吗？有没有打疫苗等？
疾病	胃食管反流、中耳炎、尿路感染、发热、过敏、湿疹、痱子、腹痛、胀气、腹泻等
营养缺乏	宝宝的进食情况良好吗？有没有缺钙、缺铁、缺锌的可能？
成长阶段	宝宝最近在学新本领吗？是否在经历猛长期、大运动发展、大脑发育跳跃期？

 心理因素

心理因素主要有：妈妈上班、换护理人、分离焦虑、恐惧睡眠等。

四 作息因素

作息是睡眠引导的基础，这一步的排查，需结合观察记录进行，也是引导步骤中的重点。

原因	解读
不困	家长是否过于依据时间表来安排睡眠？最近孩子是否遇到了很兴奋的事情？适当推迟入睡时间是否有帮助？
运动量不够	有充足户外活动时间吗？孩子自主的活动是否受到限制？运动的机会多？
睡前过度刺激	是否留给睡眠的准备时间不够？情绪仍未从活动中平复？
过度疲劳	上一觉结束后是否醒了太久？
缺觉	是否一直都是睡得偏少？缺觉的孩子更有可能过度兴奋，易激惹，考虑先补觉
作息不规律	每天睡眠和起床的时间是否毫无规律？白天的安排是否太随意？

五 入睡习惯

著名的二八理论——20%的人掌握着世界80%的财富，二八法则在很多方面都有体现，影响睡眠的原因很多，但大部分的睡眠问题，由几个主要的原因引起，尤其满6个月后，多数会落到抱睡、奶睡这两个最常见的入睡习惯上。

第三节 作息——改变混乱养育

婴儿生活最重要的3件事是：吃、玩、睡，作息（schedule）由它们的特定顺序、长度构成的。有比较固定的事件次序、相对稳定的生物钟，能给婴儿安全感，3件事齐头并进的改善才有可能更好地解决睡眠问题。

★ 吃——研究母乳喂养、辅食添加相关的知识，保证孩子进食量、进食质量。

给宝宝营造愉快温馨的进食环境，避免强迫进食。

★ 玩——研究亲子互动、养育方式等相关的内容，给孩子高质量的陪伴。

只有玩得好、运动足，宝宝才能睡得香，这是一个良性循环。醒着时尽量安排一些使宝宝比较有兴趣的活动，多运动可以让宝宝心情愉快。

为宝宝多制造一些出门接触大自然感受阳光的机会。接近睡眠时间，家长尽量帮助宝宝安静待着，不要让他继续玩兴奋地游戏，可以尝试在阳台看窗外风景、走动的人群、转动的床铃、正在洗衣服的滚筒等。

独立玩能帮助宝宝培养情绪适应能力，是情感成熟的重要标志。刚睡足醒来，宝宝可以自己玩几分钟乃至十几分钟，在合适的时机，放手，给予宝宝独处、自己玩的机会。

玩耍对婴儿来说是一件严肃的事情，学习的种子就在健康的情感中萌出和成长。在婴儿时期就埋下种子，当你逐渐增加婴儿的独立玩耍时间，你也是在磨炼他的情感技能——自娱自乐。

——《实用程序育儿法》

★ 睡——睡眠信号、睡眠时机、入睡方式、维持睡眠状态、处理特殊问题。

理想的活动顺序是“睡醒后进食”而非“吃完立即就睡”，也就是“吃玩睡”或者“吃玩睡玩吃”。要注意的是，这种模式并非绝对，比如，夜间吃完仍要继续睡，白天睡前饿了，也仍需要进食。

避免吃和睡紧密相连的睡眠联想，减少吃着睡着的情况，保证宝宝的进食量。小月龄宝宝吃完立即活动容易吐奶，需要竖抱一会儿。一些妈妈反映，到宝宝在6~7个月，会翻会爬，运动幅度较大，吃完立即运动也容易发生吐奶的现象。吃完可以先安静活动，将运动量大的活动内容安排得晚一些。

一 作息和按需喂养如何兼容

留言1：宝快16个月了，一直是混乱养育，白天、晚上、接觉都是奶睡，从未睡过整觉，夜间最少要醒来喂奶3次，宝宝白天辅食吃得很少，体重一直不长，严重影响了生长发育。

留言2：我家3个人带1个孩子，这个喂点、那个喂点，都觉得量不大，最后饭都不吃了，最近宝宝更是把吃和玩联系在一起，不肯乖乖坐着吃饭。

很多母乳妈妈都熟悉“亲密育儿”“按需喂养”，但却走入了混乱养育的怪圈。这八个字看似容易其实很难，有时又要忙家务又要照顾孩子，腰酸腿疼、缺乏睡眠，孩子一哭就慌了手脚，来不及细想哭闹背后的缘由，究竟是拉？饿？闷？困？——很容易变成一哭就喂的“按哭喂养”。

这种不考虑进食频率，不注意结合细分需求的喂养方式，容易形成单一睡眠联想，也可能引起睡眠和进食的紊乱。

“按需喂养”其实在任何年龄段都适用，但其基础是读懂宝宝的需求。

0～3个月：需求相对单纯，进食频繁，母乳喂养不必拘泥于3小时还是2.5小时的间隔，太拘泥于时间表就像长跑，头几圈跟不上，很容易就越落越远了，最后匆忙结束母乳喂养之路。

3个月以后：规律的作息帮助判断宝宝当前最可能的需求。“按需喂养”在婴儿相对成熟之后，靠定点这种貌似不按需的方式来落实，却可以避免最坏的情况。

在作息基础上，留意孩子需求，随机应变，是比较理想的喂养模式。大部分妈妈不知道，其实就连主张亲密育儿的西尔斯医生，都明确提及过大一些的宝宝可以定点喂养。

妈妈们的经历

留言1：坚持母乳喂养不是盲目坚持，不是闭着眼睛掀起衣服、塞乳头就可以了。按需喂养也要看孩子需要的是什么。

留言2：宝宝2个月，我抱着宝宝时，她经常会在我身上拱来拱去，发出小猪一样的声音找奶吃，但是换了个人抱，玩了一个多小时也没有要吃，所以我觉得有时间表参考一下，按需和规律能结合比较好。

留言3：只要大方向保持一致，不同情况灵活处理也是非常重要的。譬如，外出宝宝对环境不熟悉需要安抚，偶尔情绪失控反弹，可以在怀里抱久一点，睡沉一点儿再放下。如果又累又饿时的奶睡，我觉得都没有原则性问题。

作息建立的步骤

作息建立，不是要做时间表的奴隶，是帮助养育者厘清思路、更好地了解孩子的需求，用条理的生活作息代替每天的不可预知性，从而建立安全感和生活节奏。

“顺其自然”不是要“放手不管”，“引导”也不等于就要“强迫”。

那么如何从完全混乱的随机喂养中建立起规则？

★ 明确对应月龄大致的喂养间隔：减少过于频繁的哺喂，吃得频繁，没有规律，睡得断断续续，不仅不利于宝宝的成长，更让照顾宝宝的人疲劳。

★ 在观察基础上了解宝宝规律：明确大致的晚间入睡、早上起床时间以及睡醒间隔。

★ 引入作息的时间点：一般在6周至3个月。

★ 选择合适的作息：第五章~第九章中有多款作息供参考，根据发育、家庭的实际情况来选择，因势利导。

★ 用耐心维护已建立的作息：减少会影响进食和睡眠的不必要活动，诸如亲戚来访，需尽量避开睡眠时段。这一点必须获得全家的一致认同，要做好充分的沟通。规律不要轻易打破，即使打破也要及时重建。

★ 瓶喂和亲喂：留意这两种不同的喂养方式可能在作息上也会有所不同。

★ 别为了规律“草木皆兵”：变化总比计划快，生活之中偶尔的变数是无法避免的，放松应对。

作息建立中的常见疑问

1. 作息建立方式

问：建立作息必须和改变入睡方式同步进行吗？

答：暂不改变原入睡方式，重点先放在吃玩睡的改善和建立作息上，也可行。

问：作息有季节的差异吗？

答：是的，作息还要注意冬令时夏令时的区别。夏天比冬天起床要早，作息可能整体都提前，而冬天睡眠量一般比夏天要多，所以除了按照宝宝的月龄安排作息之

外，还要考虑到季节和天气的影响。

问：我家在新疆，晚上7点天还没黑，作息是要按照北京时间吗？

答：作息是为了适应生物钟，应该按照当地的实际时间来。新疆的朋友，可以按照当地时区对作息进行相应折算。

2. 入睡、起床的安排

问：晚上7～8点入睡会不会太早了？

答：不会，婴儿晚睡未必晚起，为了保证睡眠时长要求晚间尽早入睡。早点入睡反而可能改善夜惊和早醒。

问：傍晚觉总是睡很久，晚上入睡很迟，怎么办？

答：上下午小睡短，容易出现傍晚觉很长的情况，应设法增加上下午的睡眠，而将傍晚觉控制在30~45分钟内，傍晚觉不要晚于5点开始（6个月以后，不要晚于下午3～4点），太长太晚则容易影响晚上的入睡时间，也有可能导致夜醒增多。

问：早上五六点就起床了，一天的作息都乱了，怎么办？

答：早醒问题的解决可参考第十章的内容，如果已经发生早醒的情况，可以采用回笼觉或将早觉提前1小时左右调整。

问：晚上入睡太晚，早上都要睡到八九点怎么办？一定要7点叫醒宝宝吗？

答：调整晚睡（尤其昼夜颠倒）一般是从早上按时起床入手，7点叫醒的目的是设定一天作息的起点，避免全天作息的混乱。不过作息本身是有一定的波动和灵活性的，半小时左右的波动是可以接受的。

3. 白天小睡的安排

问：由于小睡不稳定，作息的点老是踩不准怎么办？

答：尽量遵循作息，让每天的内容在顺序上有相对一致性。但无须过于强调时间节点的完全一致，容许有半小时左右的波动。

问：我家宝宝缺觉严重，一定要熬到作息那个点吗？

答：对于缺觉的宝宝，补觉更重要，其次考虑睡在合适的时间。

问：为什么早上醒来后上午第一个觉通常和夜觉相隔很短？

答：早上醒未必意味着夜觉结束，还可能在醒较短的时间后睡回笼觉。

问：白天其中一个小觉只睡了半小时就不肯再睡，在下次进食前的那段时间该怎么办？上午那一小觉没睡好，感觉一天都会乱了。

答：一般半小时就醒可以尝试接觉，如果实在接不上的，可以醒半小时后尝试再睡，也就是一个长觉分为两个小觉来进行。如果很影响精神状态，偶尔可以采用推车、抱睡等方式进行弥补；或者安静地玩耍（在床上玩健身架，坐在妈妈怀中玩摇铃等）至下一觉，适当将下一觉提前。

问：睡的点超过平时吃奶的点，需要叫醒吗？

答：一般来说睡眠中无须为了换尿布、吃奶等叫醒，半小时的波动可以有。但要注意一些特殊情况，比如新生儿黄疸嗜睡、白天小觉一觉超过3小时、午睡起太晚影响晚间入睡、带宝宝打针等，这些情况都需要叫醒。

4. 进食及玩耍的安排

问：宝宝1个月，如果吃玩睡，动作稍微大一点就容易吐奶怎么办？

答：并非每个孩子都需要执行吃玩睡的作息顺序，尤其小月龄宝宝，吃完需要先拍嗝，上身直立抱一会儿，再放下玩。

问：宝宝2个月，睡前肚子饿了怎么办？经常吃完就睡着了，怎么办？

答：吃玩睡不是绝对的，尽量醒后吃减少睡前吃导致一吃就睡的情况。但如果睡前饿了，仍然是可以进食的。小月龄宝宝可能比较容易饿，一些宝宝吃饱了再睡会比较踏实，这种情况可转换成“玩吃睡”，吃完及时拔出乳头，避免总是吃到睡着为止即可。

问：睡醒不愿意吃奶怎么办？

答：不一定要醒来立即喂，等出现一些饿的信号，也就是“吃玩睡”根据情况在小睡短的时候转成“吃玩睡玩—吃玩睡”。

问：清晨5点左右会吃一顿奶，导致7点起时奶量很少，怎么办？

答：有晨奶的情况，早上起来的奶量确实会有所减少。可以晨奶喂1/2的量，剩下的在7点补足。或是晨奶吃饱，7点无须进食，待起床1小时后补一餐。

第四节　改变——执行新入睡方式

很多人改进安抚方式，做完观察、排查、梳理作息后，发现宝宝的睡眠状态已经有了很大改观，于是暂不打算进一步改变入睡方式，这也是可以的。对于睡眠状况仍不理想的情况，仍需要进一步尝试改变入睡方式。

一　方法的选择

现存的方式大致分为：小土陪伴法、潘特莉温和去除法、抱起放下法、怀中哭泣法、渐进法、法伯法、哭声免疫法等。改变入睡方式是睡眠引导中最关键也是最难的部分，内容比较多，将在本书第四章详解。

选择方法首先需要对方法本身进行了解，其次是要结合自家的实际情况，综合考虑父母的精力能力、宝宝的成长阶段、性格、其他家人的观点等来选择。

一旦选定方法，请做好持久战的心理准备，要有耐心并坚定信心，别让自己的摇摆、疑虑带给宝宝焦虑。

二　调整自己的心态

宝宝的睡眠状态和家长的心态息息相关。这个改变的过程，我们可能会有希望也会失望，这些都是正常的。

1. 理清自己和宝宝的需求

哪些是自己的需求？哪些是宝宝的需求？哪些是共同的需求？哪些需求有冲突……这些问题都想清楚才会更明晰前进的方向。

睡眠的改善，不是守株待兔也不是揠苗助长，了解宝宝，设定合理的预期，做好思想准备，这样才能避免彻底失去信心。

2. 特殊情况的预案

调整中可能会遇到哪些情况，准备如何应对，家长应把预案都想清楚，避免临时乱了阵脚。

宝宝睡眠不好，在缺觉疲劳、挫败感几重压力下，家长有可能情绪失控吼孩子甚至动手打。

★ **情绪失控时：**给自己几秒停顿下来，深呼吸，控制住自己的手和口。跟宝宝打声招呼："我情绪不好，要到客厅冷静一下，马上就回来。"去阳台吹吹风，看看窗外，甚至扩扩胸、踢踢腿、握拳捶捶墙面，做一些无伤大雅又让自己得以疏解的事情。

★ **等平静一些时：**尽快回到他身边，向他解释，问题并不可怕，只要妥善解决，很快就会雨过天晴。

刚出生的宝宝生活尚不能自理，连自己的手脚都控制不了，只能转转头和眼珠，既听不懂也不会说，真是很需要成人耐心的呵护。

尝试接受他们和我们想象的、期望的不一样，和书上、别家孩子不一样，带着思考、发展的眼光看问题。

提前和家人沟通

准备哄睡，爷爷奶奶坚持说孩子眼睛睁得大大的肯定不睡，然后一个劲儿地逗，再过1～2小时，孩子熬不住了，哇哇大哭，他们把孩子往你怀里一扔，走了。接觉的时候，我解释孩子还需要继续睡，他们说："白天睡了晚上干啥？你看孩子眼睛睁多大，非摁着睡干啥？"

1. 睡眠问题引起家庭矛盾

家家有本难念的经，睡眠问题常是各种家庭矛盾爆发的导火索，究其缘由有以下几方面。

首先，因为传统观念中有很多睡眠知识的误区，集中包括：

★ 认为孩子不需要睡那么多，只要眼睛还睁着，就认为是不想睡；
★ 认为孩子困了、想睡了、长大了自然会睡，哄不睡就是不困；
★ 不知道孩子哭是因为困，听不得哭，不同意哄睡，或听到哭就抱去逗着玩；
★ 认为宝宝不能够自己睡，所以必须奶睡或者抱睡。

其次，有时孩子睡觉的问题其实是家庭矛盾的外化。

我国很多家庭都是双职工，只能依靠老人带孩子。两代人的经历、接触的信息有很大差异，难免有分歧，对彼此方式的不认同直接体现在宝宝要怎么睡上。

曾听过一个说法："婚姻中最怂的时候，是没人帮你带孩子的时候。"

很多职场妈妈都是如此：把孩子交给老人带，不少地方不满意，但真亲力亲为又无法实现，只能不停做传声筒，希望对方按自己要求执行，但常常事与愿违，反而徒增困扰争执。

而替子女带孩子的老人：又带孩子又做家务，辛苦出力却常常得不到认可，落下埋怨，小辈的要求又多，和自己原先的做法、观点差别太大，无法接受。

家庭中每一个人都爱孩子，但用着各自不同的方式，家庭成员间应相互理解，用科学的方式养育孩子。

2. 长辈不支持怎么办

家家有本难念的经，这里只是抛砖引玉，多少有点站着说话不腰疼，但还是希望给读者一些启发，毕竟父母才是养育的第一责任人，长辈帮忙是情分不是义务。

★ 妈妈加强自身的学习：自己了解充分，确实技高一筹，说话才能有底气，也才能说服家人，掌握话语权。
★ 多让爸爸参与育儿：体会妈妈的不易以及宝宝的睡眠状态，先获得老公的支持进而获取家人支持。

妈妈们的经历

和老公沟通好，两个人一个思路实施起来顺利，与婆婆沟通，老公说比媳妇说有用得多，起码不影响婆媳关系。

★ 增加长辈的信息来源：陈述睡眠重要性，缺乏睡眠的危害。“亲人说百句，不如路人说一句”，可以引用书上、报纸、医生说的；带长辈一起听讲座；也可以请老公、邻居出面说，旁敲侧击，避免正面冲突。总之要避免长辈认为改变是对他们的不认同。

★ 通过情感共鸣获得支持：和长辈相处，扮弱势往往比强势有效，多让长辈感受到宝宝缺乏睡眠的痛苦，会激发他们的同情心进而增加支持。

妈妈们的经历

宝宝睡不好的时候，趁机说其实可以改善的，说说引导后的美好效果，每次都这样说，后来家人也心疼宝宝睡不好就配合了。

最后，改变涉及很多细节，对有些妈妈自己尚且很难，长辈年事已高，理解起来自然更是困难，他们也一样爱孩子，只是有时候真的能力有限。换位思考，多理解长辈的出发点和难处，不要一意孤行。长辈接受不了的情况，不要强求，有了效果再让长辈接手会容易一些；多让他们看效果，少争辩。

勿忘初衷，方式的改变不是要向谁证明自己是正确的，是因为权衡之后觉得合适自己和宝宝才坚持。如果矛盾真的解决不了，也可以考虑自己带。

妈妈们的经历

一开始和家人沟通，告诉他们宝宝白天要睡觉，要注意睡眠信号及时创造环境哄睡，他们不相信。后来自己默默坚持给宝宝调整白天小睡，特别是我妈妈看到宝宝白天睡足后精神好也不闹，就开始相信我，最后是出去和隔壁邻居普及各种知识。

四 执行改变

执行过程中可以有微调，但大方向上至少坚持1～2周，不要被一两天的挫折、反复所击倒。若坚持一周仍毫无进展，则暂停执行，并反思，找原因。

下面的备忘清单，列出了一些小细节，供逐条确认。

1. 改变入睡方式前

★ 知识储备：了解安抚基础法则自主入睡概念以及作息等。

★ 身体准备：设法让宝宝和自己都多睡一些。最好选择从陪伴时间充裕的双休日开始。

★ 思想准备：每次哄睡，提前想一下注意点，以免遇到特殊情况乱了阵脚。

2. 改变入睡方式期间

★ 一致性：每次尽量由一个人完成全程，不换人，方式尽量一致，帮助孩子学习和建立新的睡眠联想。

★ 记录：把宝宝点滴的改善记录下来，感谢宝宝的努力，和家人、同龄妈妈分享感受，鼓励自己。

★ 非睡眠时段：比平时更多的抚慰、拥抱、陪伴，给宝宝按摩，带宝宝出门，做一些诸如游泳、爬等运动。做好沟通，告诉宝宝，你的计划和正在发生的改变。

3. 积极的心理暗示

养成习惯经历了很长的时间，同样的，改掉习惯也不会是一朝一夕就能发生的奇迹。虽然这是一件很不容易的事情，但很多人都由此改善了睡眠，所以同样的，如果你充分准备后开始，就要有信心，别轻易半途而废。

在每次执行前，对自己默念下面的这些话，提醒和鼓励自己。

★ 决心：我认同，睡眠是一种需要学习而获得的能力，我希望通过减少干预，放手让孩子学习和成长，并尝试从积极角度看待过程中伴随的挫折和眼泪。

★ 耐心：我知道，睡眠能力受发育状况、个体差异所限，没有一种方法能百分之百解决问题，愿将期望值放在合适的位置，不拔苗助长，敏感地体察，在孩子确实需要帮助的时候给予支持。

★ 信心：我明白，由于生理不成熟等原因，在引导过程中可能有不顺利、反复的情况，会努力以平常心对待，把握好大方向，不轻易灰心丧气。

第五节 反思巩固

暂时有了改善，妈妈可以松口气歇一会儿，不过并非从此一劳永逸，仍然要面对随时可能出现的反复，新的状况，不过已经有过改善，就要看到希望。

严重的反复，甚至需要返回第一步重新开始，这让刚尝甜头的妈妈们尤为难以接受。但过去再好也只是过去，成长不可逆，往前看，收拾心情重头再来。

如果还没能改善，别气馁，从下面这些痛楚鲜明的前车之鉴里找找原因和安慰。我曾经对进展不顺利的情况做过调查，提到最多的是下面几个原因。

一 家人不支持

案例1：姥姥嘴上支持，可是孩子一哭，姥姥就先情绪激动，对我撒气，搞得我很无力。我又离不开我妈，一方面住房条件不允许，另一方面我无法独自照顾孩子。

妈妈们的经历

案例2：家里没人认同小孩需要睡那么多觉，我只要有什么事不在，孩子就是四五小时才睡一觉。

案例3：宝宝5个月能自行入睡了，后来姥姥姥爷来了，姥爷新鲜总抱睡，这样就形成反复了。再入睡时会哭，一哭老人就生气，不听我解释，吵了好多次，最后一到睡觉我就紧张，一听哭就赶紧喂奶，于是成了抱睡或奶睡。

不同的经历、身份注定了每个人都有自己的想法，随便拿出育儿的哪件事都能争论半天，何况如此复杂的睡眠。所谓兵马未动，粮草先行，如何有技巧的沟通，从而对睡眠问题的改善达成共识，全家齐心合力守望相助相当关键。

家人不支持，养育者一人一套会让宝宝困惑，也给执行者带来心理压力。妈妈早点找到帮手，从长期的体力心力透支中恢复过来，才谈得上理智的陪伴和梳理睡眠。

二 时机不合适

案例1：宝宝15个月，本来夜奶只有1次。最近回老家换了环境，一晚2次夜奶，还会哭闹，经常要抱到深睡才放得下，好几次睡梦中大哭起来，抱着哄也会打挺，躺着更是打挺踢腿。

案例2：宝宝之前睡眠引导后已经整觉，但常要去婆家住几天，不习惯，整觉也就没有了。

婴儿的作息和情绪都比较脆弱，屋漏偏逢连夜雨，如果再经历换护理人、换地方、生病、大脑发育跳跃期等情况，作息很容易混乱，情绪也有波动，并不适合进行入睡方式的改变。

还有很多妈妈，因为快要上班，于是着急开始改变。妈妈上班本身对孩子就是很大的变化，即使睡眠改善了，也有可能突然反复，白折腾。所以要上班的妈妈应早作打算，而不事到临头匆忙开始。

人人都有过的焦虑

妈妈们的经历

留言1：宝宝长期的睡眠问题弄得我很焦虑很着急，急于解决问题，越快越好，正所谓欲速则不达，越想快就越容易导致操作失误心态失衡，丧失原有的判断力，矫枉过正，太纠结于某些细节。

留言2：当时自己心态没调整好，太激进了，宝贝受罪了，唉，心疼。

欲速则不达，宝宝很小的时候就已经有了“逆反心理”。家长对迅速入睡的期待，很容易让宝宝紧张，从而抗拒改变。该做的、能做的，做到即可，真的还不睡就随缘。一次睡得不长或者睡得不顺利，天也不会塌下来，别对自己和孩子太苛刻，毕竟我们是有弹性的智慧人类。

母亲不是无所不能的，不用什么都自己扛。不管以前的情况如何，如果当时你已经尽力，没有办法做得更好，也没有更好的选择，就坦然接受。照顾好自己的心情，不怨怪自己，心情轻松起来，才有可能让孩子感受到更美好的爱、更精彩的妈妈。

四 孩子反应太激烈

不给宝宝奶能哭2小时，给了奶吃不到几口分分钟睡了。

宝宝反应太过激烈，也容易导致无法坚持，这种情况可能由下面几个因素引起：操作方式不当、年龄不合适、有问题没有排查出来、突然袭击沟通未到位、出现突发的身体状况。

误解往往来自于相互的不了解，如果你真的感到困惑“宝贝，你到底想怎么样”，

不要陷在这种困惑里苦痛，冷静下来，问问自己："我还能做些什么？""是不是该停一停？"

五 准备不充分

我着急纠正，没好好看书也没有好好准备，第2天就尝试了，结果惨败。这才静下心好好准备。

对改变的难度没有充分的准备、对改变过程了解不够、不够坚持、对规则朝令夕改、不断退让都会导致失败。妈妈都不坚定，那宝宝就无法得到信心和力量，所以想好了，准备好了，再开始。如果执行，请认真！请坚持！

六 没注意到孩子的成长

以前我都是横抱宝宝哄睡的，最近突然横抱就狂哭，要竖抱才行！以前宝宝听白噪音就能睡，现在完全不管用了。

成人30岁还是31岁，很难通过肉眼辨识，但新生儿和1岁的孩童可谓天壤之别。最初几年，是人生中变化最大的阶段，每一天都可能是新的。

计划赶不上变化，唯一不变的就是一直的变化！从婴儿的角度看问题，就不容易陷入"昨天不是还好好的，今天怎么不管用了"这样的困惑中。

小结：关于进展不顺利的留言，我几乎每天都能收到，其中不少是半夜里的，字里行间流露出疲惫、焦急，养过孩子的都能感同身受。我知道，很多妈妈没有帮手，家人不支持，老公又不管，只有自己一个人，蓬头垢面透支体力的苦熬，有产后抑郁的则更是雪上加霜。

不过我相信，眼前的烦恼不会压垮你，相反会成为将来回忆里的骄傲，想想孩子给你带来的之前漫长人生里面从未感受过的快乐，会发现很多苦痛都是浮云。将来你会对孩子说：“你看，那么艰难的时候妈妈和你一起度过了，我们都是最棒的！”

第六节 妈妈们的睡眠摸索感悟

经常听到一句话“育儿就是育己”。育儿就是在培育孩子的同时，重新审视自己的人生，思考自己该怎么走过今后的人生，也是一个培育自我的时间。为了孩子奉献一切并不是培育孩子。请试着感受一下自己的内心，你自己想做到的事是什么？你的心在渴望什么？如果想要有自己一个人的时间的话，试着考虑怎样才能制造出自己一个人的时间。试着找找有没有什么是可以一边带小孩一边去挑战的事情。没有必要对优先考虑自己的感受而存有罪恶感。宝宝也不希望看到一个压抑自己脸色暗淡、没有笑容的妈妈，他更希望看到一个做着自己喜欢的事情、开朗愉快、笑容满面的妈妈。

——摘自《宝宝不睡觉，妈妈怎么办》

由圆圆妈分享

我是个太贪心的妈妈，不知道其他妈妈会不会这样。比如，宝宝夜里的睡眠从3小时间隔变成4小时间隔时，我就希望他每天都4小时，可是他还是会倒回到3小时，于是我就失望，而失望的情绪难免会带到安抚宝宝的过程中。

意识到这些之后，我改变了思路。我不再对他晚上间隔多久醒做太多期待，对倒退安然接受，根据他的状态决定如何安抚。

因为我相信只要不养成奶睡等坏的睡眠习惯，他应该是可以自己调整到理想状态的，我给他自由和时间。也许我会累一下，但换来的是他的信任和舒适，采用激进的方法去改变也许能达到我的愿望，也许达不到，可是对宝宝却可能是个折磨。

由阿彤妈分享

我曾经在一个一个夜晚无助到只会哭，还不敢大声哭，怕眼泪鼻涕滴在孩子身上弄醒她。那种感觉太崩溃了，怀里明明是自己的亲生孩子，她非常非常可爱，她是个天使，可是在那些个哄睡的深夜里，我却“爱”不起来，“烦”在我心底钻出来，可是我又不敢承认，我怎么能“烦”我的孩子呢，这样就不是一个好妈妈了。身体上的劳累都不算什么，精神上的崩溃才可怕。

睡眠顺利后，我现在的感受真的像书上说的那样，养孩子是一件特别轻松快乐充满幸福感的事情。真心的觉得：每一个孩子都是天使！

由秋千分享：760天的睡眠引导历程回顾

随着我家大宝“外星人”小朋友25个月时，顺利在我们为他精心布置的标准单人床上独立安睡，过往围绕着“睡眠”这个关键词的种种经历终于可以阶段性画上句号，虽然这并不代表着往后的一劳永逸。

宝宝睡婴儿床，与我的床挨着，宝宝一直有食道反流的症状，经常性被抱起，无论白天或者夜晚基本没有2小时以上的连续睡眠。睡眠从总量和质量上都不理想。

我的改善计划是：先用表格的形式记录当时的作息，连续14天，这期间也初步了解到孩子睡眠周期的变化和日夜间睡眠模式的不同之处，该如何分别应对，我心里有了数。

★ 确定晚上入睡时间；

★ 控制喂奶间隔，不再一哭就只知道喂，3个月以前，尝试逐步拉长喂奶间隔并固定在3小时左右；之后视孩子具体情况定，过渡到4小时左右的间隔；

★ 固定早上第一顿奶的时间；尽量固定早上起床时间；

★ 固定大致的喂奶时间、小睡时间。

计划有了，但实施起来并不容易。比如早上起来时间不固定，小睡时间短，作息计划混乱，于是只好继续看书找解决方案。

开始有意识的不抱睡，在睡觉时间先直接把孩子包好放在床上，不断操练并熟悉各种安慰方式，并引入安抚奶嘴。

当孩子满百日之后，作息相对稳定一点了，晚上也有超过5小时的连续睡眠。参考规律作息时间，看到有困倦信号时开始，把孩子包好轻轻晃一下，同时放白噪音，如果孩子哭时，白噪音的音量需要盖过孩子哭声，等孩子安静下来慢慢调小声并持续播放至孩子睡着后。15~20分钟后，仍然哭就上安抚奶嘴。如果完成安抚孩子依然大哭，就抱起来重新进行，一旦孩子安静下来就马上放回床上，言语并轻拍安慰一下，安静后离开房间。如果孩子又再度大哭起来，先不马上回应，等一会儿再进入房间，先躺着拍拍他进行安慰，尽量避免有眼神接触，也少说话，实在不行就抱起来安慰，一旦平静下来就再次离开房间。

第一天，这个过程一共花了40分钟，第二天20分钟，第三天引导成功！当学会自主入睡后，下一步就是引导孩子学会接觉。采用了大概3天与自主入睡同样的方式来引导，但效果并不好，听说有妈妈把孩子放在车上开出去兜风，孩子能连续睡很长时间。于是到接觉时间，我开始把孩子放在可基本平放的推车上，来回小幅度的推“8”字形，并配合其他安抚方式，发现孩子开始能接上觉了！有第一次接觉成功证明孩子有这个能力了，我就有无比的信心尝试更多的方式来引导他，终于在两周之后可以拍拍或者塞个奶嘴就接觉成功。

当然了，并不是每次小睡都能接上觉，在相当长一段时间内都保持如此状态，我就调整了小睡的作息，不再过分刻板地要求孩子，也让自己透透气。

在宝宝白天规律生活之后，晚上的第一次夜奶我就有意识地往后延迟，做法是每两天延迟20~30分钟，巩固一下，再往后继续延，直到和第二次夜奶时间重合，这样就有了至少5~6小时的间隔，逐步减少孩子夜奶的次数。

第二个问题是孩子有时候早上会提前醒来，特别是在连续睡眠8～10小时之后，开始各种扭动。这个时候我会调整夜奶的时间，把靠近天亮第一场奶的这最后一次夜奶放在孩子蠢蠢欲动之前喝，并注意把窗帘拉上，必要时用各种方法安慰孩子让他平稳度过浅睡期，注意不和孩子说话引起他注意。

在知道孩子学会了自主入睡和接觉之后，我突然放松了许多，已经不再处于焦虑状态。3个月时乳头混淆，4个月厌奶期，4~6个月严重湿疹，夹杂长牙前期，大运动发育，以上几种混合模式进攻。7个月起，回国、长牙，抱睡反复，生病的倒退，这一切虽然影响了孩子的睡眠习惯，但我相信只要孩子本来已经学会，有基础就不会忘记，等身体情况平稳后很快就能恢复原来的状态。

12个月以后的问题，主要集中在并觉，噩梦和戒夜奶上。宝宝在14个月曾经出现半夜无故大哭的情况长达一周多，在排除了其他的原因后，我推测是噩梦，以为无解了。后来发现是要两觉并一觉，并觉之后果然好转了。

孩子有自己的生长曲线也就有自己的睡眠习惯，把基础打好后，剩下的弹性机动就让孩子决定吧，淡定地接受孩子，是我最大的收获。

第四章

自主入睡及难点突破

妈妈们的经历

有一天正抱着宝宝绕床走哄睡，恰巧快递来了，只得放下宝宝，急匆匆再回房间时，发现他已经睡着了！之前一直抱睡了5个多月，现在才发现原来已经有自主入睡的星星之火了！

就像学爬、学站一样，入睡也是一种需要通过学习获得的能力。但它难度更大。每个父母都想保护孩子，但不能因为学走会摔，于是就一直抱着。同样的，因为听不得哭，就放弃学习入睡的尝试，亦不可取。

本章就讲睡眠引导中最难的部分——实现自主入睡的方法。

第一节 绕不开的哭

自主入睡之所以难，难在改变的过程常和哭紧密联系，婴儿的哭声能激起成人的不适感，令家长被无能感、挫败感包围，继而难以忍受。

“让他哭去吧，不用管”，之类的话，在没有宝宝时说得轻松，真的做了母亲才知道根本无法做到。

我家宝宝两个多月时，我曾这样写道：“临睡前抱你入睡，屋里黑着灯，窗外传来哇哇哭声，以前听到，会觉得谁家孩子这么闹，自从有你之后不但听不得你哭，就连听到别家孩子哭，都觉得很舍不得，很想安慰他。”3个多月时，我以他连续二十多天几乎没哭一声为荣。

好景不长，3个月之后，宝宝需求变得复杂了，哭声的意味也越来越多。当出现睡眠、厌奶等一系列问题时，我才发现自己误读了所谓“亲密”。

很多中国妈妈和我一样，深受“亲密育儿”理念的影响，时刻对宝宝的哭声做出积极响应。试图保护孩子的热情，让妈妈们急于令啼哭消失，当发现一抱就不哭或者一喂奶就不哭后，一旦宝宝开始哭，就赶紧冲过去抱或者喂奶……犹如条件反射一般，甚至来不及缓一缓，想一想哭的原因是什么。

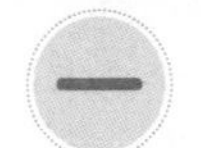

哭泣的不同种类

孩子的哭有很多种，睡前的哭也有很多的不同，有时候是轻声的吭吭唧唧，有时候是赖赖唧唧地扯着嗓子喊，有的时候是尖叫，有的时候是情绪性大哭，非常崩溃的那种，哭的喘不上气，脸涨得通红。

《伯克毕生发展心理学》中提到婴儿至少有**三种不同的哭泣**：

基本哭泣：有规律可循的哭泣方式，表现为先是一阵哭泣，接着是短时间的安静，然后是较短促的大哭，然后是另一段时间的安静，之后是下一段哭泣。一些婴儿专家认为，饥饿是激发基本哭泣的情境之一。

愤怒哭泣：基本哭泣一种变化形式，和愤怒相联系，在这种情况下，更多的多余空气从喉咙中喷射出来。

疼痛哭泣：突然发出一阵长而响亮的自发哭泣，接着哽咽，事先没有抽泣行为。痛苦哭泣是由高强度的刺激引发的。

有实验将不同情况下婴儿的哭声放给妈妈们听，结果一半以上的妈妈不能单从声音中区分，哭声所表达的是饿、困、还是疼。如果你也做不到，不要太沮丧，因为这真的很难，但结合观察作息，熟悉宝宝之后会变得容易点。

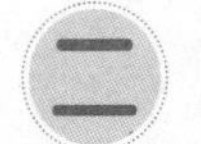

对哭的解读

按照哭的不同起因，笔者将哭泣分成这几类：

首先，哭是宝宝和外界沟通的第一方式，是表达需求、吸引成人关怀。

其次，是自身的一种情绪发泄，抒发完了情绪会有所平复。

最后，和睡相关的哭单独归为一类，困时的哭是表达不适、释放多余能量的方式，在噩梦、夜惊中还会出现完全无意识的哭。

孩子哭父母一定要回应，但具体到每种类型的哭应该如何回应，则需要大量的观察和学习，怀有一颗敏感的心去解读。

值得注意的是，“不回应”也是万千回应中的一种，有时候容许孩子哭出来（表达不开心）比阻止他们哭需要更大的勇气。

婴儿哭声在父母耳中的意义，还受到父母自己儿时经历的影响，有了情感的投影和放大，判断就可能变得不那么客观，[①]如何回应也变得更复杂。

妈妈们的感悟

大宝刚出生的时候，我特别听不了孩子哭，一哭我就焦虑、心碎、自责，把孩子的哭等同于我作为母亲的失职、无力。

老二出生时，因为生病没少哭，但我不再焦虑和自责，而是把哭看作她交流的信号，依此努力找问题，解决引起不适的原因。如果能排除，能解决的都做了，但她仍旧哭，那么我就默默陪伴。

在托幼机构中长大的宝宝会在第一年里变得越来越不爱哭，他们似乎朦朦胧胧的认识到，除了使自己疲劳以外，哭闹产生不了什么作用。而在家庭中长大的宝宝，如果哭闹时通常都能得到回应，他们会比托幼机构中长大的宝宝更加爱哭，但如果哭闹有时得不到回应，宝宝就更加爱哭。根据约翰·霍普金斯大学的研究，对婴儿的啼哭做出经常而迅速的回应能够使看护人和婴儿之间建立起更加牢固的依恋关系，其结果比有意无意地不给予回应要好。有时你可能无法安抚宝宝，这时不得不让他发泄一下，但不要让它变成经常性行为。

——《从出生到3岁》

① 英国儿童心理治疗师Daws的《夜未眠》一书中对此做了详细的解读。

成长的路上伤痛在所难免，父母不是万能的，不要把消灭眼泪作为自己的目标，更不要被内疚的情绪压倒。

我们应该明白，面对宝宝的哭：

家长不能做到的：任何情况都安抚得住宝宝；

家长能做到的：减少无法安抚情况的发生。

我们要做的是，帮助、陪伴疏导孩子的情绪，而不用成人的思维去要求孩子压抑情绪。

三　和睡相关的哭

和睡眠有关的哭闹，也同样适用于上节说的“对哭的理解”，也被称为“Bedtime battle”。

下面就谈谈，更细分的起因和应对。

起因1：婴儿常常越困越兴奋，困在身体内积攒了一股强迫人清醒的力量，积攒到一定程度必然需要释放，而哭是常见的一种释放方式。

应对1：试着用更理性的眼光看待眼泪，几乎所有的睡眠问题书籍上都指出，哭是睡的一种办法，并非偶然。试图消灭“哭”这个本能，会很受挫，效果也不好。

有时候抱哄也仍然会哭，反而是让他哭几分钟后，再哄会容易，一般哭2分钟就神奇地睡着了。

起因2：困的时候，宝宝脾气大，被激惹后容易引起哭泣。

应对2：减少过度疲倦情况的发生，已经发生时，帮助宝宝分散注意力，避免硬碰硬。

起因3：婴幼儿到一定的年纪，开始出现分离焦虑、开始怕黑，想玩、抗拒睡觉，哭泣是害怕和抗议的一种表达。

应对3：给予宝宝情绪疏导，醒的时候多亲近，睡的时候适当抽离。

起因4：夜惊、噩梦引起意识模糊的大哭。

应对4：夜哭不止可以尝试叫醒。

如果你不学着分辨理解宝宝的不同哭声的含义，那她就会丧失这种利用不同哭声像你表达自己需求的能力，这些原本存在差异的哭声，到那时会同化为一种高音量的警告式啼哭。”“要想安抚宝宝，你必须首先安抚自己，做3次深呼吸，把握自身的情绪状态，试着分析情绪产生的原因，并且最重要的是把你能感觉到的焦虑或气愤统统消除。”“父母需要观察自己的宝宝是如何茁壮成长的，并且稍稍退后加以辅助，但不能横加干预，不要一看到发生状况就急于上前提供帮助。

——摘自《婴语的秘密》

第二节 改变入睡方式

理想化的情况，是从出生开始就尝试“迷糊但醒着入睡”，不要过度依赖于抱睡、奶睡。但理想很丰满，现实却很骨感，常人可能会经历这样过程：

“**白天小睡**：哭闹→吃着睡着（或抱着走动）→持续全程抱睡→醒了再喂一阵→继续睡”

“**晚间睡眠**：哭闹→吃着睡着（或抱着走动）→继续抱着，过了半小时才敢放下→夜里醒来哭闹→继续吃奶→吃着睡着→重复几次至天亮”

到一定的年龄，家长精力上难以维持或会导致睡得短、影响睡眠质量的入睡方式，就有改变为自主入睡的需要。

入睡方式的改变，是睡眠引导中最难的一环，对孩子、对家长都是考验，非睡眠时段，需要更耐心的陪伴。

下面摘录的这段留言是想给大家一些信心。

我的宝宝学会了独立入睡后，发现他变成了一个安静的天使，他每次总是平静的入睡，笑着醒来，他不会哭！以前夜醒多的时候，我前几次还能听见爬起来，后面太累常常“根本”听不见，现在我没有对他的哭声麻木，反而会比以前敏感。

一 自主入睡之路

国外很多书认为“没有人陪、独自睡一个房间”才算自主入睡，但笔者认为这种说法并不适合中国国情，拿“独睡”这个标准去问中国的妈妈，多数人也很难接受。

笔者给自主入睡下的定义是：完成睡眠仪式，能够不依赖“吃至睡着”“抱着走至睡着”等较强的外界帮助，主要靠宝宝自己完成从迷糊到入睡。

关于睡眠之前，实现自主入睡的方法主要有：潘特丽温和去除法、抱起放下、怀中哭泣、渐进法、法伯法、哭声免疫法等。

关于自主入睡的一些说明：

★ 实现自主入睡对很多睡眠问题有改善作用，但未必能解决所有问题；

★ 入睡方式的改变并不是必需的，没有能够自主入睡不等同有睡眠问题，要具体情况具体分析；

★ 所有方法均仅针对睡眠时段和问题，不是一种育儿法，不应扩展到日常互动；

★ 不同方式实施过程、效果有所不同，但本质上都是打破原有的睡眠联想（行为），改变孩子对入睡方式的预期，建立起新的入睡习惯。

本书会重点介绍我借鉴各种方式，结合众多中国妈妈的实践，总结出的“**小土陪伴法**”，与以往各种方式相比，内容上更多考虑了不同月龄宝宝自身的特点，操作上也更贴合国情。

当然，婴幼儿有个体差异，一种方法未必适合全部家庭，对现存的其他方法也基于我的理解进行介绍、分析利弊，希望读者有充足的选择余地。[①]

如果你想解决某个问题，那么你必须希望问题得到解决——有决心、有毅力坚持到底。制定一个方案并坚持执行。不要回到老路上去，不要总是尝试不同的方法。如果你坚持使用一种方法，那么它会起作用的，只要你坚持下去。我多次强调：对新方式你必须坚持贯彻执行，就像你原来坚持旧的方式一样。

——摘自《实用程序育儿法》

二 小土陪伴法

知识储备：熟悉宝宝所处月龄段的基本特点、参考作息。应用本方法时，可结合后文抱睡、奶睡、小睡短、夜醒频等专题内容综合调整。

方法原理：通过观察了解宝宝的需求、高质量的陪伴及运动来改善宝宝情绪、身体舒适度。引导宝宝主要依靠自己的力量入睡，从而摆脱睡觉一定要始终抱着或者吃到睡着、必须用奶才接觉的睡眠习惯。从而得以在床上入睡，降低入睡时需要的额外帮助、延长睡眠时间，改善夜醒。

核心过程：睡眠仪式→迷糊→放床上→宝宝自己尝试+家长少量安抚→睡着

实现关键：“迷糊时候就躺到床上”和“减少干预”。假设熟睡状态为10，清醒状态为1，那么应该尝试在7～8间躺到床上（眼睛刚要闭未闭或刚刚闭上）。这个界限有时很难把握，实在做不到可以退而求其次。对于0～3个月的宝宝可以睡熟后再放到床上；较大月龄可多尝试清醒时就躺在床上。

方法的应用区间：改变习惯是个渐进的过程，这个过程中安抚逐渐地减少，最终过渡到新的睡眠习惯，大概需要2～4周初步完成整个过程。

---

① 其他方法介绍部分仅代表个人理解，如需采用，请进一步查阅相关书籍。

不同月龄的预期：网络上有一些方法如同一首催眠曲循环播放、一个会唱歌的安抚物、多少秒就能让宝宝安睡的神奇故事等，这些方法无可厚非，只是养育无捷径，寄希望于可遇不可求的奇迹，往往事与愿违。陪伴法的应用也是如此，预期过高容易受挫，导致缺乏信心，无法执行。所以要建立合理预期，不过度焦虑也不轻言放弃。

特别提醒：对宝宝来说，改变入睡习惯是很大的变化，在改变期间容易产生情绪波动。因此在非睡眠时段，应尽量多陪伴宝宝，缓解情绪，尽量让他开心。人在情绪好时对变化的接受度和容忍度都会提高，有利于打破旧习惯建立新习惯。

婴幼儿个体差异很大，没有一种方法可以解决所有人的所有问题。家长在应用本方法的过程中，坚持之余也可以结合宝宝的具体状况做出调整。

1. 陪伴法操作姿势示意

序号	名称	示意图	说明
A	对面位		妈妈和宝宝面对面，妈妈的手可以放在宝宝后背、头部、肩部。适用于喜欢拍宝宝的妈妈
B	靠背位		宝宝后背贴着妈妈前胸，便于妈妈握住宝宝的手、环抱住宝宝身体。适用于常发生惊跳反射的宝宝，也适用于接觉
C	躺搂位		和“靠背位”类似，区别是宝宝仰面，常用于夜间安抚。这种位置比较方便按摩宝宝的头部、脸部

续表

序号	名称	示意图	说明
D	俯拍位		不少宝宝学会翻身后，喜欢趴着，这种位置妈妈手臂放在宝宝后背，方便拍动
E	独立位		宝宝自如翻动后，对身体接触往往较为抗拒，此姿势可以给宝宝更多自由空间，妈妈宝宝相对位置独立

示意图以大床为例，小床同理，一般为家长站在床边弯腰操作。

2. 0～3个月的实际操作

本节介绍安抚宝宝睡觉的过程，可借鉴一些细节和技巧来降低入睡时间和难度。可以让宝宝尝试自主入睡，但无须强求。此时睡眠尚未成熟，别给自己和宝宝太大压力。

★ **白天小睡：**

步骤	简要版	细节版
1	发现宝宝困了	结合睡眠信号、醒睡间隔等，判断睡眠的时机
2	睡前准备：帮宝宝达到身体舒适，心情愉快，临近迷糊状态	配合“小土安抚技”，开始睡眠仪式：拉窗帘、铺床、换睡衣、换尿不湿等；打开催眠曲或白噪音或真人发声； 用襁褓将宝宝的手臂包裹好； 将宝宝抱起； 如果宝宝有点烦躁可以抱着他有节奏地走动、摇晃，配合拍动背部或臀部，可以让宝宝身体有小幅轻微抖动； 如上述安抚仍无法使宝宝平静，可引入安抚奶嘴

续表

步骤	简要版	细节版
3	把宝宝放到床上去	通常10～15分钟后宝宝情绪趋于平缓，当宝宝身体变软，眼神迷离但尚未完全睡着时，把宝宝抱至睡觉位置。 尝试放下宝宝：让宝宝臀部先着床，之后缓缓放下头部，避免急速下坠感激起宝宝不适
4	放下后，继续帮助宝宝放松，维持迷糊的临睡状态	放下后的情况分为两种： ① 宝宝睡着了，将宝宝身体稍稍按住，确保睡稳后松开双手。 ② 宝宝清醒过来开始哭闹，顺势将宝宝侧身，一只手扶住肩部或臀部，另一只手继续有节奏地轻拍背部，持续发出安抚声音或哼唱宝宝喜欢的催眠曲。 宝宝仰面躺下后哭闹，还可以扶住宝宝肩头左右轻摇身体。 在床上哭闹超过10～15分钟，宝宝的情绪还没有减弱趋势，可以重复第2～3步中的安抚内容，抱起重新轻轻走动至迷糊。如果再次失败，停止迷糊放床的尝试，可以抱哄至闭眼再放下。下次小睡再试
5	睡着后，观察巩固	宝宝眼睛闭上不代表完全睡着，所以家长不要立即离开。观察5～10分钟等待宝宝睡得更稳后即可离开

（1）步骤1注解

如果宝宝比较难安抚，可以提前10～20分钟做准备；睡眠信号不止哈欠一种；对于易发生胀气哭闹的宝宝，趴在妈妈身上也是比较好的安抚方式。黄昏时，如果宝宝很闹，可以用推车带宝宝出门，推车上可能更容易入睡（特殊处理）。

睡前玩耍

睡前安抚

（2）步骤2注解

首次尝试“放下睡”时，所需的安抚时间会长于10分钟。尝试改变之前要把变化提前告诉宝宝，让他有心理准备。白天清醒时也要多陪、多抱宝宝，引导宝宝多运动（尤其是转转圈、摇椅等），让宝宝感到高兴和舒适，增加他的安全感。

在做每件事情时，都向宝宝介绍：可以温柔地告诉宝宝“宝贝要准备睡觉啦”“妈妈把窗帘拉上挡挡光”“妈妈在铺床哦”“妈妈给你拿睡衣换上”“尿不湿满了，我们换个新的”等。别以为宝宝什么都不懂，他们具有交流的天赋，坚持沟通，宝宝也会慢慢会了解家长的心意。

睡眠环境设置：在宝宝尚未建立起昼夜分别时，白天睡觉屋内不要太暗；在催眠曲的选择上，每个宝宝的喜好不同，需要坚持不懈地尝试寻找，也可以选择播放雨声、风声、商场人群等白噪音混音。

通过吮吸帮助宝宝放松：0～3个月宝宝，无须卡点喂养，如果已经饿了，睡眠仪式中可以加入喂奶环节；安抚奶嘴要在没有乳头混淆风险后才可引入，如果不喜欢可以尝试多种；如果宝宝喜欢吃手，可在裹襁褓时仅包住手臂而把手露出。

通过不同的移动方式和抱姿帮助宝宝放松：爬楼梯、上下蹲起、坐着颠瑜伽球、摇椅、背巾等都能起到类似抱着走的效果；如果宝宝胀气哭闹可在裹襁褓前采用飞机抱、按摩等方法帮助宝宝排气；在抱姿的选择上根据宝宝喜好，竖抱横抱均可，需注意对宝宝头部进行支撑。

（3）步骤3注解

放下之前和宝宝打声招呼：“宝贝，做好准备，妈妈帮你躺到床上去。”

放下的注意点：如果没有裹襁褓，放下过程可以将宝宝搂紧，避免激起惊跳反射；对于放下就惊醒继而哭闹的孩子，可以采用半搂式放下，即将宝宝身体放床后，家长的一只胳膊仍放在宝宝脖子下面，宝宝上半身维持抱姿，等宝宝进入迷糊状态后再抽走胳膊，将宝宝完全放在床上。

（4）步骤4注解

安抚音：为了达到吸引注意力的目的，安抚音一般要略高于哭声；“xi”“xu”“shi”“en”等都属于安抚音，音量、节奏需随宝宝情绪的起伏做相应调整。

拍动：在宝宝情绪烦躁时，可加大力度和速度，情绪缓和可适当减小。

放小床：拍背部会比较困难，可以侧身后一只手扶住肩部，另一只手放在宝宝臀部，两手交替用空心掌快速轻拍，类似拍手鼓；待宝宝情绪平稳后可以用一只手稳定住宝宝，另一只手拍动。如果是带有摇篮功能的小床，则可以一只手拍，另一只手轻摇小床；有时拍床也是可行的。

放大床：可在放下时顺势侧身躺在宝宝身旁，采用“对面位”“靠背位”“躺搂位”均可，家长可以借助上臂环绕轻压宝宝手臂。在拍动过程中，家长可闭目养神，减少与宝宝对视。如果采用“对面位”可将宝宝的大腿曲至腹部，模仿子宫内的蜷缩姿势，以增加宝宝安全感。

放床后：可以将安抚玩具（要注意安全）放在宝宝旁边。能够发出柔光和音乐的安抚玩具比较受宝宝欢迎。

（5）步骤5注解

如果只用少量的帮助就可以使宝宝平静，则无须采用过多安抚；为了避免婴儿猝死综合征，睡着后应将婴儿放至平躺；

★ 小睡接觉

步骤：小睡中间醒来可重复步骤4，如果坚持几次效果仍不理想可尝试在醒前5分钟提前拍动，甚至提前抱起轻微走动后再重新放下。如果做不到醒着放下可以哄至睡着后再放。遇上宝宝饿的情况，还可以喂一顿迷糊奶。

注解：接觉类似于重新哄睡，需要的安抚可能比入睡还多，短期靠运气，长期靠耐心。头几次先尝试原地接，实在不行再抱起接，已经接上几次后尝试减少接觉时的帮助。如果宝宝醒来状态好，也可以不接。

★ **晚间入睡**

和白天哄睡过程类似，要注意的是晚间入睡是白天和夜晚的分界线，睡眠仪式、睡前安抚都需要更长的准备时间。

睡前密集哺喂：晚间入睡前后宝宝可能会不止一次吃奶（短于白天的吃奶间隔），不要等宝宝已经很困了才喂。宝宝晚间入睡吃到睡着是比较常见的。当吮吸节奏明显降低时妈妈要尝试取出乳头，奶完如果已经睡着，可以借鉴白天小睡的步骤放床。

睡前亲密互动：宝宝睡前显得比较烦躁，按摩既能帮助宝宝放松身体，也增进亲子感情，是比较好的睡前互动。眉心、头部、手、脚、腹部都是效果不错的部位。

宝宝入睡后：继续轻轻按摩宝宝的身体，能够减少睡后短时间内再醒的情况。妈妈坚持给宝宝进行身体的按摩，对他的成长和睡眠都很有帮助。如果改变给宝宝带来了情绪，妈妈可以边按摩边碎碎念，向宝宝解释缘由。

晚间入睡后30～45分钟就醒：可以通过安抚、喂奶让宝宝继续睡，而不是起床。

同步睡眠：妈妈最好能够洗漱完毕，把家务事处理好，这样才能安心享受一天之中和宝宝最后的相处时光。照顾小婴儿很辛苦，宝宝睡妈妈也一起睡，同步睡眠才能保持体力。

★ **夜间醒来：**

睡眠状况	相应的措施
睡眠中有轻微声响时	先观察几分钟，如果不是真的醒来，家长就继续睡
哭声很大无法自己平静	尽快响应，确定是要吃奶就抱起喂，尽量让宝宝保持清醒多吃一点，吸吮频率降低时就停止哺乳，拍嗝后就放床，不要久抱。放下如果不醒就不用特地去拍动，减少互动、干扰；如果放下就醒，也要先观察几分钟看宝宝是否能自己睡。如果宝宝自己尝试失败，可以参考白天小睡中的介绍的技巧安抚宝宝。尽量保持夜间睡眠的完整
清晨四五点钟排便	睡前多按摩，白天多趴有利于现象的缓解，排便后及时清理，保持环境低调，宝宝有可能还会睡回笼觉

注解：白天和晚上喂奶的方式和环境要稍作区别，让婴儿逐渐建立起这个不同于白天吃完要继续玩一会儿，而晚上吃完是要继续睡的习惯。晚间可以夫妻分工，由爸

爸负责把宝宝抱起给妈妈喂奶，然后再由爸爸拍嗝、放下；夜间醒来的应对技巧，还可以参考后文的频繁夜醒部分。

最后再次提醒，小月龄宝宝身体状况复杂，背巾睡、推车睡、抱睡、奶睡是这个阶段常见入睡方式，很难完全避免。

如果宝宝对陪伴法接受度较高，应该保持信心，耐心坚持。如果坚持一段时间后，发现宝宝接受度差、安抚效果不好，请不要勉强，可以采用你觉得能帮助到宝宝的方式优先保证入睡。

总之，在小月龄阶段对入睡方式不用太过纠结，毕竟我们希望的是妈妈和宝宝都更舒适，放松的妈妈才有快乐的宝贝。

3. 4~9个月的实际操作

本阶段的合理预期：此阶段婴儿夜间睡眠逐渐成熟，小睡也出现延长趋势，可尝试改变“持续抱睡”“奶到睡着”的睡眠状态，并进一步尝试自主入睡；此阶段即便实现自主入睡，接觉可能仍需要稍多的辅助；控制夜奶次数在合理范围而非力求完全消除。

入睡过程中共通的部分可参考本书上节陪伴法“0~3个月的应用”，以下主要描述一些不同之处。

★ 白天小睡：

步骤	简要版	细节版
1	知道宝宝困了	结合睡眠信号、醒睡间隔等判断睡眠的时机
2	做睡前准备，帮宝宝达到身体舒适，心情愉快，临近迷糊状态	结合“小土安抚技”开始睡眠仪式：拉窗帘、铺床、换睡衣、换尿不湿等；打开催眠曲或自己给宝宝唱歌。 宝宝如果有点烦躁哭闹了，可以有节奏地走动，配合拍背部，不急于哄睡，只是尽量让气氛放松。 竖着抱宝宝，让宝宝看一些房间内的物品，将注意力从烦躁和哭闹中转移。 如果仍无法平静，允许宝宝哭一会儿，再尝试分散注意力。 可以采用安抚奶嘴帮宝宝平静下来，此阶段还未接受奶嘴的宝宝则无须引入。 安抚10分钟左右后,可尝试将宝宝放到床上。 如果出现抱着也打挺、哭闹的情况，就早点放下

续表

步骤	简要版	细节版
3	把宝宝放到床上去	在第一次放下时，尽量在迷糊时就把宝宝抱至睡觉位置放下，不要等完全睡熟才放
4	放下后，继续帮助宝宝放松，维持迷糊的临睡状态	宝宝可能会哭闹，可顺势将宝宝侧身，如果宝宝对压住比较反感，多转移他的注意力，避免激怒他，可以握住手按摩、进行小游戏（用手蒙住脸再突然拿开）等温和方式吸引他维持躺着的状态，减少身体的动作幅度。 一旦放下，至少坚持10～15分钟，期间可以用言语、拍动等手段安抚，切忌频繁抱放。 10～15分钟后，一般已进入正式的睡眠阶段；第一次尝试耗时可能会超过半小时，期间宝宝可能会情绪性的大哭，妈妈别乱了阵脚，耐心陪宝宝一起发泄能量。 如果超过15分钟，宝宝既没有睡着，情绪也没减弱，则可以重复第2～3步，抱起重新轻轻走动至迷糊后重复第4步。 如果再次失败，但情绪有所缓和，则可继续尝试，如果情绪激烈反弹有被激怒之感，或者已经超过40分钟，则停止尝试，可以抱至睡着再放或终止此次小睡
5	睡着后观察巩固	宝宝眼睛闭上后，可以将手放在宝宝身上，或者拿开，继续观察，也可以进行睡后按摩。 如果睡着之后一个周期没到（比如5～10分钟）就醒，要及时安抚或尝试继续拍动，但如果再次出现一会儿就醒，可回到第2步重新哄睡

（1）步骤1注解

这个阶段可能出现无信号或者到临睡反而越玩越兴奋的情况，需注意观察，及时哄睡。

（2）步骤2注解

减少频繁喂养：4～9个月宝宝的胃容量已经增加到能够支持3～4小时间隔的喂养，需要减少吃着睡着的情况，如果已经饿了，可以在睡眠仪式前喂奶，但要拉开吃睡间隔。

优化睡眠环境：这个阶段宝宝对外界事物兴趣增加，小睡时将窗帘拉上，暗一些的环境有利于他平静下来，过渡到睡眠状态。这个阶段不少宝宝已经不喜欢白噪音，可以用一些宝宝喜欢听的音乐替代。

保持沟通：入睡方式的改变，其实是改变宝宝对怎么入睡的预期，所以让他知道你想干什么，将即将改变的信息明确传达给他很重要。在做每件事情时坚持向宝宝解释，在搞不清宝宝需求的时候，可以猜测他的需求并询问，被猜中时宝宝的反应很可能是不同的，坚持这样的沟通会帮助减小沟通障碍。

抗拒睡眠的现象：由于自主意识增强，有的宝宝会出现对睡眠仪式抗拒、听到“睡觉”二字就生气的情况，这时可以将仪式从简甚至撤销，避免营造出立即要睡觉的气氛，减少对抗情绪。

帮宝宝控制身体，学会放松：这个阶段宝宝已需脱离襁褓，如果四肢不受控的情况，可以抱久一点，待到迷糊再放下，并在放下后继续压住宝宝的手部；这个月龄的宝宝通常更喜欢竖抱，横抱反而容易哭闹。

如果出现抱着打挺的情况：可以温柔地告诉宝宝：“把头趴在妈妈肩上”，或者直接放在床上尝试入睡或者等一会儿再抱起来。

摇晃力度和时间：比0～3个月时减少力度和时间，可以坐在床上，让宝宝趴在肩头，配合轻轻地拍背或摇晃。

睡前宝宝可能会吃手：也可以给他准备安抚巾、牙胶等（注意牙胶可能容易掉，一掉情绪就可能反弹）。

首次“在床上睡”的尝试：可能需要半小时左右，要有心理准备，不要急躁。

（3）步骤3注解

放下过程中：将宝宝搂紧一些，尽力控制四肢，放至侧躺位或趴位。

放下就哭闹：放下之前和宝宝打声招呼：“宝贝，妈妈帮你躺到床上去哦。”如果宝宝表示不满，可告诉宝宝“睡觉要在床上的呀”之后隔一两分钟再尝试；也可在情绪尚未失控时就放床。

放下时已经在手上睡着：可以尝试在放下后将宝宝轻微唤醒，给宝宝确认睡眠环境和重新入睡的机会，如果宝宝已经过度疲劳或者易被激怒则不要采用。

放下就玩：可以让宝宝玩一会儿，待烦躁时再抱起或三分钟后再抱起。抱起之后，迷糊再放下。玩的内容可以是趴着、翻身、爬，抚触按摩（如用拇指按摩眉心、耳朵，用手指梳头）等轻微活动。如果宝宝玩兴正浓，保证安全的前提下，妈妈还可以离开房间干一些别的事情，等宝宝哭闹了再回来继续哄睡。下次可提前做睡眠准备，把玩的时间预留给宝宝。

放下就翻身：可以尝试在宝宝迷糊一点儿时再放，并在放下后帮助宝宝处于侧位或趴位，以平衡他的身体。在遇到翻身抬头或者是放下就来回滚翻的情况,可以让宝宝尝试翻几下之后，经过宝宝同意，再抱起帮他重新躺好，进行**重置**，告诉他："宝宝刚才翻身了，妈妈帮你重新躺一下。"

放下就爬走、坐起：可以把爬走、坐起的宝宝抱回来重新帮他躺好，控制他的身体，可能需要反复几次才会真正躺稳。

随着宝宝的活动能力增强，对面位、靠背位、躺搂位在此阶段的效果可能已经减弱，在注意安全的前提下，可多尝试俯拍位和独立位。

（4）步骤4注解

情绪失控时：因为婴儿的注意力比较容易分散，网上常流传只用几分钟哄睡宝宝的视频，绝技之类，其实并不出奇，前一秒瞪大眼后一秒就睡着的现象也很常见，需要有信心，并有所坚持。还可以尝试逗着玩片刻，分散注意力，或者重新抱起走动安抚。

抗拒身体接触：越拍越烦躁的情况，则不要硬拍，减少身体接触，站着或者躺着陪同即可。

如果宝宝明显想吃奶：可以提醒他，"刚刚已经吃饱饱了哦，睡醒肚子饿了再吃。"

如果在陪伴过程中，你产生了厌恶宝宝或者烦躁情绪：需要先处理自己的情绪，让自己冷静下来。比如可以把宝宝放在安全的位置，和宝宝打声招呼："妈妈情绪不太好，去洗手间洗把脸冷静一下，等下再回来找你。"等自己心情平复后重新开始陪伴入睡的尝试。

（5）步骤5注解

为了避免婴儿猝死综合征，应将睡着后的婴儿放至平躺。如果宝宝已经能够来回翻滚，那么在入睡过程中即便翻为趴睡、侧睡，风险也大大减小了。平放后宝宝自行翻滚至侧睡或趴睡则无须重置。

★ 小睡接觉

步骤：如果小睡中间醒来可重复第4步，进行原地安抚，坚持几次后效果不理

想可尝试在醒前5分钟提前拍动，甚至提前抱起轻微走动，再重新放下，也就是重复第3步。

接觉成功几次后，可以尝试不接，看宝宝是否已经能够自己完成接觉。

集中改变入睡方式期间，接觉的尝试时间比平常要长，一般为20分钟左右，如果超过半小时可以放弃，但下次要仍要接着尝试，意图是培养睡得长的习惯和生物钟，让宝宝逐渐知道，睡醒后仍是要接着睡；先尝试按入睡方式接觉，如果坚持一周仍然接不上，可能由于宝宝生理尚未成熟无法自己接，可尝试以抱起至迷糊再放下的方式接觉。

非集中调整期的日常：如果醒后精神状态不错，则无须强求，尝试几分钟失败后，可以直接起床，避免引起情绪问题。

注解：在本阶段早期，白天小睡周期仍比较短，接觉会比较困难。可以先改变夜间的情况，待夜间稳定再逐渐改善白天，并非一定要同步。

★ 晚间入睡

晚间入睡是白天和夜晚的分界线，方式参照白天，但睡眠仪式、安抚的时间都需要更长。

睡前奶：晚间入睡前后，宝宝可能会不止一次的吃奶。这个阶段如果高频率奶睡，可能会引起依赖奶睡的睡眠联想，因此晚间入睡尽量喂完奶后拔出，留出短暂的清醒时间以完成入睡过程；继续坚持给宝宝进行身体按摩。

晚间入睡时间：7点较为理想，通常不要晚于8点。

傍晚觉取消期间：需要提早晚间入睡时间1～2小时。

半小时后还没有睡：可以再回到第2步，进行一些基本安抚。

晚间入睡后30～45分钟就醒：可以通过安抚、喂奶让宝宝继续睡。

★ 夜间醒来：

睡眠状况	相应的措施
睡眠中有轻微声响时	不要干扰宝宝，家长继续睡即可，不是故意不理而是真的睡
只是带哭腔的翻滚	避免身体接触，先观察几分钟，再参照下文选择处理方法

续表

睡眠状况	相应的措施
翻不过去、坐或站后躺不下去大哭时	刚会翻身但还不会趴睡的孩子，在夜间容易一翻就醒，醒来就抬头随之惊醒大哭，可以告诉宝宝把头低下来，及时帮助宝宝复位，并在白天演练翻身。 如果是醒了坐起或爬走，告诉宝宝要躺好同时帮助复位。白天也需多加练习，帮宝宝知道坐起后应该如何重新躺好
在集中改变入睡方式期间	对于确认不饿的夜醒，装睡不做应答，观察几分钟，实在无法入睡可以拍动5~10分钟。 拍动后仍然不睡，情绪失控时，可将宝宝抱起重新躺个位置，整理一下衣物，进行短时间重置，之后视情况抱哄或者喂奶
日常的夜间	确实饿的情况，及时响应，喂饱，但喂完不要久抱。 在注意安全的前提下，本阶段如果亲喂可以酌情躺喂（奶瓶喂养则仍需抱起），避免彻底清醒，以保持夜间睡眠的完整。本阶段要控制夜奶次数，通常1~2次夜奶不容易引起频繁的夜醒问题。 夜间醒来继续睡比白天难度小，所需的辅助也更小。如果放下不醒就别特地拍动，减少干扰

注解：这个阶段睡眠因素复杂，出现睡眠倒退或者有几天睡得少都是正常现象，家长不要太过焦虑，更不可在倒退期间采用大幅度摇晃、奶睡等激进手段不惜一切让宝宝睡。晚间仍可继续夫妻分工，由爸爸负责前半夜，妈妈负责后半夜。白天丰富的活动、充足的进食量是夜间安睡的基础。出于安全考虑，一岁前婴儿都需要仰面入睡，但如果孩子已经能够灵活自由来回翻，则无须对夜间趴睡进行干预，一些孩子趴睡时能睡得更长更稳。

4. 10个月以后的应用

很多宝宝在这时已经学会了扶站，而生理设定中，人在站立状态是很难入睡的，此阶段也是分离焦虑高发期，此时采用放任哭泣的方法往往会出现严重哭闹，事倍功半不说，还有可能引起长期的情绪问题。因此陪伴法是本阶段更适合的选择。

此阶段的宝宝的理解力已有很大提高，沟通的作用大大增强，如果能通过沟通让宝宝接受改变，自主入睡的难度也就随之降低。

★ **白天小睡**

由于小睡的相对成熟，在这个阶段开始的尝试，可以白天晚上**同步入手**。可以采用讲故事，做夸张动作等方式**吸引宝宝注意力**，控制身体的活动范围，使他活跃的身体渐渐平静下来。过程中可能会反复出现需要帮宝宝重新躺好的情况，可以短时间原地竖抱，整理衣物，拍拍背。注意此时的抱不是为了哄睡，而是简单的重置。

★ **晚间入睡**

这个年龄段不太有打哈欠这样直接的信号，可以按照时间点安排入睡，在入睡时间前一小时左右要做好睡觉的准备，也就是开始睡眠程序，内容可以包括但不限于洗澡、换睡衣、刷牙、和爸爸妈妈一起读绘本等。有的家庭有睡前聊天的习惯，可以提前关灯后陪孩子躺在床上一起回顾一天所经历的事情，启发孩子回忆和抒发自己的情绪。

如果到睡觉的点时，宝宝还爬着到处玩，可以先温柔地提醒，多次提醒无效后可以严肃认真地告诉他："不许乱动了，乖乖闭上眼睛！"让宝宝明白确实到了要睡觉的时候了。

关灯后家长如果陪睡，可以闭目养神，尽量装睡，宝宝翻来覆去一般会在几分钟至十几分钟会睡着。如果十几分钟还没有睡着，可以询问宝宝："为什么还没睡着？是因为还想玩吗？"（睡不着的原因可以按宝宝实际情况替换）比如问问他需不需要重新整理衣服或者喝点水之类，得到回答并满足需求后可以进行重置，帮宝宝重新躺好。

如果宝宝习惯吃奶入睡，关灯之后会哭闹要求喝奶，此时需提醒宝宝，刚刚已经喝过了，喝奶睡觉是以前的事情了，现在奶精灵飞走了。如果哭闹严重可以和宝宝讲道理，分散注意力，温柔地坚持。还可以适当延后入睡，等困意足一些的时候再尝试入睡。

★ **夜间醒来**

夜间醒来哭闹要奶时，仍处于迷糊状态，则尽量不应答，且要避免身体接触，如果站立起来，那就帮助他躺好，提醒一下已经发生的变化，从思想上说服他接受夜里不用吃奶也能重新入睡的事实。

如果哭闹严重，有无法停止或减弱的趋势，可以开灯，抱出房间进行唤醒，等情绪缓和再重新尝试入睡，也就是牺牲暂时的睡眠量，换取对新入睡方式的适应和接受。注意：一旦已经开始执行，即便暂时少睡一些也尽量不要恢复原先的方式（喂奶或者抱哄），避免引起宝宝的疑惑。

如果遇上天热或是比较干燥的情况，可以在床头准备一杯水，如果宝宝醒来喂点水之后再帮他重新躺好。

5. 技巧汇总

（1）尝试时机

在宝宝情绪好的时候尝试，心情不好或者已经出现了对抗睡眠的情绪就不要勉强。首次尝试之前安抚要充分。

（2）宝宝心情好 + 运动足 + 少干预

有时候妈妈只注意到了要减少干预而忽略了前两条，发现不干预宝宝，就没办法睡，造成宝宝和妈妈都很有挫败感，整个过程哭闹也格外多。建议在方法执行期间至少比平时增加1～2小时的非家庭内活动时间，多陪宝宝玩喜欢的游戏，尽量让他保持心情愉悦。

缺乏运动的宝宝，好比鼓鼓的气球，小心翼翼都无法稳住；而充分的运动后，就不容易弹起了。

（3）尝试沟通

让宝宝了解你的意图，试着去解读他传递出的信息，这很关键。

（4）限制身体活动

婴儿在疲倦时容易兴奋，肢体活动也会异常活跃，而身体不受控时就不容易进入睡眠状态。对此，不同月龄有不同的处理方式。

在0～3个月，可以用襁褓限制住身体，减少肢体活动对睡眠的干扰。**4个月后**可以辅助以握手、按手臂、搂住等方式，也可以用在宝宝手心画圈，握住他的手放在你的脸上等充满爱意的小互动来减少抗拒。

孩子会站后，入睡前会更加活跃，可以用分散注意力的方式引导宝宝减小活动范围，尽量不让他感受要立即入睡的压力，避免升级为直接的身体对抗。限制活动会引

妈妈们的经历

宝宝6个月，改变入睡方式过程中，宝宝的哭声经历了不同的声调，似乎可以听出他不同的诉求：不明白这是干什么委屈的哭——不习惯没有乳头，难受到哭——气急败坏的哭——哭得太厉害停不下来的哭——累得受不了又放松不下来的哭。

针对不同的哭声，我会说些不一样的话，用不同的力度轻拍，指导思想是：声音保持镇定和温柔，不要带着“哎呀宝宝你受罪了”之类的不舍得，也不完全是充当白噪音，更多是在一小波哭泣停止时开始说，把哭当成他的表达，和他对话——这个对宝宝影响可能不大，他们不一定能听得懂，但确实能帮助妈妈保持冷静。妈妈的冷静非常关键，稍微抽离些才能听出哭声的变化，不会心烦意乱。

起宝宝哭闹，但这种哭闹的时间在10分钟以内，当能量释放掉后哭声会减弱，身体放松随之进入临睡状态。

（5）分散注意力

玩具（拨浪鼓、摇铃等）、夸张的声音（响指、笑声、拍床声、有节奏的音乐声等）、肢体动作（广播体操、点头抬头等）都能吸引宝宝的注意力，从而在摆脱睡前大哭的状态，实现情绪的平静，这需要妈妈耐心多尝试。

（6）场景再现

如宝宝被突然的改变惊吓到，或者在翻身期受惊，可以尝试在清醒的时候进行演练，讲解陪伴每一步的缘由，增加宝宝的理解从而减少抗拒。

（7）递进式安抚

有时抱着都会打挺、哭闹，不妨在睡眠仪式结束后就让宝宝在床上开始入睡尝试。这样既减少了直接的身体对抗，又能增加之后再抱起时的安抚效果。

持续拍动效果不好时，可以尝试递进式安抚，尽量不干预。在宝宝烦躁情绪明显加强时给予安抚，先尝试低力度安抚，无效之后再增加安抚力度。比如，一开始先用拍和声音安抚，实在效果不好才抱，而不是一上来就抱。

打个不恰当的比方，在菜场买菜对方开价10元，如果你希望8元买到，很可能出价得是7元甚至更低，上来就说8元不行，那么最后的议价空间就只能在8～10元了。

（8）轮换式安抚

当一种安抚方式无效时可以换另一种，每种都试了一遍还是不行，可以从头再试一遍，或许刚刚失效的办法又继续发挥作用了。

（9）善用重置

宝宝会翻会爬的情况，都需要妈妈帮助宝宝身体进行重置，直白点说就是帮宝宝重新躺好，甚至重新开始。在抱起时要将目的告知孩子，如“妈妈帮你重新躺好”“妈妈抱你起来转一下”等，便于宝宝接受和理解。

事情已经一团乱麻时（小孩哭闹完全无法安抚，也停不下来时），不要想在乱麻中试图破解，可以用重置的办法重新开始，快刀斩乱麻。

需注意的是，重置的抱起和抱睡的抱是有区别的，重置过程中可能会涉及抱宝宝，但这种抱是短暂的，抱睡则是长时间的，二者目的和应用均不同。

（10）延长最长连续睡眠时间

陪伴法在夜间的应用主要是为了尽可能保证睡眠的完整性。如果已经稳定一段时间，比如连续睡5小时不醒，排除特殊原因外，应该减少在这个睡眠阶段中的干预，并逐渐延长最长的连续睡眠时间。

示例：宝宝7点入睡，第一顿夜奶通常在12点，可尝试在12点醒来时妈妈先装睡，观察几分钟发现宝宝无自行睡去的迹象，再拍拍，抱起重置，如仍无法安抚再进行哺乳，其他夜奶照常。第二天在12点醒来时仍做同样操作，观察几天后，是否发现醒来的点已经推迟至1～2点。最长连续睡眠时间得以延长。

（11）考虑宝宝的个性

如果是性格倔强、反应激烈的宝宝，可以由原先的抱着走并晃很久，逐渐减少走动、晃动的频率、抱的时间，用几天甚至十几天的时间从摇晃向比较少的运动过渡，再逐渐尝试放床。

6. 常见疑问

（1）陪伴法应用的疑问

问：采用陪伴法，一般多久能见效？

答：每种方法的效果因人而异，一般开始集中调整后应坚持至少一周。如果情况允许，可以视宝宝的接受度，将调整内容分解为更温和的步骤，调整期也就会顺延至1～2个月。比如改变抱睡，不是由抱睡直接变为床睡，而是改抱走为抱坐，抱坐为半搂，最后是床睡，每一步都用几天时间完成和巩固后再进行下一步。

0～6个月的宝宝从难度比较低的睡眠入手（如晚上入睡），顺利和稳定后再攻克其他时段的睡眠（如白天小睡）。6个月以上的宝宝也可以同步进行，家长依据宝宝的个性和原有睡眠状况酌情决定。同步进行，效果可能更好，但过程可能更难一些，有利有弊。

婴儿有**延迟模仿**，也就是对于所看到、接收到的信息，当时可能完全没有任何反应，但不代表他没往心里去，可能要过几次才能理解和接受。

问：大概会哭闹多久？

答：最初的哭闹大约在半小时，有个体差异。不顺利的情况，可能在首次尝试引导时会出现1～1.5小时的哭闹，但一般来说顺利的情况，第二天就会减少到十几分钟，常见的反弹易出现在第3天，第5天。

问：陪伴法是否更适合大床的情况？

答：确实大床更易操作一些，但小床也并非不可以。

（2）处理特殊情况的疑问

问：如果宝宝哭闹，我首先跟他沟通，但是沟通后还是哭闹，需要怎么办？

答：有时候宝宝睡前哭闹是困导致的，安抚不了就不安抚，让宝宝通过哭来释放一下情绪。虽然这时沟通看起来无效，但可能宝宝已经听进去了，只是暂时还接受不了，下次再沟通时，难度会降低。

问：明明很困，但是放床上就兴奋了，不哄不睡怎么办？

答：看着很困但放床就兴奋是比较高发的问题。建议将宝宝放床时间稍微提前一点，等到开始闹觉了，才放床就有点晚了。但太早也容易引起反感，家长的耐心也会受影响，得在实践中不断摸索，把握尺度。

问：在宝宝没有很困的时候就放床开始拍，然后宝宝开始哭闹，坚持继续拍，宝宝安静一下然后又哭闹，如此反复，最后实在哭的太大声就抱起来，一抱起来就秒睡。此时是该抱起来还是坚持?

答：采用递进式安抚，可以抱，但秒睡后就要放下，酌情而定。

问：感觉已经快要睡着了，情绪愉快，可就在最后一刻，又开始大哭起来，一定要爬起来，不肯躺着，无法安抚，怎么办?

答：可能是由于不够困，尝试让宝宝体力上再疲劳一些。如果在这种情况下哭闹，可以增强安抚，以尽快入睡为原则，或者先停一会儿，过一会儿再尝试入睡。

问：哄了快1小时还不睡，怎么办?

答：如果家长认为哄睡时间太长(具体时长根据宝宝原有睡眠基础有所差异)，则需要从身体原因、入睡时机等方面重新排查。白天小睡哄的时间过长会导致又到了吃奶时间，或者困意已过则可以暂时放弃入睡的尝试，等待下一次睡眠信号。

（3）具体月龄相关的疑问

问：3个多月，白天、晚上睡前都要抱、走、摇，经常半小时以上，尝试其他方法，可她一困就很大声哭，需要坚持继续拍还是抱起安抚?

答：可以在还没有开始发脾气之前就放床，另外如果哭闹严重可以尝试抱起，但不要频繁，能坚持还是应先坚持。此外，在“破”抱睡期间，应增加非睡眠时段高质量的陪伴和拥抱。

问：5个多月，全程需要一直按手，否则很容易手乱挥惊醒 ，不按或走开很容易醒，下一步如何培养自主入睡和接觉呢?

答：能够自由翻身之后，尝试侧睡和趴睡，可以减少需要按的情况。另外入睡比较容易之后，减少按的时间，以陪躺装睡为主。在减少按手期间可能会出现入睡时间延长，这是暂时的，不要慌。

问：6个多月，靠吃手入睡，按住手后，没有吮吸，反抗地厉害，怎么办?

答：吃手无须阻止，按胳膊就可以。

问：8个月，不让抓胳膊，强摁会剧烈反抗，频繁翻身及坐起，无法自己接觉只能奶睡，怎么办？

答：放床后先不做任何反应，等宝宝哭闹一会儿，再看看是不是容易放躺下了。哄不住的时候，过一会儿再安抚，有时反而会更有效。

（4）与反复相关的疑问

问：引导已经有效果了，但是突然反复了，怎么办？

答：集中调整期一般为一周，在此期间，需暂时牺牲睡眠量来适应入睡方式的变化，固化新的入睡习惯。如果出现反复，哭闹严重可放弃当次睡眠或倒回上一步而不是直接倒退回原先的方式。比如设定10～20分钟哭闹时限，之后情绪还没有减弱才重新抱哄或喂奶，但下一次睡眠依旧需要坚持同样的时间。

新的入睡方式建立并巩固后，进入**日常睡眠期**，可以在特殊情况时采用多种入睡方式，比如出门睡在推车、安全座椅上，偶尔的抱睡等。如果因为生病等原因产生的倒退，一般2～3天后即要回调，如倒退的时间太长，则容易彻底反弹。

7．方法的利弊分析

（1）方法的优势

★ 家长在陪伴并帮助孩子入睡时可以躺着进行，相比抱哄，体力上更轻松；也避免了长期依赖奶睡可能产生的频繁夜醒。

★ 由家长陪伴宝宝度过改变过程中的哭闹时光，尤其在分离焦虑期，避免对于哭泣、独处可能对情感造成伤害的担忧，也减少了反复抱、放给宝宝和家长带来的双重情绪崩溃。

★ 方法简明，细节丰富，家长有较大的自主调整空间，相对其他方式更易被老人接受。

★ 陪伴法在白天小睡和接觉上相对其他方式有优势，成功率更高。

★ 简言之，陪伴法就是拍睡、陪睡与装睡相结合。

（2）方法的弊端

★ 比较耗费时间，见效相对慢一些，更考验家长的耐心。

★ 可能持续需要陪睡，要注意让宝宝适应不同的人，逐渐减少陪睡。

★ 陪伴法属于从实践案例中总结的方法，还需更多验证和完善。

笔者以前刚接触睡眠知识的时候，觉得自己了解真相了，信心满满。接触内容、案例越来越多反而有些迷茫，明白没有“一刀切”的真理。在研究婴儿睡眠的过程中，笔者无时无刻不感受到共性，也时刻在感受个体差异。笔者想说的是，没有什么方法能够一揽子解决所有问题，没有什么事情是像变魔术那样立竿见影，耐心恒心才是最终的法则。

下面接着介绍一些其他的方法，供读者参考借鉴，更多内容请直接阅读原著。

三 潘特丽温和去除法

伊丽莎白·潘特丽《宝宝不哭之夜间安睡秘诀》一书中介绍了**潘特丽温和去除法，用以减少含着奶头睡觉的情况：**

“第1步：宝宝醒着并且起劲吃奶，吃着吃着慢慢眼睛闭上了，并且吮吸速度慢下来；你慢慢移开乳头；宝宝张着嘴向你移动，找乳头；

第2步：你托住宝宝的下巴，告诉他不吃了要睡觉；宝宝不接受、哭闹；

第3步：你重新将乳头放进他嘴里，默数10～60秒，再次尝试拿走，用按摩，搂在怀里，言语安抚等方式让宝宝平静；

第4步：如果宝宝仍不接受，重复第3步，循环2～5次甚至更多；成功则进入第5步；

第5步：宝宝最终动了一下，慢慢合上他的小嘴。宝宝睡着。用大概10天的时间，让宝宝知道他不含着乳头也能睡着。”

四 嘘拍及抱起放下法

1．方法介绍

特蕾西·霍格《实用程序育儿法》一书中介绍了**抱起放下法（Pick up put down）**的段落摘选：

“当孩子哭的时候（满4个月后），你走进房间，试着用言语安慰他，轻轻把手放在他的背上，在宝宝6个月大之前，你还可以采用嘘-拍法（Shush-pat method）。你一边在婴儿耳边发出嘘，嘘，嘘……的声音，一边轻拍他的背部……如果这样也不能让他安静，你就抱起他，让他的头放在你的肩膀上，用稳定、有节奏的动作拍他的后背中间，就像闹钟嘀嗒、嘀嗒的声音……当感到他的呼吸更沉了，并且身体开始放松时，就轻轻地把他放下，让他的身体侧着躺，以便你依然能够接触到他的背部……睡着之后通常还要继续拍7～10分钟。

至于稍大一点的婴儿，嘘拍可能会干扰睡眠。因此我们只需要把手放在孩子的背上，让孩子感觉到我们的存在。如果他还不停止哭泣，就把他抱起来，等他一停止哭泣就立即把他放下，一秒都不要迟疑。你是在安慰他，而不是设法让他重新入睡——那是要他自己来做的……

哪怕他一离开你的肩头就哭，或者在你把他放到婴儿床的过程中哭，你还是要把他放到床上，如果他哭，要再抱他起来。这种做法隐含的理念是你给他安慰和安全感，你可以哭，但是妈妈就在这里，我知道你觉得重新入睡很困难，但是我在这儿帮助你，如果你把他放下时，他还在哭，就再把他抱起来。

如果你的方法正确——他哭的时候抱起来，哭声一停止立即放下——最终他会消气，哭得没那么厉害。”

笔者在很多案例中发现，有些情况中，严格执行一停哭就放下，有可能会导致过于频繁地抱起放下，反而激怒孩子。但抱太久的情况，又导致放不下睡在手上，等于延续了抱睡。这个拿捏的度，相对难以把握一些，但如果应用得好，也有不少顺利的案例。

我们必须教孩子如何自己入睡，以及半夜醒来如何重新入睡，父母应该主动采取措施，为婴儿养成良好的习惯打好基础。但是遇到困难的父母都没有这样做，而是顺从婴儿，他们没有意识到这样会导致婴儿形成各种各样的坏习惯。

他不是因为恨你才哭，也不是因为你在伤害他，他哭是因为你在试着用不同的方法让他入睡，他觉得受挫。当你试图改变孩子的某种习惯时，孩子会哭，他觉得受挫。

当你努力教婴儿睡觉时，没有折中的办法，你可以做的最糟糕的事情是半途而废。你可能不得不继续一段时间，不断抱起、放下，要做好打持久战的准备……记住，如果你像以前坚持旧方法一样来坚持新方法，情况就会改变。但你必须要有耐心，坚持到最后，它最终会起作用的。

——摘自《实用程序育儿法》

2. 应用问答

这本《实用程序育儿法》是我的睡眠启蒙书，在实践中也根据自己的理解做了变通，这里介绍我在关于“抱起放下法”的咨询中，遇到的最常见的问题。

问：孩子哭了，抱起，但一抱就睡了，怎么办？

答：一抱就睡，表示离入睡所差的安抚量很小了，这种情况，下次可适当降低安抚，也就是不用抱起，改用稍弱的安抚如拍、唱、说话、按住手、扶住肩等，相信稍加时间可以入睡。

问：抱起打挺怎么办？

答：尝试换抱的姿势，有节奏地走几步。如果没有用就要把宝宝放下。放下之后一般还会哭，但其实也没有太多能做的了，言语继续安慰，陪着孩子，让孩子哭一哭发泄一下情绪，一般哭一阵子会平静一些。

问：放下之后不哭不闹开始玩怎么办？抱着就开始笑怎么办？

答：得检查哄睡时机是否恰当。如果确实已经醒了很久，需要再抱起继续哄，一般走几步能迷糊起来，或者抱起放下几次。换句话说，时机合适的话，不哭不闹的状态无法持久，实在清醒了，可以暂时放弃这次小睡。

问：反复放下了几次，结果越哭越厉害怎么办？

答：说明前几次的安抚没有奏效，孩子被反抗却遭到拒绝这个事情激怒了。这时候其实很考验意志，反复地抱起，向他解释，这么做的目的并非有意激怒他等，以后的应用中要避免频繁抱放。

问：夜里突然比原来还差了，2小时一哭怎么办？

答：可能是方式上突然转换，引起了孩子的迷惑和情感波动，也可能是受到了惊吓。在这个过程中尽量将意图完整清晰地传达给孩子，安抚好孩子，一般会比较快恢复。

五 怀中哭泣法

西尔斯在《宝宝安睡魔法书》中介绍的方式和怀中哭泣（Cry in arm）颇为接近。

内容节选：“18个月大的时候，孩子夜间出现的问题就好对付，如果他还是醒得太多以至于你不能应付过来，尝试在他睡觉的时候“装死”，让父亲来应付几个晚上（可以喂水，抱着走），也许孩子会继续哭，没关系，他并不是没人照顾，他会学会晚上不吃奶。”

这个和中国传统上断奶的方式最为接近。也就是靠不给奶改变吃奶入睡的习惯，还是可以抱着睡，唯独不再给奶，但需注意抱哄也可能成为一种依赖，使得夜醒问题继续。

你不能强迫孩子睡觉，但是你可以创造条件让他愿意睡觉……在较长一段时间里，孩子晚上醒来1～2次吃奶是没有任何问题的，夜间哺乳不会持续到永远。在孩子的一生中，他在你怀里度过的时间、吃奶的时间，睡在你床上的时间相对来说都是很短的。但是，他会永远记得父母对他的照顾。

——摘自《宝宝安睡魔法书》

妈妈们的经历

宝宝20个月，第一晚刚开始哭了没理他。第二天外婆问他为什么哭，他说“喊妈妈，没听见，害怕，哭了”。当时我就躲到洗漱间泪奔了，然后跟他保证以后妈妈一定会听见，后来他哭我会轻轻在他耳边说妈妈在这儿，睡觉了。哭得厉害没法靠近时，我就在旁边看着他，时不时摸摸他的手。当天外婆再问他：“昨晚妈妈听见了吗？”，他笑着爬过来搂住我的脖子说“妈妈听见！”那一刻我好开心。我觉得让宝宝哭是有伤害的，但是这种伤害是可以弥补的。从我家的表现看，他就是在发泄，他对不给奶了非常不满意，这对他来说真是件大事，很伤心的大事，让他发泄完了就好了，对我来说陪着哭是更认同的选择。

六　韦氏渐进法

出自金·韦斯特的《韦氏婴幼儿睡眠圣经》，**韦氏渐进法（The sleep lady shuffle）**内容选摘（满5个月）："一开始，你应该在孩子身边，在两周左右的时间后，逐渐远离，直至能够回到自己的房间。

对宝宝的安抚：让宝宝昏昏欲睡地躺在婴儿床里，家长坐椅子上，如果宝宝哭，可以轻摇或者轻拍他，但不要太频繁，尽量不要抱起（抱也只在婴儿床的上方），直到宝宝睡着。

第1～3夜：家长坐在婴儿床边的椅子上；**第4～6夜**：椅子移到大门与婴儿床之间；**第7～9夜**：椅子移到门边；**第10～12夜**：椅子移到门外。"

这个方式相对步骤多一些，让宝宝逐渐适应而非一步到位。这个思路可以用于分房睡的过程。

孩子们很容易就会变得程序化，每三天做出一些变化——或者至少三天。对于你的孩子来说，拖延会令计划更难进行，而不是更简单。如果你在某处停留超过3天，孩子就会期待你在那里待上更长的时间，当你试图加长这个距离时，他就会变得烦躁或者恼怒。

——摘自《韦氏婴幼儿睡眠圣经》

七　法伯法

法伯法（Ferber method）出自理查德·法伯的《法伯睡眠宝典》，方法内容节选：

“适当推迟就寝时间(30～60分钟)，早晨和平时一样时间起床，不增加白天小睡的时间。就寝时，将孩子安顿在他自己的床上，不能抱着他或者摇着他，确保他入睡时的睡眠环境与半夜醒来时一致。如果孩子在就寝时会半夜醒来后哭闹不休，家长可以试试表里提供的等待时间，有意识地逐渐增加等待时间。在每次等待之后，家长都应该走进房间看看孩子，停留的时间不应该超过两分钟。表里不仅适用于夜间睡眠，还适用于白天小睡。如果孩子经过半小时还睡不着，或睡了一会儿醒来哭闹，家长应终止这个小睡。”

第几日	第一次放任时间（分钟）	第二次放任时间（分钟）	第三次放任时间（分钟）	三次以后每次放任时间（分钟）
1	3	5	10	10
2	5	10	12	12
3	10	12	15	15
4	12	15	17	17
5	15	17	20	20
6	17	20	25	25
7	20	25	30	30

让孩子在半夜醒来时感觉自己仍旧处于入睡时的环境里，周围的一切都处于可控状况。家长帮助孩子重建睡眠环境的第一步，就是要充分认识到这是一个辛苦的过程，要抱着体谅的心态，耐心地坚持下去，直到孩子适应新的环境为止。改变旧的睡眠环境肯定是会违背孩子的意愿的，孩子一开始肯定会产生抵制情绪，会大哭大闹，家长要学会对孩子说不，想办法舒缓这种抵制，绝对不能放弃。只要坚持，少则几天，多则几周，孩子的睡眠就会有改善。

——摘自《法伯睡眠宝典》

法伯法的争议比较大，也因为操作相对简单明了，知名度很高。有人用了几天见效，相见恨晚，也有人在应用中，宝宝哭闹太长，效果甚微。

婴儿没有时间概念，并不能准确感知逐渐延长的时间，从这个角度看，该方法中的参考时间表，并无太多实质依据。此外有些情况，如家长进屋时，宝宝反而会哭得更厉害，完全起不到安抚作用。

实际案例中，笔者发现这个方式一旦反弹会很激烈，对于白天小睡的改善效果不如晚间的好，白天小睡应用中可能有哭满30分钟却仍无法入睡的情况，加上需要留宝宝一个人在屋内，有些案例中，甚至引起长期短觉及情绪问题。

笔者遇到过很多法伯法的应用案例，节选了两个颇具代表性的“成功”和“失败”案例，希望这些真实的感受能启发你的思考从而更灵活地运用此方法。

1. 效果不错的摸索实例

由小小高妈分享：

以前的情况：宝宝5个月大，混合喂养，无奶睡习惯，全靠抱哄，但越大越难哄。从横着抱满屋走动、唱歌哄，发展到后来必须竖着抱哄，各种晃；再后来，抱在手里也哭。白天小睡：30～40分钟，接觉极难；晚上哄睡着后一般夜醒2次，夜间睡眠时间在8～9小时。

改变的契机：随着产假结束，家里只剩腰不太好的外婆照看小孩，担心她无法承受持续抱哄。

一天早上，我哄了将近40分钟，浑身是汗，胳膊疼腰痛。而宝宝从刚开始哄睡时的沉默不语逐渐演变为哼唧、尖叫、大哭。我想反正抱着也是哭，还不如让他学习自我入眠，于是将他放到小床上，裹好铺盖，然后我走出房门。

我严格按照法伯法要求，等待足够的相应时间，再进屋安慰，不超过2分钟，也不抱起，用聊天的口吻跟他说：宝贝你要学会自己睡觉。

小土注：转变有一些突兀，如果能够提前准备，可能过程会更顺利。宝宝一个人在屋内时，应使用睡袋，而非铺盖，避免缠绕、窒息的风险。

第1天，早觉，持续哭了40分钟后，终于睡着，并且一口气睡了1小时20分钟！头一次自己睡那么长。接下来的中午觉，只花了13分钟便入睡，但是睡了45分钟后便又哭醒，哭了不到3分钟就又睡过去了，又睡了45分钟后哭醒。

晚上这一觉，入睡用了5分钟不到，8点入睡，凌晨2:50醒来吃奶，然后再睡到早上6:45醒来。

小土注：从进展情况看，这个案例算哭泣量较小的。白天哭泣入睡，并未影响晚间，可能与原先夜间情况基础不错、并无奶睡联想有关。

第2天，早觉和午觉断续哭泣入睡的时间越发短暂，分别是7分钟和5分钟，并且各睡了1.5小时；晚上那一觉更是欣喜，居然没哭，只是哼哼唧唧了5分钟就睡了。同样一次夜醒喂奶，夜间总共睡了11小时再醒来！

小土注：第二天也进展顺利，同样属于众多案例中比较顺利的情况，也体现出抱哄的转变比奶睡的转变容易。

第3天，是法伯法引导期间倒退最厉害的一天，首先是早觉断续哭的时间延长，哭了半小时才入睡。但是这一觉只睡了短短30分钟便哭醒。用法伯法接觉，哭醒后我没进去抱起，而是等待、观察，但是30分钟都没有成功再次入睡。中午觉更折腾，入睡时只是断续哭了5分钟，又是只睡了30分钟就哭醒。之后哭了15分钟再次入睡，也只是睡了35分钟就又醒了；两个觉加起来1小时。

小土注：出现倒退，甚至比开始进行改善时还令人备感折磨，但这是比较常见的现象，不必慌乱，可能第二天即恢复。

第4天、第5天：出现睡前几乎不哭，只是吱咕几声就睡过去的现象，唯一的不同在于早觉只睡了40分钟就睡不下去，醒来不闹但也没有再想睡下去的信号。即便会自己入睡了，宝宝的小睡时间并不能固定，也是波动性变化的。可能某几天上午总是只睡45分钟左右，但是这时通常午觉就会睡2小时以上；也可能某几天上午、午觉都是平均1.5小时。

后记：

这个过程后，宝宝自我睡眠能力提高了，表现在不易受外界环境打扰，睡眠过程中如有意外声响也顶多是睁一下眼继续睡。睡眠时长显著延长，平时睡45分钟会醒的时候，都是自己晃晃、翻翻就又睡过去了。每次睡够醒过来都是笑眯眯的，醒过来后不声不响自己玩儿，家长去看时永远给你的第一眼就是笑容满面！在引导过程中，他睡着前哭那么多次，每次睡醒后依然是笑脸，没有因此心理受损、精神不佳。

小土注：总体这个案例要解决的问题不复杂，过程也比较顺利，和宝宝月龄不大、脾气不差、夜间睡眠基础好以及原先的喂养方式不混乱等因素有关，也是“减少干预，改变入睡方式”的结果。

2. 效果不理想的摸索实例

由萌祺骏妈妈分享：

之前的情况：白天醒着的祺儿活力充沛，喜笑颜开。外婆带着玩儿？没问题！爸爸抱？没问题！走在花园里马路上，看见谁和谁笑，大姑娘老爷爷的全要停下来和她玩儿上一会儿。但睡觉不能没有妈妈，1～2小时一醒，希望她能学会自己睡觉，不含乳头、不抱、不晃，困了趴下就睡。

9个月，抱着一线希望尝试了法伯法。

第一天晚上，祺儿哭了1.5小时睡着；第二天下午，哭了1.5小时；第二天晚上，哭了近1.5小时，第三天上午，哭了1小时，下午哭了2.5小时。祺儿在屋里哭，外婆在门外哭，爸爸妈妈还鼓励她，这是为了宝贝好，哭是因为她不愿意改变，养成新习惯就好了。

可是，一向被称为“开心果”的祺儿变成了忧郁的小孩。下午带她出去玩儿，一点儿笑容都不见了。除了妈妈，她对谁都不感兴趣了。外婆碰一碰她，小家伙会以为是要把她抱走急得大哭。路人停下来逗她，她看也不看人家。晚饭的时候不停地吃，小肚子涨的滚圆还伸手要。她惊慌的眼神一下子触动了我，这是因为怕睡觉而不肯吃完晚饭呢。果然，抱着她一靠近楼梯就抽泣起来，最爱的洗澡也成了一种酷刑，她像受了惊吓的小动物不知该逃向何处，一边哭一边抓着澡盆，一边偷偷用哀伤的眼神探向我。眼看我抱她走向小床，整个身子蜷缩着，不踢了不打了，只是紧紧蜷着。没有了反抗，我反而不敢也不舍再将她放下。

小土注：这个案例中，白天哭泣时间过长。应用于小睡时，超过半小时仍无法入睡，应尝试中止当次小睡。应从晚间睡眠着手改善，稳定后，再尝试白天。

第三个晚上，在大床入睡后才移到小床，清晨醒来又给了乳头安抚。本以为这样就会回到从前，可今天一天祺儿依然忧郁，依然怕上楼，怕小床，怕生人，怕妈妈离开。我才明白，她不是不认生不是没有分离焦虑，而是因为有足够的安全感来应对才不觉得它们可怕。

是我们大人的无知导致她的睡眠受到人为干扰，促成她对乳房的依恋，我想理应自己承担这后果。我不希望她生活在恐惧中，被无助感淹没。于是，法伯法就这样终止了。

小土注：尤其较为敏感的宝宝，引起明显情绪问题时，可考虑中止执行，选用更为渐进的方法改变。

八 哭声免疫法

哭声免疫法（Cry it out）是最知名也是争议最多的方式，在马克·维斯布朗《婴幼儿睡眠圣经》一书中介绍了比较多的相关案例。此外《从零岁开始》《百岁医生教

我的育儿宝典》《超级育儿通》等书中，也都涉及到一些这类方式。

其步骤颇为简洁：完成睡眠仪式后，放床，家长离开房间，直至哭睡着为止。更简要地说就是：放下走人。

当父母进行睡眠训练的时候，婴儿在晚上的哭闹肯定会暂时性加剧，当你的宝宝哭声变得刺耳的时候，我的意见是一次耗尽与逐步耗尽相比，哭闹的总量会少一些，因为前者可以更快起效。

——摘自《婴幼儿睡眠圣经》

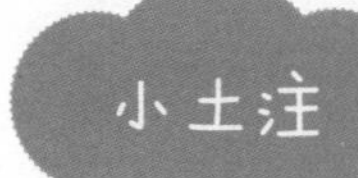

虽然有人反馈有效，但我不推荐采用这种方式。目前完全可靠的研究，系统地阐述其长期或短期的影响也较少。改变婴儿的入睡习惯，除了让他们觉得别无选择，被动接受外，还有很多其他方式可以选择。

此外，应避免留下孩子一个人在房间，有研究认为父母在屋内、在屋外非但区别很大，甚至有质的差别，尤其对于有分离焦虑的孩子。大人离开房间是出于希望孩子独睡来考虑，但结合国情来说，普遍不是分房睡的，而且家里人手多，入睡过程陪伴的人力条件也具备。所以不需要照搬离开房间的要求，即使是分房也可以考虑更温和的渐进法。

妈妈们的经历

留言1：根据我爸妈的描述我当年应该属于被哭训练出来的娃。妈妈要上夜班，倔强的我拒绝吃一切配方奶，一直哭到妈妈送奶为止。某天晚上妈妈有事没有送，我哭了一晚上之后第二天就能睡整觉了。

留言2：宝宝一直睡得不好，到6个月左右用了哭声免疫法。建立规律作息，锻炼他独自入睡以及减少夜间哺乳的频率一共用了一个月左右。宝宝晚间夜醒的情况有了改善，而且也可以自己睡着，有时候要哭几分钟，有时候不用哭都可以睡。但是白天的小睡完全不行，他每次都是哭够书中要求的1小时，我们才不得不终止这次小睡。

最后使我决定停止的原因是：他原本很开朗的性格明显变得郁郁寡欢，不笑，不跟人交流，任我们怎么逗他都不爱搭理。我也确实觉得这样每天从早哭到晚（白天的几次小睡，基本上都是在哭泣中度过的，或者干脆就是刚一吃到奶几分钟就迅速睡着）对宝宝的性格没有好处，所以最终我放弃了。

九　各种方式的评价与研究

睡眠既是行为问题，也掺杂了心理因素，要多“换位思考”，想想孩子行为背后的心理因素，“先处理情绪，再解决问题”。

没有一种方式能解决所有问题，每种方法都不完美，但都可能出现在生活之中。共同之处在于改变原有的行为习惯，不同之处在于实现的方式和能达到的效果。

婴儿缺乏睡眠，易导致注意力不集中、脾气暴躁，从而影响身体发育。而睡眠被剥夺，也造成家长的情绪失控，给夫妻、亲子关系带来危机。**所以睡眠问题马虎不得，当问题严重时，必须积极寻求解决之道。**

也许有人会反驳：“我的宝宝小时候睡眠也很不好，大了自然就好了！”的确，这个可能性完全存在，而且比例不在少数。但同样的，有很多无法自然好转的例子，我每天都会收到不少睡眠求助，言语之间透出的焦急、苦痛、无助令人不忍，这也促使我走上睡眠研究的道路。

改变入睡方式，都会涉及不同程度的哭泣，家长常会忧虑是否会对孩子心灵有影响？我想可以类比，出生就和家长隔离，住在保温箱十几天的早产儿，得传染病需要隔离治疗的宝宝，这些过程中，哭泣的时间和强度更大，但伤害一定持久且不可逆

吗？亲子互动的感情在日日夜夜中累积，短期单一事件的影响力始终是有限的。

放任早期的睡眠问题，延续到幼儿时期，会使得解决的难度、不彻底性大大提高。手术是痛苦的，但痛苦根源并不在手术，而归根于疾病。夸大手术的危害，反而会延误病情，造成更大的损失。是否进行手术，是需要权衡利弊后综合考虑的。

从另一个角度看，这个过程并不舒适，本身会伴随痛苦。如何使这个过程对心理，生理的影响减到最低，就是我们父母肩负的责任。

很多时候靠调整身体状况、作息、温和陪伴就能够改善，绝不要轻易跟风采用哭声免疫法。

第三节 利用睡眠引导突破难点

抱睡、奶睡、入睡难、小睡短、夜醒频繁是睡眠困扰中占比最高的几个问题，本节针对这些问题，谈谈解决对策。

一 抱睡

妈妈们的经历

案例1：我家宝宝只能一直抱着，刚想放下，膝盖刚弯就哭开了，只好一直抱着，我的腰已经受不了。

案例2：75天的宝宝，白天不抱只睡半小时，抱着就能睡久一点。主要一放屁就会醒，如一直抱着，除放屁时候哭几声，哄了就可以继续睡。

“**抱睡**”非常普遍，几乎家家都有这样的经历，尤其老人更是喜欢。抱睡可以细分为两种情况：

抱着入睡：抱着婴儿，走动摇晃至睡着。

始终抱睡：抱着入睡并在睡的过程中始终抱着。

1. 抱睡为什么这么普遍

宝宝身体机能不成熟、家长安抚技巧欠缺时，抱睡让睡眠变得容易一些，不失为一个减少哭闹，增加睡眠量的简单办法。从宝宝的偏好来讲，客观上抱睡确实更有吸引力。

睡着后：

★ 抱着入睡后再移动到床上这个步骤，减少了醒的概率，而且入睡和醒来的环境是一致的，不容易引起警觉以致惊醒。

睡眠中：

★ 怀抱感、温度、包裹感发挥着类似襁褓的作用；
★ 常有轻微晃动，和睡在车、秋千、摇篮中一样，靠振动助眠；
★ 和养育者靠得更近，有一定心理慰藉的成分；
★ 上半身比仰卧位置高，抱着的时候比仰卧舒适感更强，尤其对于有胃食管反流造成灼热疼痛的宝宝，抱睡舒适度更高。

睡眠周期结束时：

持续抱着在睡眠周期结束时，如果醒来，一般会接着拍拍，走动一下，这个尝试类似于接觉，让睡眠周期得以转入下一个，延长了睡眠时间。

从原理上用背巾背着睡、汽车安全座椅里睡、推车里推着睡和抱睡类似。特别要提到的是，对于早产儿，肌肤的接触、拥抱对身体发育和睡眠都有益处。

持续抱睡，在满3个月后比较容易破除，这和婴儿摆脱襁褓的时间点接近，也和入睡即是浅眠转成入睡深眠的时间点吻合。但也有很多孩子抱睡的习惯持续更久，甚至到一岁，这更大程度上是睡眠习惯导致的。

2. 抱睡有哪些弊端

★ 最直接的：长时间抱着，会使养育者的腰肌。手腕受损，一些人甚至由此患上椎间盘突出、腱鞘炎。对于独自带孩子的妈妈，抱睡占用的时间太多，也减少了可能的家务、休息时间。

★ 《婴幼儿睡眠圣经》一书的观点认为：“睡眠中的振动或者移动会导致大脑处于一种浅睡眠状态并削弱睡眠的恢复力。”

★ 抱睡着后放下，还容易引起睡眠环境不一致，睡不长可能与此有关。

★ 睡眠内力发展受外力存在制约，抱睡某种程度上，剥夺了婴儿学习入睡的机会，亲密育儿并不是要一抱到底绝不放下。养成了这样的习惯，将使宝宝对睡眠条件的要求变得苛刻。

《伯克毕生发展心理学》一书中提到的案例：“婴儿的睡眠状况也具有文化差异。在非洲国家基卜西吉斯文化中，婴儿和母亲一起睡觉并得到母亲的照顾，白天他们被绑在母亲的背上，陪着母亲做家务和从事各项社会工作。结果他们的婴儿形成通夜睡觉习惯的时间比美国婴儿要晚很多。8个月大的时候，仍很少能连续睡上3小时，而同比美国婴儿平均有8小时。”

3. 持续抱睡如何改善

（1）预先取之必先予之

破抱睡时，尽量白天互动多抱一抱，满足宝宝对拥抱的需求，反而可能减低睡眠中对抱的需求。

（2）注意放下宝宝的技巧

可先将臀部着床，再将头部放床，不立即将手抽出，稳定1～2分钟再撤手。撤手的时候，要提前跟宝宝打招呼，并结合拍、侧身、按手等辅助。手臂处，垫个毛巾，连着毛巾一起放下，避免产生温度变化，引起宝宝警醒，待睡稳一点儿，再将毛巾撤离。

有位网友曾分享过一个国外的帖子，其中介绍了不容易弄醒宝宝的姿势。前后手臂的位置，由放下时不易取出的缠绕式转变为平行式。

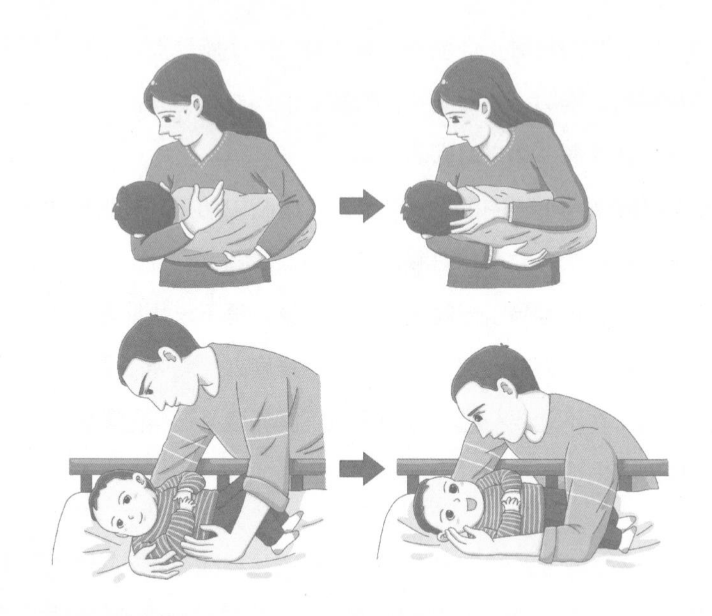

（3）注意放下后的安抚

陪睡的情况，妈妈和宝宝面对面，两人均大腿和上身成90度，孩子脚落在妈妈大腿上，蜷曲会让宝宝觉得舒服，头可以暂时枕在妈妈手臂上，面对面时，也可以遮挡一些视觉刺激。

尝试原地安抚，拍动、唱歌、耳语之类，一切能使宝宝平静的方法。等待几分钟，如果安抚不了，再抱起来，拍背，抱着走动。

很多人正是被一次“放不下”的经历吓到，从此再不敢尝试，其实宝宝也在成长，一次放不下，可以过几分钟再试。第一次难，不代表次次都难。

（4）等深睡眠再放

三个月内的宝宝，实在放不下的，还可以试着20分钟后，进入深睡眠了再尝试。

超过三个月的宝宝，睡眠模式正逐步转变，入睡直接进入深睡眠，抱睡相对容易改变，不那么容易“放下就醒”。家长要意识到身体的变化，给宝宝机会尝试入眠，不是总持续抱睡。

（5）尝试还没睡着就放

完成睡眠的主体是宝宝自己，需要激发他的本能，多给机会练习，不要依赖于抱睡。从增强睡眠能力着手，适应在迷糊状态下自己入睡，才能“习惯成自然”，降低入睡难度、增加睡眠量。

4. 常见疑问

家长问

可以放下睡，但睡不长，怎么办？

小土答

尽量放床睡，开始会不习惯，睡得短，但一般逐渐会稳定。参见本章节后面讲的“难题专解之小睡短”，如果很快又醒，可尝试接觉。4个月以上的宝宝，多尝试醒着直接在床上入睡，有利于睡长。

妈妈们的经历

宝宝101天了，之前是抱哄10分钟，睡着坐下20分钟深睡眠后放床上，重新抱哄接觉会成功。但持续快2个月睡眠没有好转，20分钟最多半小时就醒。我觉得，是抱哄的时间太长，反而造成了睡眠依赖。今天尝试抱哄到迷糊时，放床轻拍安抚，竟然都入睡成功了！相当于是醒着放床，她自己会哼唧、蹬腿，我就按住拍拍，一会儿就睡着了。

家长问

所有能做的都试过，但就是改不了，怎么办？

小土答

尤其对于0～3个月的宝宝，抱睡有时很难避免。宝宝如果缺觉，应优先保证睡眠时长。如条件不成熟，比较困难的时候，就不要勉强，成长需要时间。什么措施都不起作用时，不妨耐心等待，相信抱睡不会一直延续下去，妈妈心情要放松。

家长问

有的说宝宝需要你抱，是因为缺乏安全感；有的又说不要抱睡，会养成坏习惯，究竟何去何从？

小土答

抱能发挥作用的原因很多，并非只有提供安全感，多抱宝宝对身心发育有益，但凡事须有度，超出承受能力就不合适了。3个月之内，实在放不下，也无须勉强，抱睡总比不睡好，但长期来讲，早期就尝试自主入睡对宝宝更有帮助。

家长问

抱睡要完全避免吗？入睡一点儿也不能晃吗？

小土答

条件不成熟时，试图完全避免抱睡，可能会令家长和孩子都有受挫感。在头三个月，摇晃能够帮助婴儿更好地获得舒适状态，只要不依赖和过度使用是可以帮助降低入睡难度的。

妈妈们的经历

宝宝满100天前，有过抱着踱步30分钟，甚至1小时才睡熟。满100天后慢慢减少抱睡时间，看宝宝睡熟了十几分钟、十分钟、几分钟（依次递减）就放床上，因为一直减少，九个月后宝宝已经发展到不喜欢被抱着睡熟，一定要在床上，不然就会抗议。我认为："当你做越少的事情，你给予宝宝自我学习的空间就越大。"

二 奶睡

妈妈们的经历

2岁多的宝宝，一直有吃奶睡觉的习惯，夜间会醒5次左右。之前一直希望宝宝能自己长大，自己睡整夜。但是目前没有看见改善的迹象，太苦恼了，简直令我疲惫不堪！

奶睡指靠吃奶使婴儿睡着。入睡过程中吃奶和睡眠中始终需要含着乳头，这都是奶睡。奶瓶或亲喂都有奶睡的现象，但以亲喂中奶睡更常见，也称作喂“迷糊奶”。

喝奶为什么能睡着?

婴儿吃手吃奶嘴巴都能有滋有味，喝奶能填饱肚子，也提供给婴儿喜欢的吮吸、怀抱，满足了和母亲亲近的天性，舒适感充分。吃奶很花力气再恰逢疲劳，很容易就会睡着。母乳里促进睡眠的成分在夜间达到高峰，这也是吃完易睡的原因之一。

1. 奶睡的起因是什么

家家有本难念的经，一些情况中，妈妈们依赖奶睡，是有一些不得已的苦衷。

（1）为了追奶或是担心孩子饿

妈妈们的经历

亲戚都一致认为我奶少，宝宝没吃饱。我压力特别大，夜里一醒，就担心宝宝是不是饿了，赶紧喂他，逐渐形成了奶睡的入眠模式。

（2）没有帮手，哄睡太累，只能默默喂奶

妈妈们的经历

宝宝1岁了，夜醒次数一点都没减少反倒增加，可能是以前徒省事，一哭就给奶造成的，现在又累又怕。

（3）听不得哭，怕哭声吵醒家人

妈妈们的经历

婆婆惯孙子，听不得他哭，抱起边走边唱歌睡，我也惯孩子，又怕哭声吵醒家人，所以夜里只要他一哭，就吃奶堵嘴，以至于现在宝宝睡觉必须奶睡。

此外，误读“按需喂养”吃睡不分、迷信“亲密育儿”、轻易将宝宝贴上“高需求”标签，也造成了睡眠习惯的根深蒂固，这是很多母乳亲喂妈妈夜醒频繁持续数年，少数持续至2～3岁的原因之一。

不管是母乳还是睡眠，最终都希望妈妈和宝宝都能有更好的状态，在这个问题上不单要有一腔热情，更要有睡眠知识，才不至于南辕北辙。

之前的需求现在变成了习惯，最终会变成一件让父母讨厌的事情。这种情况表示夜间育儿已经失去了平衡，必须强制性的让宝宝慢慢夜间断奶。

——摘自西尔斯《亲密育儿百科》

2. 奶睡和睡眠问题有关吗

我曾在网上看见一位妈妈提问“宝宝1岁多了，每夜还要醒四五次，不喝奶就哭闹不止，怎么办？”有人回复：“这是完全正常的，妈妈为了孩子辛苦点是应该的！”

这样的回答完全没有意识到，奶睡可能引起的睡眠问题，指责、道德绑架让母亲只能陷入于苦熬的困境之中，着实可惜。

在一条微博调查中，谈及“你宝宝的睡眠为何变糟糕”，近400条评论里，提及“奶睡”的高达60%以上。我做的网络调查，16个月以后的睡眠回顾，问及“之前睡眠问题主要是什么引起的？”家长票选中，排名最高的也是“依赖奶睡、抱睡”。

很多人会认为，吃两口就睡，不用哄觉很省力。头三个月里确实影响不大，问题也不明显，但更大一些时，延续依赖奶睡，产生问题的可能增加。

依赖喂奶哄睡，混淆了吃和睡的界限，有了牢固的吃奶入睡联想，就可能变成：给奶就睡，无奶不睡的过度依赖。入睡困难、夜醒频繁、厌奶等系列问题，都可能与此相关。

（1）依赖奶睡影响进食

有人说夜奶夜醒不影响小孩发育，就我个人经验来说，宝宝最近睡得好，肉肉明显多啦！

夜间频繁进食会导致白天食欲欠佳。习惯困的时候吃奶，也会影响清醒时进食的意愿，造成厌奶。

（2）依赖奶睡的关联现象：越醒越多、越睡越短

妈妈们的经历

宝宝6个月了，有次躺着喂奶后，他睡着了。我以为找到了好方法，不用抱睡了，于是一发不可收拾，总是奶睡。从那之后，宝宝睡眠越来越不好，发展到现在，一点自主入睡的能力也没有了，总是45分钟的觉就醒，必须抱睡或者奶睡，宝宝睡不好，大人跟着更是疲惫不堪。

吃不了几口就睡着，易导致婴儿只吃到前奶，而无法吃到脂肪含量高，比较扛饿的后奶，这样易短时间内又饿醒。此外，前奶的乳糖含量高，摄入过多，容易产生胀气，影响安睡。更关键的是这改变了婴儿对入睡方式的预期，习惯性夜醒也与此关联。

这样的例子不胜枚举，所以“**夜奶不要紧，想吃就敞开吃**”的说法，是严重的误导。控制奶睡的使用频率，不是最省力，却能避免最坏的情况。

3. 为了睡好，母乳改配方奶，可行吗

生活中，人们可能会发现，母乳喂养比配方奶喂养有更高比例出现夜醒频繁、睡得短等问题。

一个广泛流传的解释是：配方奶比母乳更难消化，能扛饿，其实这个说法并不能解释全部原因，反而想当然地掩盖了问题。

睡眠和吃有关联，但又相对独立，最终决定睡眠的是大脑，而不是胃。古人说“食不宁则寝不安”“若想小儿安，三分寒来七分饱”是有一定道理的，过饱不一定就能睡好，反而可能消化不良，睡不安稳。睡前喂米糊之类的想法，也是一样的想当然。

配方奶喂养的婴儿睡得更好，这个现象背后真正的原因是：

★ **易于分清饿和困的需求：**配方奶喂养，哺喂量明确，所以如果短时间内再醒，养育者不会再度喂食，减少了对睡眠的干扰。母乳亲喂的量不明确，妈妈们难免会信心不足，当孩子睡前因困哭闹，恰恰喂奶就能止哭，于是把两件事关联起来，判断为“我奶不够，孩子没吃饱”，更加陷入发力追奶、睡前必奶的恶性循环中。

★ **吃睡易分开，尝试入睡机会多：**配方奶喂养，躺喂的比例低，吃奶时间短，不易吃着就睡着。即便吃着睡着，家长也会取出奶瓶。而母乳亲喂，宝宝已经睡着后的吮吸行为，常被误判为仍在吃，所以吮吸时间过长，吃完小清醒，再尝试入睡的难度加大。

★ **喂养周期长：**配方奶确实更扛饿，进食量更直观，易于规律作息。

了解到上面的这些原因，就不难理解，并不是配方奶本身发挥了作用，而是与喂养方式、入睡习惯有直接关联。从改善睡眠的角度，母乳喂养只要多加注意，一样可以睡得很好。母乳妈妈们也不用发出“辛苦喂母乳，却不如配方奶的孩子睡得好”这样的感慨了。

我还想鼓励一下母乳妈妈：美国儿科学会（AAP）、世界卫生组织（WHO）都支持前六个月的纯母乳喂养，也就是，除了母乳，不用添加任何其他食物，也包括配方奶。“母乳最好”不是空洞的大话，而是有数据、实例、权威支持的科学论断。配方奶的贸然引入，还会影响母乳的产量。

4. 其他常见疑问

家长问 奶睡要绝对避免吗?

小土答 奶睡是自然的，也是母乳妈妈和宝宝独有的亲密链接的方式，没有必要刻意避免，尤其在夜间，完全避免很难。只是要避免滥用，控制奶睡的次数，尽量在尚未完全进入睡眠状态时，结束哺喂，逐渐延长吃奶和睡着的间隔，给宝宝机会学习自己入睡。

家长问 吃奶时睡着，要叫醒吗?

小土答 如果宝宝恰巧睡着了，也不用强硬叫醒（尤其夜间），但吃奶时保持清醒，有利于增加进食量，基本吃完时需终止喂奶。此外，增强入睡能力的方式“小叫醒”，是要求睡着后叫醒的。

家长问 宝宝大概隔多长时间吃奶?怎么算吃饱了?

小土答 过于频繁的喂养，一般并非每次都因为宝宝饿了(猛长期等除外)。吃奶量有个体差异，仅做参考：

白天的喂养频率大致是，新生儿，不限时至2小时；1～3个月，2～3小时；3个月以上，3～4小时；添加辅食后更长。

在夜间，饿的间隔一般不小于白天。4个月以上的宝宝，连续睡眠6小时不饿是常见的；7个月以上有一些能达到10小时。当然要结合具体情况，饿了没有及时得到能量补充，会对宝宝的身心有负面影响。

满月后至3个月期间，宝宝每月体重的增长符合自身生长曲线，则说明喂养是充足的。妈妈还可以从尿不湿的重量、挤出的母乳瓶喂宝宝的量来辅助判断。

家长问

不喂奶会不会让宝宝没有安全感?

小土答

这个问题妈妈们最有发言权，引用两位比较典型的留言。

妈妈们的经历

留言1 宝宝不到4个月，母乳亲喂，每晚1次夜奶。以前也是奶睡，发觉宝宝会多醒1～2次，现在睡前喂饱后安抚。宝宝哼唧10分钟左右，自己睡着。我觉得不能以安全感为名，放纵孩子，母亲的安抚也是安全感的来源之一。

留言2 我之前迷信安全感，夜奶无数，觉得自己要吸干了，我累宝宝也累。睡眠引导之后，我们全家都觉得好轻松。以前宝宝睡不好，都是哭醒，现在他白天一醒来都笑嘻嘻的，趴在床头喊妈妈，不像之前总是哭。

家长问

有人说大了要断夜奶，有人说那是宝宝的需要，就这么一两年，到底我该听谁的?

小土答

需求是可以被引导或者误导的，是否断夜奶需要看母子双方的状态和意愿。不能一刀切，说到了哪天就一定要断。但如果宝宝需要，也并非一味满足。

5. 奶睡的类型及建议

奶睡按使用的时间段，大致分4类：A 白天入睡、B 白天接觉、C 晚间入睡、D 夜间醒来；

A、B类：不建议过多使用，0～3个月入睡困难时可以酌情选用，到4个月后应逐渐减少、避免；

C类：可以保留，但应有意识不要总吃到完全睡着，逐渐留出吃完迷糊后，翻滚入睡的时间；

D类：0～3个月习惯性频醒未出现时，多观察，排除一些可以不用喂自行睡去或短时间抱哄、轻拍就能安抚的情况。如果宝宝饿要及时喂，别让宝宝哭醒。宝宝4个月后，集中减少频醒的调整期，遇到难以安抚的1～2顿可及时响应，其余的夜醒尽量不要喂奶，靠别的方式完成再次入睡。虽然开始会耗费较长时间，但随着时间推移会逐渐变短。

如何判断到底哪顿夜奶可以去除呢？将第一个长觉后的那顿夜奶去除，也可以结合之前的经验，尝试每顿都不奶睡，将再入睡容易的那一顿去除。

6. 改善奶睡如何入手

预期决定潜意识：靠吃奶安抚的夜醒，就像定了闹钟，到点就醒。索性有一天醒来的时候，明白的被告知，这个时间不定闹钟可以不用醒来，这样宝宝就不再因“要吃奶”的预期醒来，从而将习惯破除。有些宝宝断了夜奶，就不再夜醒，是同样的原理。因为人的潜意识里对何时醒来是有感觉的。

靠别的方式替代或者直接尝试自主入睡，帮宝宝意识到：“不需要靠吃奶，也能睡着。”这个过程中哭闹在所难免，父母要做的是情绪上认同，但仍然要传递出“睡觉不靠吃奶”这个信息，最终帮宝宝接受新的入睡方式。

如宝宝已经依赖奶睡，那么可以尝试从下面几点改善。

★ **减少奶睡联想：** 不要总是睡前吃、吃到睡，已经吃着睡着了要及时取出乳头；

★ **减少夜间过度干预：** 只是哼唧时，先装睡或观察几分钟，确认是要吃奶才喂，而不是不假思索喂奶；

★ **多种安抚方式并存：** 用拍拍、抱、推车等方式适当替换奶睡；

★ **尝试自主入睡：** 从成长的角度，由婴儿期逐渐过渡到成人成熟的睡眠，正是奶睡、抱睡向自主入睡的转变，本章前半部分正是针对这个问题的；

★ **信心很重要：** 宝宝依赖奶睡，主要是缺乏其他方式也能睡觉的信心；而家长依赖奶睡，主要是不熟悉其他安抚方式，对宝宝是否能接受其他安抚也缺乏信心。

经常看到这样的留言“**以前都能奶睡，现在喂完还没睡着，烦恼**”或者“**抱着哄着睡着了，一放下又醒**”。换个角度看，这恰恰是孩子学习和适应自己入睡的宝贵机会！不要剥夺宝宝学习的机会也不要烦恼，当成契机，心态上会截然不同。

很多实例中，宝宝的睡眠状况在改变抱睡、奶睡，实现自主入睡后，有了很显著的改善。增加练习，树立信心，看问题的角度变了，也许就真的有所改观。

★ **小窍门之“狼来了”：** 吃到迷糊时，就跟宝宝轻声说：“宝宝饱了，奶要拿走了。”如果宝宝抗议，可以暂停行动，等几秒，再次说，慢慢帮助宝宝放松下来。如果宝宝大哭，以示不同意，可再次暂停行动继续喂奶，过一会儿，再度试图拿走，如此反复。假以时日，逐渐留出奶后醒着的时间，类似潘特丽温和去除法。

★ **小窍门之“小叫醒”：** 妈妈抱着宝宝或者喝奶睡着后，轻微叫醒宝宝，只几秒的时间，让宝宝确认周围环境，再重新入睡。

妈妈们的经历

案例1：宝宝睡眠量偏少，我一直当成是个体差异没有在意。他5个月，我上班后因为累，养成了频繁夜奶的习惯，结果是他每晚10点多才睡，全天睡眠不超过12小时。

从宝宝10个月开始预备断夜奶，强化睡前程序和规律作息。我坚持在断夜奶的时候陪伴安抚，循序渐进逐顿断夜奶，改变奶睡。

宝宝在11个半月时，正式告别了夜奶开始睡整觉。每晚，偶尔从小床上坐起，只要帮他躺下就会继续入睡，没有哭闹。

宝宝13个半月，正式断奶的时候完全没有哭闹，非常顺利。

现在宝宝17个月，每天睡眠总量超过13小时；固定在晚上8~9点入睡，即使妈妈不在家也没问题。

案例2：我家宝宝1岁半，晚上睡觉一直是奶睡，每晚醒五六次都是少的。宝宝15个月左右，我试着跟她说："宝宝长大了，以后妈妈拍着睡吧？"她真的听懂了。睡前先喂饱，拿出乳头试着拍睡，她很不习惯，翻来覆去，哼哼唧唧，时不时地脑袋往怀里钻想吃奶。我一直轻声安抚说："宝宝长大了不吃奶睡了，妈妈拍拍。"宝宝很纠结，也在试着不吃奶，半小时总算睡着了，半夜醒了好多次，每次都要吃奶，我一直轻拍安抚，不喂。宝宝不像小时候那样撕心裂肺地哭了，每次哭不到一分钟就又睡着了。

第二天早上，她一睁眼就给了我个大大的笑容，从那以后，晚上睡前先吃奶，感觉差不多了，我说："宝宝咱们关灯睡觉吧。"宝宝接着就吐出乳头，一点儿犹豫留恋都没有，关灯，翻身，睡觉，以前还要拍拍。现在什么也不用做，静静等5分钟就完全睡着了，我下床都不再会吵醒她，也不会像以前那样总打哈欠了，睡眠质量提高了好多！

三 入睡难

“哈欠连天，但哄半天就是不睡!抱得手要抽筋了！”“困了哄成半闭着眼睛静静放下，但突然抽一下就醒，还有时什么征兆都没有，眼睛就突然睁开了或者左扭右扭醒了。”

入睡困难的解决，可以从以下几方面入手：排查睡眠问题原因、了解何时需要安排入睡、掌握安抚技巧、规律作息、尝试改变入睡方式。

对于放下后不踏实，很难睡稳的情况，一方面由于0～3个月的宝宝入睡后是浅睡眠，另一方面也考验家长放下的技巧。

家长问

宝宝五个半月了，白天睡觉一直很困难，如果不抱不哄就无法入睡，放下睡的时间短，一般不超过1小时，很多时候都是半小时就醒，但是抱着能睡2小时。可是晚上宝宝吃吃手，晃晃脑袋自己就能睡。这说明她能自己睡啊，白天怎么这么累人呢?

小土答

不同时段的睡眠，入睡难度不一样，晚上入睡最简单，其次是午夜、上午觉、午觉、凌晨、傍晚觉，且白天小睡比夜晚睡眠成熟得晚。因年龄所限，如果一下子让宝宝全部自己入睡不适应，可由易到难练习，逐渐增强入睡能力，驾驭更难的睡眠。

四 小睡短

“好不容易哄睡，睡半小时就醒了！醒来就哭！哭醒就不睡了！然后叽叽歪歪不高兴的样子！”

想增加小睡长度，需了解这些相关内容：睡眠周期的演变、避免过度疲劳、抱睡、保持睡眠环境一致、接觉、入睡能力、规律作息等。

小睡短的成因：一种是在睡眠周期转换的过程中受到外力干预，造成一直就短的习惯；另一种是因为小睡要到4～6个月后，才会逐渐更成熟。还有其他各方面的原因。

小睡短的破解：如果入睡时安抚过多，等到接觉时会无招可用。所以，降低接觉难度，得从入睡入手。入睡时，所需的安抚少，接觉也会跟着容易一点。已经自主入睡，却还是不能睡长的情况，可先尝试接觉，如果仍然不行，不妨再安心等。

小睡短很糟吗？以前看过另一本书谈及："少于45分钟的小睡不能称之为小睡，半小时的小睡无济于事。"我一直对这话印象深刻。但我自己也有打瞌睡几分钟后缓解困意的经历，宝宝也有偶尔睡得短，却笑嘻嘻醒来的时候，加上接触到较多案例后，我的观点发生了转变：短小睡没有那么可怕，能睡长自然是好，但偶尔不能睡长也要放松一些。

何时能熬出头？6个月前，小睡能睡长比顺利入睡难度高很多，6个月（尤其1岁）后，年龄增长，睡眠周期延长，一旦顺利入睡，能睡得比较长。

五 夜醒频繁

"我家宝宝前半夜2小时一醒，下半夜1小时一醒！"

夜醒是最为复杂的睡眠问题之一，涉及几个相关概念：习惯性夜醒、奶睡、梦中喂食、唤醒去睡，本书前几章节有关睡眠的其他内容也都需要了解。

1. 夜醒的类型

夜醒的次数：下面这张图，是针对每个月龄段宝宝不同家长的投票，汇总而来的（总投票数3613）。入睡至起床称为夜间。5分钟以内，无帮助睡着的未计入。虽然投票结果并不是很精确，但不难看出养育是艰辛的，在宝宝出生的很长一段时间内，2次左右的夜醒都是颇为常见的。但令人欣慰的是，从趋势上看，夜醒是逐渐减少的。

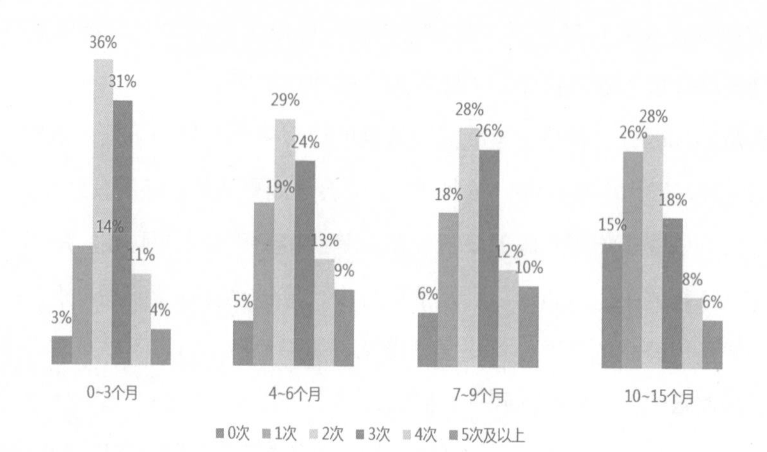

夜醒的易醒点：以7:00入睡为例，夜间易醒点是凌晨3:00或者5:00；夜醒稍多的宝宝的易醒点在7:45、11:00、3:00、5:00。醒得更为频繁的大致是，11:00、1:00、2:30，4:00、5:00、6:00，甚至还要加上个9:00以及入睡后的45分钟。

按照夜醒后的表现，主要有以下几种：

一吃完放下不用哄就睡了；醒来一抱就睡，几分钟就能放下；光是哭，奶、抱无用，要折腾20分钟以上；要吃或抱很久才能睡（15分钟以上）；直接醒来玩儿（半小时以上）；

投票中，以“吃完放下不用哄就睡”最多，虽然每次都要折腾很久或是醒来玩使人焦躁，但比例上并不多。

在妈妈们的留言中，发现夜醒按次数分，主要有三种：

A前半夜醒得多，表现为1小时甚至45分钟醒来，后半夜相对安稳；

B后半夜醒得多，表现为前半夜有4小时以上长觉，后半夜1～2小时一醒；

C整夜都醒得多，表现为不分前半夜后半夜，又称超频夜醒。

在不同月龄家长的投票中（总票数1192），B类都是最多的，A类、B类、C类的比例大致是2∶6∶1.5。这个统计主要是分析夜醒，所以将夜醒较多的情况单独列出，柱状图是该类型在投票中的占比，没有非常精确，但也表明后半夜的频醒更为常见。

值得注意的是，整夜的频醒在宝宝0～3个月的比例并不高，但到4～6个月、7～9个月反而高了。我认为这体现出，随着年龄增长，不良睡眠习惯对夜间睡眠的影响增大了。

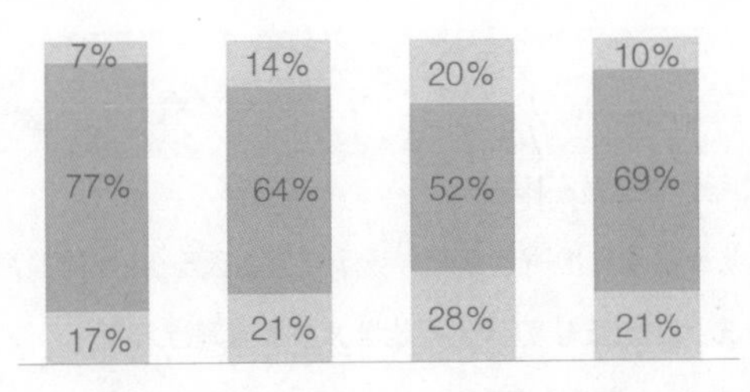

2. 夜醒的成因

A类，更可能和胀气、过饱引起的消化不良、热、白天受惊吓、睡前情绪波动、下午（或傍晚）觉过长过晚、过度疲劳等因素相关。

B类，则更可能与奶睡的睡眠联想、习惯性夜醒、肠道异常活跃有关。

夜醒，尤其后半夜，常常时间精准，约为一个夜间睡眠周期的长度。

长期的夜醒频繁，往往先是由生理原因引起，不良的睡眠习惯没有及时调整，演变为长期的习惯。

3. 对夜醒的合理预期

长期夜醒频繁主要靠纠正，但一直睡得不错的孩子，突然夜醒显著增加，通常都是有特殊原因的。

宝宝的睡眠没有大人成熟，会醒是正常的，只有醒的次数太多才提示异常。家长对于宝宝能有整夜觉不要抱太大的希望，但也不要太悲观。

4. 夜醒的改善

睡眠问题严重与否，和家长的感受息息相关。比如宝宝7点睡着，可能父母却因为家务、工作拖拖拉拉到12点才睡，后半夜宝宝夜醒次数多时，正是父母最困的时候，只想着怎么把哭闹应付过去，而没有精力理智观察、处理。

关于宝宝夜醒的改善比较复杂，可能涉及整个睡眠引导的步骤，前文已有较多的论述。这里汇总一下，日常夜醒改善的几个小技巧。

时间段	小技巧	应对要诀
白天	按摩、抚触	帮宝宝放松身心，有益于睡眠
	增加运动量	足够的运动量是高质量睡眠的基础，给予宝宝每天至少2小时的户外活动
	适量睡眠	白天既不要睡太少过度疲劳，也不能睡太多引起晚上不困
	高质量的陪伴	白天上班的妈妈，尤其注意到家多陪陪宝宝，睡前有至少1小时的互动和专心陪伴，让宝宝和妈妈亲近的需求得到满足，有助安睡
入睡前	密集哺喂	临睡夜间长觉前，宝宝也会像有预感，吃得比白天频繁，这是正常的。睡前2小时内，可能有几次密集哺喂，让宝宝吃饱再睡，不易饿醒
入睡后	陪睡	有些情况下，妈妈会发现，睡小床时宝宝易醒，但如果有人陪睡或者是在大床就睡得很踏实，这种情况是存在的，陪睡可能改善睡眠状况
	同步睡眠	宝宝睡了，家长也尽量要跟着一起睡，这样才有体力和耐心来处理夜醒问题，而不是一醒赶紧喂奶。夫妻两人，可以分工协作，爸爸守前半夜，让妈妈好好睡几小时，妈妈照顾下半夜
夜间醒来	躺喂改抱喂	在一些反馈中发现，抱起来好好喝奶，而不是两个人一起躺着，迷糊随便吃两下就睡，能够减少夜醒的次数，算是先苦后甜
	瓶喂	很多家庭，宝宝夜里一哭，全家人一起催着妈妈喂奶，很少有说：“可能不是饿，哄哄看行不行。”如果是挤出来瓶喂，亲眼看宝宝吃了一瓶下去，短时间内醒来，就不会首选继续喂奶。 用瓶喂可以让爸爸也参与，减轻妈妈的一些负担
	避免过度干扰	有时候宝宝只是在浅睡眠，或者正在尝试继续睡，会发出一些动静，如果不去拍他，哼哼唧唧十几分钟也就睡过去了。但有时，因为家长第二天要上班等各种原因，会忍受不了宝宝的哼哼唧唧，第一时间抱哄、喂奶、拍动，反而干扰了宝宝。 仅仅听到哼唧应尽量装睡
	延长最长连续睡眠时间	尽可能保证睡眠的完整性，如果已经稳定一段时间连续睡5小时不醒，排除特殊原因外，应该有信心宝宝不饿，减少在这个睡眠阶段中的干预，并逐渐延长这个最长的连续睡眠时间
	减少夜奶次数	如果确认宝宝在白天获得了足够的营养，可减少夜奶次数，能改善频繁夜醒。母乳喂养，用1～2周逐渐减少单次哺乳的时间。配方奶喂养，则减少每次夜奶的量
	入睡后半小时醒	及时安抚，不要让宝宝彻底醒来
	大哭不止可叫醒	如果是突然爆发的大哭，还可能需要及时响应，排查原因。半梦半醒之间的大哭不止，尝试开灯或者叫醒宝宝，停止哭后尝试重新入睡，不要让宝宝彻底清醒太长时间
	半夜起来玩	调整作息，增加活动量，尽量装睡别陪玩
	破除定点醒	尝试唤醒去睡，梦中喂食

妈妈们的经历

案例1：打好“三戒”组合拳，睡眠质量得改善！一戒迟睡，提早进入睡眠状态；二戒奶睡，保持自然入睡状态；三戒躺喂，提高宝宝喝奶质量。经过三日努力，宝宝睡眠时间由晚上9:30提前到7:30；睡眠时长由2小时延长到4～5小时；夜醒次数由5次缩减为2次。

案例2：以前偷懒怕麻烦，迷迷糊糊就喂，一夜不知道多少次，必须含着睡不然就闹。到15个月断夜奶，当时哭闹了好多天，但是之后能睡整夜。大人、小孩都舒服多了。

案例3：8个月宝宝，延迟一会儿再哺喂，缩短喂奶时间以及帮她保持清醒。如果宝宝不小心睡着了，吃完奶轻轻唤醒一下再睡。几天下来，完全打破了零点必醒的魔咒，夜醒时间推迟到了凌晨4点左右。

案例4：8个月宝宝，从7个月开始频醒，状况不好的时候1小时1次，好的时候2小时1次。原本躺喂，现在坚持夜间抱喂，频醒减少了2～3次。

案例5：我宝宝3～6个月时，凌晨3点之后1小时1醒。最近宝宝将近7个月，随着自己大了和天气转凉，慢慢变成只醒2～3次了。我是奶睡，做的引导是规律作息、晚上不哭不叫就不干预。

给母乳妈妈的小提醒

要保证母乳的供应量，减少饥饿影响睡眠的情况。猛长期等特殊时期，要多留心观察，增加日间喂养量。断夜奶时要循序渐进，避免因供应量骤然减少，产生乳腺管堵塞、乳腺炎等问题。

六 断奶那些事

自然离乳是很多母亲的理想，但也许因为工作、身体状况，常有无法继续哺乳，只能将断奶提前提上日程的情况，这个过程很令人煎熬。

1. 什么是断奶

断奶，并非宝宝不喝奶了，更准确地说是断“母乳亲喂”。

其一，接受除亲喂以外的喂养方式（奶瓶、吸管杯、杯子等），接受配方奶，即母亲不需要自己再产奶了。

其二，断吃奶和睡眠的联想，不靠奶睡也能顺利入睡以及接觉（断奶睡），这在“奶睡”一节中也有介绍。

如果断奶是由于母亲不能产奶，仅仅是需要改换喂养方式，夜里到了要喝奶的时候，用瓶喂就可以了。过程中所涉及：引入奶瓶的时机及技巧、引入配方奶的注意点。

2.“断奶了就睡得好了”的说法靠谱吗

拨开现象看本质，断奶的主体是摆脱奶睡自主入睡的过程，实现了自主入睡后睡眠相应有所改善。但睡得不好，并非只有奶睡一个原因。我遇到过不少宝宝断奶后照样起夜很多的情况，夜醒没解决，母乳也再追不回，颇为可惜。

要想睡得好，重点是睡眠习惯和能力的培养，改变入睡方式而非匆忙断奶，也不用熬着等断奶、等离乳。

从范围上讲，打破吃奶和睡眠的联想（断奶睡）<断夜奶<断奶。传统的断奶时间表上，是“**断奶→睡得好**”这样的转变，其实更合理的顺序是“**断奶睡→睡得好→断奶**”。没有了“为了睡得好”这个压力，很多妈妈，尤其职场妈妈，可以喂得更久。

3. 断奶具体过程

（1）前期的心理、生理准备

时机选择：

不要在宝宝生病期间或生活发生重大变化期间断奶。考虑到婴儿的营养需求，一般至少到1岁之后才逐渐减少，而非集中式的突然减断。

心理准备：

对宝宝来说，断奶可谓出生后最大的一个坎，产生情绪也很正常。虽然他们理解能力有限，但提前沟通还是可以减少因变化带来的冲击。

对家长来说，是要全家取得一致，对过程的难度有所预期。选择爸爸也有空的时间，妈妈可以多个帮手。

生理准备：

对于宝宝来说，要已经能比较好地接受配方奶。

对妈妈来说，是逐渐地减少产量，避免突然减产引起乳腺炎等问题，太胀的时候可以适当挤出来一些减少胀痛，逐渐拉长挤奶的间隔。

（2）过程中的注意点

从减少喂奶的时间、频率，过渡到不喂，可尝试从以下几个方面来应对过程中的难点——哭闹，无法睡。

★ 尝试从源头上减少哭闹

白天高质量的陪伴，让宝宝安心，不吃奶并不意味着妈妈的远离，更不意味着失去妈妈的爱。

用“奶精灵”“乳房受伤”“孔明灯”“长大的小兔子不吃夜奶”等各种讲得通的故事，来帮助宝宝更好地理解和接受断奶这件事。以“不吃奶也能睡觉，睡得香”之类的碎碎念帮宝宝确立信心。民间还有抹辣椒油、风油精、紫药水等土法来断奶，靠“**断念想**”发挥作用，方式上有争议。

除妈妈之外，还有其他宝宝可信赖的人的帮助，将降低断奶难度。

“工欲善其事，必先利其器”，这些都是慢功夫，需要一段时间的提前准备，没有捷径。

★ 靠安抚来缓解影响

宝宝对奶的依恋，主要还是依赖奶睡引起，源自于困又睡不着的痛苦感觉。就好像长期失眠的大人却努力不再依赖安眠药，这需要很大的勇气和毅力。断奶前就应逐渐增加自主入睡的学习，入睡能力强的孩子，断奶的痛苦也小一些。

小土安抚技中有比较多的安抚技巧：按摩、催眠曲、抱哄、转移注意等，都可以应用于断奶期间。

★ 其他技巧

根据宝宝的情况，采用瓶喂、抱哄、轻拍等其他方式帮助入睡。9个月后的宝宝可减少帮助，直接过渡到自己翻翻入睡。

加大活动量，把握睡眠时机，降低入睡的难度。超过1岁的宝宝，可以尝试断奶期间晚点入睡，靠身体的疲劳，降低入睡难度。

参考本章前半部分介绍的方法，转变入睡方式。

4. 断奶常见的疑问

是不是先用抱睡代替奶睡，然后再用抱起放下代替抱睡会比直接断奶睡容易点?

因人而异，渐进式更容易被宝宝接受，但往往越复杂变数越多，要结合宝宝的情况来抉择，两种办法在理论上都可行。

晚上爸爸陪是否比妈妈好? 因为妈妈一抱宝宝就要喝奶。但宝宝晚上醒了抗拒爸爸，还是要找妈妈抱，看不见妈妈会大哭不止，是不是会对宝宝造成伤害?

小土答

妈妈一抱就要喝奶，可以采用贴创可贴之类来“断念想”，这样妈妈抱着的时，吃奶的联想就会减弱。有妈妈在，孩子一般会选择妈妈而拒绝爸爸，这很常见。实在反应很大，妈妈可以适当在睡眠时段回避。爸爸的参与其实是一个不错的办法，要让爸爸平时就多陪宝宝，熟悉了就会减少被拒绝的情况。有爸爸在，至少保证孩子有人照料、陪伴。

家长问

我是想喂到两岁的，可现在真的坚持不住了，大人孩子都睡不好身体变差了，脾气也变坏了！也想先断夜奶，可是家人说先断夜奶折腾哭几天，以后全断奶又得折腾哭几天，不如直接一次断掉少遭罪，该怎么办？

小土答

只断夜奶确实会难一些，也可能出现一些反复。如果能先断掉夜奶，之后全断奶是比较容易的，不会是两道罪。况且母乳从营养、心理等方面都有优势，能喂久一点对孩子更好。折中的办法还可以尝试将母乳挤出来瓶喂，这样保住了母乳，也降低了难度。

家长问

夜奶是一顿一顿断好，还是一步到位把所有夜奶都断了？

小土答

一般以“9个月至1岁”为分界，这之前，生理上仍然需要夜奶的年纪，一顿一顿断好。1岁以上的宝宝是生理上不需要夜奶的年纪，一步到位比较好，避免引起混淆。

家长问

断奶期间需要回避吗？

小土答

个人的观点，非睡眠时段不用回避，妈妈陪伴很重要。但睡眠时段，要视具体情况而定。打一个不太恰当的比方，类似于把烟放在眼前谈戒烟，谈何容易？回避一时，可能反而容易一些。但有些孩子对妈妈的依恋强，妈妈不在时，念想没减弱反而更加伤心，影响入睡。妈妈必须陪睡时可采用讲相关故事并配以创可贴等道具的方法。

5. 妈妈们的亲身经历分享

妈妈们的经历

留言1：我家宝贝1岁1个月了，断奶时我选择给乳头贴上创可贴。第一天晚上8点睡觉时，我关掉家里所有灯，和宝贝一起躺下。她不一会儿就蹭上来了，我就告诉她奶破了，不能吃了。她哼唧了一声，咂么着嘴巴睡着了。此后3天一直如此，断奶成功。

留言2：宝贝1岁了，断夜奶的时候是挨着我睡的。半夜她醒来要吃我就不给，然后抱起她慢慢和她说。先理解她，然后告诉她是大宝宝了，妈妈爱她，一直抱着到她睡着。前面两天哭得最厉害，后面就慢慢好了。

留言3：我家宝宝断夜奶花了1周时间，搂着抱着，在他耳边讲话，三天就基本接受，只是小反复了一下，就结束了这个过程。等到断奶，更痛快！我们在外度假，玩得太高兴，结果忘记了吃奶，喂了22个月到这儿就顺其自然断掉了。现在他偶尔提起之前吃妈妈奶的事，表情自然温馨。

本章小结：随着宝宝大脑的发育，睡眠也会越来越成熟，只要大方向把握住，一切都会往更好的方向发展，所谓**不拔苗助长也不越俎代庖**。

第五章

最初三个月的睡眠

小小的他们非常柔弱，细细的胳膊和腿，红红的皮肤，让人禁不住小心翼翼，含在口中也怕化了。那闭着眼睛吃奶的小样子，用歌词说就是“怎么爱你都不嫌多”。不过，惹人怜爱的小家伙，哭起来又充满力量，让人血压升高、头皮发麻，一家子瞬间就兵荒马乱……

第一节 最初三个月概况

对婴儿来说，出生前后，面对的是两种截然不同的生活方式。从温暖恒温的羊水来到空气中，仿佛从火星来到地球，不通言语又视力有限，肢体无法自控……所以早期尤其需要父母悉心呵护：常常拥抱、抚摸、和他们说话、及时响应哭泣，让他们觉得新家也很温暖，从而更好地适应新生活。

视觉角度，新生儿眼中的世界，还不是彩色的，只能聚焦20～30厘米内的物体，也就是抱在怀里，刚好看见亲人的脸。这也许并非巧合而是造物主饱含深意的安排。他们喜欢对比强烈的黑白图，喜欢看人的表情。亲人的笑脸，就是他们眼中最美的图画。

听觉角度，新生儿喜欢类似母亲子宫内的声音“白噪音”，在过于安静的环境，反而不适应。妈妈的歌、发出的“嗯嗯噢噢”声响，都可以帮助抚慰他们。

嗅觉角度，婴儿嗅觉敏感，能闻出妈妈身上独特的奶香，仅仅换个人抱，他都能敏锐地察觉到其间的差别，他们能感受到的比成人想象的多。

情绪上有“翻脸比翻书还快”的特点，前一秒还是天使，瞬间可能就翻脸大发雷霆，反之亦然。在出生后很长一段时间内，这种易变都会存在。充分的心理准备，也许能减少你的抓狂时刻。

大运动的发展，遵循“**从头到脚**”“**从躯干到四肢**”的规律，所以头部的控制，是第一步。在6周左右，很多宝宝都会短暂的抬头；待到满3个月，能把头竖起来，并保持一段时间，还会对焦、追视、击打。

虽然婴儿还很小，但互动已经可以开始：进行换尿布、吃奶、抱起之类动作前，记得和他们打声招呼，让宝宝有所准备，比如“妈妈在”“妈妈给你换尿布啦”“妈妈要去客厅拿个东西，你自己玩一会儿”“宝宝要准备睡觉啦”等。

在和婴儿互动时要注意：言语内容简洁，抑扬顿挫，语速慢一些，并配合一些大幅度的肢体语言（手臂、头部动作），这样能够吸引他们的注意。

在快满3个月时，丑丑的新生儿变得愈发活泼漂亮，对外界的兴趣也愈加浓厚，和家人互动更多。自带的一些无意识条件反射（如吮吸、抓握）正逐渐消失，取而代之的是有意识、受控的行为。

这个阶段经历的**大脑发育跳跃期**，“第一跳”在满月后，“第二跳”临近满两个月，“第三跳”出现在满3个月时。猛长期大致在2周、3周、6周、3个月时。

第二节　最初三个月的睡眠模式

胎儿90%以上的时间在睡觉，婴儿出生后的一周也延续着这样的生活。吃奶就是宝宝清醒时的主要活动，这很费体力，吃完差不多又该睡了，可谓“不是在吃奶，就是在准备吃奶或者为吃奶善后”，标准的“吃了睡、睡了吃”的状态。

新生儿的父母，可能会低估宝宝所需要的小睡量。

0～3个月的婴儿，每日推荐的睡眠时间是14～17小时，出生的头几天数值还更高。一天不以昼夜严格区分，而是被划分成6～7个觉。平均醒睡间隔在1小时左右，短的甚至只有30～45分钟。

1. “婴儿般的睡眠”——期望越高失望越大

几乎人人都听说过所谓“**婴儿般的睡眠**”，当真的经历时，才会恍然大悟——童话里都是骗人的。真相是，婴儿比成人花在活动性睡眠的比例更大，至少有一半时间可以观察到动静，看起来觉更轻。

刚出生到2～3个月，入睡后遵循：REM睡眠→浅睡→深睡的顺序，3个月后逐渐转变为：浅睡→深睡→REM睡眠。

处在浅睡眠中的宝宝，不时手挥动一阵，眼皮睁开一下，小嘴咂吧咂吧地好像在吃奶，甚至发出哼哼唧唧的声响，看起来像要醒似的。

转入深睡后，宝宝很安静地躺着，呼吸更均匀，几乎没有任何动作，打雷都不醒。你甚至忍不住伸出手去一探鼻息。“**婴儿般的睡眠**”仅仅只在这个阶段。

2. 最初三个月的睡眠建议

早期就可以引入**睡眠仪式**，小睡一般提前15分钟进行睡眠仪式，晚间入睡时提前的时间需更长一些。

★ 要把握睡、醒的节奏，避免过度刺激和疲劳，晚间早点入睡。

★ 周期结束、睡很短时间哭醒，常意味着没有睡够，试着安抚宝宝继续睡。

★ 白天室内不要太暗，不要连续睡超过2～3小时，帮助宝宝建立起昼夜的分别。

★ 迷糊但还醒着时放床睡觉，在宝宝状态好时，多勇敢尝试。但不必强求地试图完全避免抱睡、奶睡。

★ 多样化入睡方式，抱睡、奶睡之外，推车、摇篮、秋千、背巾都可以在睡眠困难时作为尝试辅助工具，以能让宝宝顺利入睡且睡够、妈妈不过于疲劳为目标。

当你抱着他睡觉时，用心抱着他，并且细细品味每一个笑容，每一次躁动以及每一声浅浅的叹息。相信我，当我说“你会怀念这一切”的时候，你真的会的。在你的记忆中，即使是筋疲力尽的深夜也会披上一层迷人的色彩。

——摘自《宝宝不哭之夜间安睡秘诀》

第三节　不可不知的高发困扰

下图是“本阶段所面临的睡眠困扰”的票选结果（参与人数515位），投票结果并不是很精确，但大致可反映出一些共性问题。下面将占比较高的6个问题逐一解析。

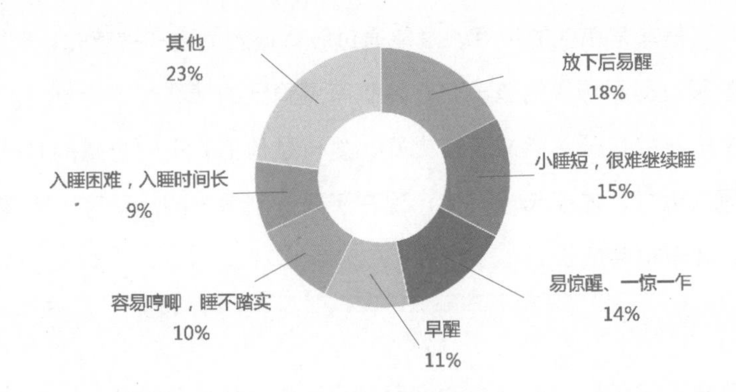

一　放下后易醒

表现为：抱着睡着后，一放下就醒；即便放下没醒，几分钟后仍容易醒

这个现象很多人都会遇到，笔者曾看到过一个形象的比喻：“哄睡以后放到婴儿床上那一刻太刺激了，跟拆弹似的！”

下表中分析了原因也阐述了对策，在第四章的抱睡中有细说。新生儿阶段抱睡很难完全避免，无须过多纠结，多学习和实践第二章的“小土安抚技”。

原因	对策
放下时尚处于浅睡，如动作幅度大，易被惊扰醒来。	尝试睡沉一点再放。
放下时，头部位置低产生坠落感，引起惊跳反射。	缓缓放下，先将屁股放床，稳定后再放头部。
怀抱和床上温度不一致引起惊醒。	抱孩子时可在宝宝颈部垫一块毛巾，放下时连毛巾一起放下。
由胃食管反流引起，放躺时胃中含有胃酸的流质上返至咽喉、口中，形成刺激，导致醒来。	吃饱不要立即睡，吃完拍嗝，竖抱一会儿；把上半身垫高或睡在有斜角的推车里。
怀抱入睡，醒来感觉到换了地方，睡眠环境不一致，引起惊醒。	尝试躺着入睡，而不是睡着之后再转移到床上。

家长问 常人听说“小时候不能多抱，抱会抱上瘾，会把孩子宠坏”，是真的吗?

小土答 这是非常错误的观点，爱能通过肢体接触体现和被感知，有研究显示，早期哭泣得到响应的孩子，在将来有更稳定的情绪、哭得更少。早期受到更多爱抚的孩子，能成长得更好，爱也是他们心里安全感的基础。小树经过风吹雨打，才能长成大树，现在还只是刚冒出的小新芽，更需要爱和呵护，才有机会成长。

当然，这里不是鼓励大人24小时抱着，而是强调和孩子充分、恰当的互动，让孩子感受关爱。

几乎所有研究人类发展的学者都认为，在早期阶段，宝宝不会被宠坏，而你应当努力去缓解他的不适。

——摘自《从出生到3岁》

> 最初的几个月时，婴儿只有一些有限的情绪调节能力，在过于紧张时，他们会离开不愉快的刺激，咧嘴和吮吸，但他们仍然难以忍受，需要大人的安慰，帮助缓解紧张情绪。如果养育者不善于调节婴儿的压力体验，经常处于应激状态的脑结构就不能正常发育，导致儿童容易焦虑、冲动，调节情绪的能力减弱。
>
> ——摘自《伯克毕生发展心理学》

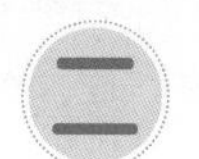

小睡30～45分钟就醒

表现为：好不容易睡了，但睡着30～45分钟后就醒，比上闹钟还准。

在第四章“小睡短”一节中讲到过，婴儿睡眠周期长度是30～45分钟，周期转换是整个睡眠链上最易醒的点。新生儿小睡短是常见的现象，在一定范围内也是正常现象，如果醒来精神状态不错，就无须太多纠结。

睡的时间很短，醒来就哭，通常意味着没有睡够。有时家长不知道宝宝需要继续睡，立即就开始逗着玩，过度干预就会习惯性睡的短。周期结束后醒来，可尝试接觉，鼓励宝宝继续睡。在本阶段，可以使用摇篮、秋千、推车等辅助设备，降低再次入睡的难度。

有声音容易惊醒

表现为：一有动静就手足乱舞，会莫名地一惊一乍。

这个现象也颇为普遍，主要的原因有：

★ 小婴儿神经发育尚不成熟导致；

★ 与生俱来的惊跳反射；

★ 肌张力高，缺乏维生素 D 导致血钙水平低等身体状况引起。

生理发育原因不必多说，会随着成长明显好转，耐心会等来惊喜。而肌张力高，缺乏维生素D等问题，则需要进一步寻求医生的帮助。

这里重点谈第二条，**惊跳反射**（Startle Reflex）——突然下坠、听到巨大声响，都会激发这类反射。表现为手张开，仿佛要努力抓住什么，突然抽动、打挺，哭喊。这个反射，一般在出生后的3～6个月消失。

婴儿被声音惊到，常常会伴随较长时间的哭闹，民间也称“**宝宝被吓到了**”，迷信一些的人，还会进行“叫魂”来缓解。

对策：首先是，要注意减少突兀的声音。比如，睡觉时关窗，以免窗外汽车喇叭声吓到宝宝；播放一些背景噪声，使环境音不那么明显等。此外，通过襁褓、搂压等方法也能够帮助婴儿稳定身体，减少惊吓。

四 早醒，早上睡不踏实

表现为：凌晨四五点后，会扭动很久、哼唧，睡不踏实，还可能在此时排便。

这个现象比较普遍，但目前针对这个细节的儿科研究不多。根据留言的分析和整理，可能的原因包括：

★ 凌晨5点左右，天已经逐渐亮了，环境和半夜有明显的差异，使婴儿受到干扰；
★ 此时的气温全天最低，可能对身体造成一些刺激；
★ 经过前半夜的沉睡，肠道进入活跃期。夜奶太过频繁的情况，此现象尤为严重。民间有“五更泄”之说，也从另一个侧面表明，四五点排便是常见现象。

家长与孩子一同早睡，睡前给宝宝按摩、做排气操，给室内窗帘增加遮光布。通过这些方法来尽量减少影响宝宝睡眠的诱因。

早醒在宝宝各个月龄段均有可能发生，如果尝试改善无效，也不必过于烦恼，在这个阶段，作息上更多是需要成人去配合宝宝。

五　睡觉动静大，容易哼唧，睡不踏实

表现为：老是哼唧、不踏实；有时会使劲、脸憋通红；小腿向上乱踢，发出“嗯嗯”声；腿伸直紧绷、像伸懒腰等。

俗语里说的“抻”“长个”“使劲”，正是对应这类现象。我家宝宝小时候也经常如此，这时总是令人感觉他很难受。那时候我还不懂，以为宝宝是在长个，后来研究睡眠，才后知后觉地明白了原因。

1. 浅眠时的表现

哼唧、会动是浅眠的常见表现，家长不用过度干预。

妈妈们的经历

我家宝宝2个月了，维生素D也补，每天按摩肚子，但是早上5点左右还是会抻，有时闭眼，有时睁眼，有时拍两下就不动了，有时根本按不住，也不哭，出没怎么排气，醒透了就不抻了。

2. 胀气、腹部不适

宝宝拉粑粑或排气时，肚子要用力，肛门却要放松。小婴儿还不太能很好地协

调，所以这些对成人来说再普通不过的事，对于他们颇为费力。加上胀气和肠蠕动，就使得此时的婴儿看起来比较痛苦。

对策：

母乳妈妈要注意排查饮食，减少摄入容易引起胀气、过敏反应的食物，如蛋白质含量高的奶制品、豆制品，过多的糖分，十字花科食物等；给宝宝进行腹部按摩、吃完奶后多拍嗝，还可以用飞机抱、握住双腿踩自行车等动作帮助排气。

后文**肠绞痛**专题中，会提到一些帮助缓解胀气的药物，如有需要可遵医嘱酌情选用。

妈妈们的经历

宝宝本来一觉可以睡7～8小时，这几天一会儿醒一次，肚子拍起来很响。我猜测是由于宝宝厌奶，只吃到前奶，导致肚子胀。我帮他按摩排气后，可以夜里12点左右睡到早上7点。

根据美国儿科学会推荐，要多让宝宝趴着活动（Tummy time），这样做的好处很多——可以锻炼颈部肌肉，增加运动量，防止仰睡造成的扁头，给学爬创造条件，也能够缓解胀气、腹痛。

一项专项研究表明，当宝宝们趴在爸爸妈妈的胸口上玩耍，与父母进行直接的身体对话的时候，宝宝的身心是最放松的，他们的呼吸更加平稳而又规律，身体内能量的分配更加合理有效，成长更迅速，产生的压力也更小。

——摘自《与宝宝同眠》

吃完奶睡着了，要叫醒吗？还要拍嗝吗？

这个阶段的宝宝，吃奶常会睡着，要尽量让宝宝保持清醒，多吃一些，尤其有黄疸的情况。此外，无论瓶喂还是母乳亲喂，在宝宝吮吸速度明显放慢，并未完全睡着之前，即可进行拍嗝。夜间实在拍不出来，可以酌情放弃。对于易吐奶的宝宝，吃完奶需要竖抱一会儿，再放下。

下图是常见的拍嗝姿势。

六　入睡困难、睡太晚

表现为：白天不睡觉，很困了就是不睡，夜里11点以后才睡觉。

小婴儿入睡困难常和过度刺激、安抚不足有关。可参考本书前文提到的入睡难、入睡晚的内容。

我家宝宝足月出生，不满2个月时，曾经白天根本不睡，一天总共只睡了6小时，我很发愁，后来发现是过于兴奋。

就好像一个电视都没有看过的人，直接带着去看立体电影，难免夜里辗转兴奋。同样的，婴儿刚出生不久，不能把他当成一个普通来访的亲戚，不停地嘘寒问暖聊天，拉着参观这儿，参观那儿，安排各种宴请。

他只是个小婴儿，首先是要吃饱睡足，然后才谈得上精神生活，得避免过度的刺激。越困可能反而越难入睡，类似大人熬夜喝完咖啡后再去睡觉，那种感觉会不舒服。

对于0～3个月的宝宝，有时出门经历温和的刺激，比如看风景，听听鸟叫，逛逛商场等，反而比在家易睡。也就是说，刺激不能少，但强度得适中。

第四节 八个高频困惑

新生儿状况复杂，除了常见的高频状况，家长还常有下面这些困惑。

一 是不是没吃饱才睡不好的

不一定！睡不好的原因很多，没吃饱只是其中的一个可能因素。并且人们容易对“是否吃饱”做出误判。

首先，婴儿出生时，自带很多的反射以帮助适应新生活。随着成长，这些反射也会逐渐消失。和喂养密切相关的是“**觅食反射**”：大人用手拨动婴儿面部或嘴的时候，婴儿会将头转向手的方向。如果手放在嘴里就自动吮吸，被俗称为“**找乳头**”，这个现象早在娘胎就有，一般到4个月消失。正因为有这个反射，大人看到宝宝自动吮吸就觉得是饿了，其实“能继续吃”不等于饿。

其次，宝宝的吮吸需求和困前哭闹，比较容易被吸吮母乳安抚住，但并不表示，没吃饱就是哭闹的起因。正如，如果心情不好时，大吃一顿后心情好转，但不代表肚子饿就是心情不好的原因。哭闹的原因很多，得具体分析。

最后，新生儿的胃容量有限，刚出生几天的宝宝胃容量，只有10～20毫升；一周时是45～60毫升；到一个月时是80～150毫升。从这些数据看，小婴儿不容易吃不

饱，反而容易被过度喂养。

3个月龄内的婴儿，奶量500～750毫升/日，4～6个月龄婴儿800～1000毫升/日。只要宝宝体重正常增长，排尿量充足，符合自己的成长曲线就行。

二　晚上入睡前会吃很久，很大的量，为什么

夜间长觉前，宝宝像有预感似的，吃得比白天频繁，就像长途旅行前为车加满油一样。这是常见的现象。

妈妈们的经历

宝宝刚满月，喂完两边饱饱的奶，我正欢欣着今晚的任务完成得漂亮，结果忽然哐哐哐，小人全吐了……那感觉，就像终于写完文档，电脑却死机没保存。

对策：明了这种需求，增加哺喂频率。比如宝宝晚上8点多入睡，妈妈可尝试在7点、8点都喂一次。同时，边喂边拍嗝，像我们写文档时，不时地按“Ctrl+S”进行保存。

此外还要注意，如果睡前奶过长过频，还可能是很困的表现。

宝宝困时，想靠吸吮安抚自己，但吃太多又容易引起腹胀等不舒适的感觉，进一步又想要更多安抚，这样就陷入了恶性循环，造成过度喂养。

对策：要区分饿和困的吸吮，注意安抚技巧和睡眠时机，哺乳之外还可以辅助以抱、安抚奶嘴来安抚宝宝，别等宝宝饿极、困极再喂。

妈妈们的经历

宝宝1个多月，晚上提前1小时喂好，睡前再补点，这样临睡前那顿吃得不急，没吐。看宝宝吃得不起劲了，马上拍好嗝，把她放床上包起来，宝宝没抗议，6分钟睡着了。第一次睡这么早!

三 我的宝宝会昼夜颠倒吗

妈妈们的经历

宝宝快3个月，下午1点睡觉，3点都叫不醒，下午5点勉强叫起来（如果不叫起来就会睡到凌晨1点然后清醒），吃奶、玩、洗澡、吃奶，7点半睡觉，每天半夜0点准时醒！后半夜基本就当上午过，玩1.5小时睡1～2小时，持续到次日下午1点。

昼夜颠倒的现象本书之前提及过。白天相对明亮，要帮助宝宝维持活动量，睡睡醒醒；夜间幽暗，可尽量使宝宝保持安静，持续睡，逐渐的昼夜分别就自然建立起来。

发生这种长期的昼夜颠倒，是把白天当成晚上那样睡了。

对策：白天应避免过长的连续睡眠（超过2～3小时），要叫醒宝宝吃奶、活动。有些已经昼夜颠倒的宝宝，后半夜才入睡，然后一上午昏睡不醒。这种情况，类似倒时差，需要从早晨按时叫醒入手调整。

四 吃手要不要管？安抚奶嘴能用吗

一般在满月左右，宝宝就会爱上吃手这项娱乐活动了，这一爱好会持续很久。关于吃手的纠结，为什么吃？能不能吃？要不要干预？请进一步参考第十一章内容。

在宝宝6周左右可以尝试引入安抚奶嘴，过早容易造成乳头混淆，过晚则会增加引入难度。

目前很多妈妈对安抚奶嘴的认同度并不高，尤其老一辈们常视之为“洪水猛兽”。推上含着安抚奶嘴的娃，在小区里溜一圈，保准有三姑六婆前来劝阻。

我的观点是能不用就不用，但如有需要，只要控制使用频率及场合，是没有太大危害的。关于安抚奶嘴，本书第十二章有详细的阐述。

总而言之，吃手和吃安抚奶嘴都有利有弊，合理使用，就能扬长避短。

五　同床危险吗？趴睡危险吗

美国儿科学会推荐母婴同室不同床，不推荐新生儿与父母同床，也不推荐趴睡，因为两者都存在风险。本书第十一章有关睡眠安全健康问题中有详细说明。

在我国，并不是所有家庭都有条件分床。但母婴同床时，一定要重视安全问题，防范窒息风险，以防大人在迷糊中压到宝宝，有抽烟、酗酒情况的家长不可以和新生儿同床。

婴儿活动能力有限，很多家庭习惯把婴儿放在沙发上睡，或是床上放太多的枕头、软垫，这样风险很大。从安全角度讲，睡袋、连体衣都比盖被子、毯子安全。

六　放在小床就醒，是没有安全感吗

表现为：放小床容易哭闹容易醒，和父母一起睡大床就醒得少。

在头3个月，放下就醒比较常见，即便放大床也是如此。婴儿确实有希望更靠近父母的天性，但睡小床不如大床安稳的情况，主要是习惯和预期所致，并非完全出于安全感。

从出生起就让婴儿习惯睡在小床上，相对来说会比较容易养成独睡的习惯。

七　要不要给宝宝睡扁头

民间有用米枕头固定头部，仰着刻意睡成平头的习俗。据我妈讲，小时候就是让我睡在《新华词典》上的。

这个习俗起源满族，是为把头睡扁，使得脸部增大，显得印堂饱满，留辫子时更好看。彼时以此为美，但时移世易，现在早已不流行大饼脸了，并且使用这样的定型枕，还可能带来安全风险，是需要坚决摒弃的陋习。

宝宝出生时，头骨尚软，加之头部肌肉还不发达，甚至无法自如的转动，只能一直朝一个方向睡。头骨因此受到挤压造成变形，短短几个月，就可能引起偏头。扁头不但影响美观，还会导致五官不对称，甚至引发更严重的后果。

所以，父母最好能够**常帮助宝宝变换头的方向**。如果是同床的情况，因为宝宝习惯面朝妈妈睡，妈妈可经常变动和宝宝之间的相对位置。同时，醒着的时候，不要一直躺着，要多趴着活动。

总之，**以预防为主**。如果偏头已经形成，可以询问医生，必要时通过戴头盔进行矫正。

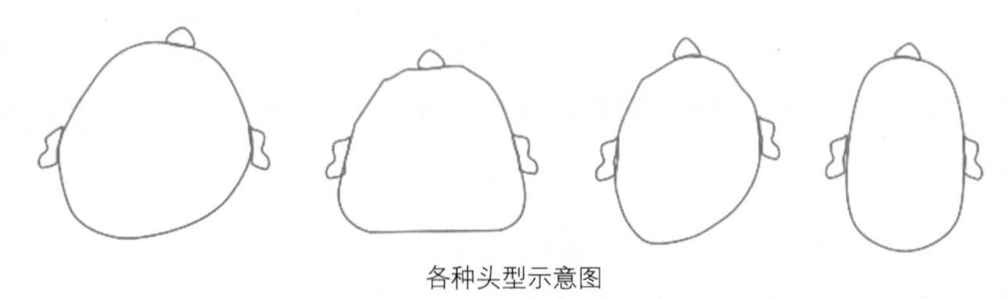

各种头型示意图

八 为什么宝宝无法自主入睡

睡眠由大脑控制，睡眠能力也随着大脑发育的成熟而成熟。自主入睡很重要，但在这个阶段确实有难度，不放弃也无须强求。

笔者发现会纠结宝宝无法自主入睡的，多半是新手父母。不少人在经过一段时间的现实打击后，要求都很快降低，变为“小祖宗只要肯睡，怎么都好说”。

第五节 各种和睡搭边的事

如果说，这个阶段最影响睡眠的因素，当属身体状况，这节介绍本月龄常会出现的一些身体状况。

有些情况或许读来惊心，但生命奇妙之处也在于此。正因为过程艰辛，成长才更激动人心。

一　早来的天使

早产儿，又称未成熟儿（Premature infant），有“早来的天使”一说，指孕37足周前出生的孩子。他们由于发育系统尚未成熟就出世，比足月儿消化及吸收能力弱，吸吮和吞咽能力也相对差一些，呼吸系统、神经系统的发育也有相应的薄弱处。

早产儿也更容易遭遇睡眠问题，父母应尽量安抚他们，以获得更充足的睡眠，这对他们的成长很关键。如果要改变入睡方式，也需参照矫正月龄，并适当降低期望值。

早产儿矫正月龄的计算公式是：［实际月龄（月）= 出生后实际月龄（月）-（40-出生时孕周）/4］。以36周出生为例，在实际月龄4个月的时候，相当于矫正月龄3个月。

“袋鼠式育儿”的这种身体接触尤其能够帮助早产的婴儿更快的赶上发育的步伐。对于刚出生的宝宝来说，妈妈的关怀被公认为是一种良好的抚慰剂。多抱宝宝、多亲吻宝宝肌肤、多用爱抚与他们交流，这些带着爱意的动作有助于新生儿快速地从诞生后的孱弱状态中脱离，逐渐变得健康强壮。

——摘自《与宝宝同眠》

二　黄疸嗜睡

半数左右的新生儿会出现黄疸，早产儿出现黄疸的比例高达80%。

生理黄疸分布在面部及躯干，但前臂、小腿、手心不明显，一般可自愈。**病理性黄疸**则会波及手心、脚心，需要引起相当的重视，并及时就医。

黄疸的表现之一是嗜睡，并伴随着食欲不佳。为了能够多吃、多拉，通过粪便尽早将黄疸排出体外，有医生建议需要2小时就叫醒喂奶。

三 胃食管反流

胃食管反流症，指食道下端括约肌功能不全，胃内容物反流入食管的现象。

新生儿胃呈水平位，胃底肌与贲门肌发育差，易发生胃食管反流。打嗝和轻微的吐奶，都是正常的，并不能称为病症，在6个月后大多都能自行好转。

但如果吐奶量特别大，体重增长缓慢的婴儿，则可能是病症，需要寻求专业医生的帮助，甚至酌情用药物来缓解。目前在国内，这方面信息缺乏，第十一章具体介绍了一些华人妈妈所经历的胃食管反流症以及就医经历。

四 湿疹的影响

在诸多过敏的表现中，湿疹是最常遇到的情况。很多新生儿都患有湿疹，只是程度不同。湿疹易痒，会导致宝宝睡眠不宁，除了参照缓解过敏的方法治疗外，尤其要注意给婴儿使用保湿润肤霜，情况严重的需要及时就医用药。让宝宝舒适，才能够安睡。

五 肠绞痛

肠绞痛主要表现是长时间的、无法安抚的大声哭闹。肠绞痛常见于宝宝出生后10天～3周的黄昏，一般随着肠道发育的成熟，3～4个月之后，会自行消失。

婴儿哭闹的原因很多，需要将肠绞痛、胃肠气胀、胃食管反流和疲劳过度等哭闹区分开。采用飞机抱、按摩以及遵医嘱使用药物帮助宝宝缓解肠绞痛。

妈妈们的经历

宝宝2个月时出现肠绞痛。一般在傍晚、凌晨12点左右、早上4～6点出现哭闹，在床上拧来拧去，脸憋得通红。后来我尝试将西甲硅油加入奶中，发现拍嗝放屁容易了，使用后第3天晚上就能安睡了，缺点是有时容易溢奶。

六 莫名黄昏闹

婴儿大哭难哄以黄昏时最为显著，民间称为“黄昏闹”。这既有可能是胀气、肠绞痛所致，还可能是由于白天睡眠量过少，导致累积了一天的疲劳在黄昏时爆发。

妈妈们的经历

宝宝黄昏哭闹我是误打误撞解决的。那时想，既然傍晚6点左右开始哭闹，就试试提前哄睡。于是6:30开始给宝宝洗澡、抚触、喂奶，刚开始也要哭很久才能哄睡，两周以后基本吃完奶就可以睡了。也就是跳过黄昏觉提早睡晚觉。

七 其他各种状况

1. 疫苗归来睡得反常

很多疫苗的说明书里面都提到疫苗对睡眠的影响。我国打疫苗的社区防疫站常常业务繁忙，人多吵闹。环境嘈杂加上打针，双重刺激，使得宝宝回到家后很可能要闹几晚，家长对此得有心理准备。

2. 猛长期

婴儿的成长并非呈线性均匀发展，通常认为在2周、3周、6周、3个月、6个月都会出现猛长期，一般持续几天而已，而最初的3个月是猛长期最密集的时段。宝宝在猛长期时体重、身高会有更快地增长，食量比平常大，吃得更频繁，也可能会醒得更多。要及时发现宝宝的需求，相应的增加喂养频率和时间，为小朋友加油。

3. 维生素D

维生素D促进钙在肠道的吸收，防止低血钙性抽搐。美国儿科学会建议婴儿（包括纯母乳喂养儿）从出生后不久，即开始补充维生素D400IU/天，直至2岁。早产儿、双胞胎对维生素D需要量更大。我遇到过有小月龄的孩子，由于家长没有注意维生素D的补充，导致钙的吸收量减少，从而易抽搐，睡眠中易惊。

4. 枕秃

从宝宝两三个月开始，一些宝宝就有了枕秃的苗头。有人会把枕秃和缺钙联系在一起，其实并非如此。枕秃主要是婴儿毛囊发育不成熟导致的，加上易出汗，头长时间和床接触摩擦，就容易形成脱发，随着成长会自然好转。

5. 脐疝

新生儿很多肚脐都是外凸的，有时候哭闹还会鼓出包块，这就是脐疝。家长要注意学习如何安抚宝宝，减少有疝气的宝宝的哭闹，避免情况恶化。一般随着年龄的增长都能够自愈，严重的情况需要就医。

第六节 给新妈妈的话

还没来得及回味生产的一幕幕，顾不上丑丑鼓鼓的肚子，隐隐作痛的伤口，也放弃了精致的妆容，自由自在的生活，新妈妈们就这样开始了衣衫褴褛的“奶牛”生涯。

面对稚嫩的新生儿，有再多的准备也常会措手不及。万事开头难，这里给新妈妈们列出了一些细节供参考，也希望给予新妈妈们更多鼓励。

一 科学坐月子

民间有“坐月子”的传统，很多妈妈都曾经历过。生产后，连轻微的日常活动都会遭到家人的反对：“不好好坐月子，要落下病根的！”除此之外，一些奇葩规矩还有：牙不能刷，澡不能洗，窗不能开，不能抱孩子，三伏天空调不能用……

新妈妈产褥期确实需要休息，但要科学坐月子，成天躺着、不刷牙、不洗澡，并

不有利于身心的康复，也不利于妈妈和宝宝的互动。

新妈妈坐月子中，侧切伤口是诸多困扰中较难的一个，可能会疼半个月，甚至几个月。可以试试用红外取暖器烘烤伤口，保持干燥，以便更快痊愈，但要注意安全。

关注产后抑郁

妈妈们的经历

为啥当妈的不能抱怨！产后身材没恢复，抱娃不能穿高跟鞋，孕前衣服基本报废，护肤品要慎用，吃东西要忌口，在家邋遢得像大妈、出门大包小包像春运，素颜是好听的，忙起来脸都没空洗，逛街总看表、出门用分钟计算，各种肩周炎、腰疼。吃的是饭，挤的是奶，还被说矫情公主病，谁试过谁知道。

很多家庭都多少有点优待孕妇而忽视产妇。其实产妇经历了身心的巨大转变，在产后3～10天后，她们会情绪不稳定，甚至未语泪先流，一般称为产后伤感（Baby blues），这是正常的。但大概有10% ～15%的产妇会持续情绪低落，也就是人们常说的**产后抑郁**。这可不是矫情病，感觉不好就要治疗。在这个阶段，家人的关心和理解尤为重要。

每个新妈妈有自己的苦楚，不管是剖宫产、侧切还是乳头皲裂，当伤口火辣辣的疼，翻个身都一身汗时，几乎所有新妈妈都会忍不住想：到底要多久才能好，会不会一直这样？这种心理压力，对产妇精神状态的影响不容小觑。

想对读到这里的你说：“请坚信，不管是几天还是几个月，一切的困难都是暂时的，一定会柳暗花明！”

顺利母乳喂养

母乳喂养的重要性毋庸置疑，妈妈们是宝宝的粮仓，更得吃好喝好。宝宝出生后要让宝宝多吸吮，争取早开奶早下奶。

1. 按需喂养

宝宝刚出生时，一天至少需要喂养8～12次，1.5～2.5小时的间隔都是有可能的。夜奶的次数大概是3次，甚至更多。这个阶段要按需喂养宝宝，提高进食效率。

2. 喂养的姿势

坐喂时，准备一张有靠背的椅子，放上靠垫、脚凳给身体各个部分以支撑，配合哺乳枕，可以缓解长时间喂奶的疲惫。

夜间，不要一有动静就给宝宝塞乳头，如果宝宝总是吃两口就睡，吃的都是富含乳糖的前乳，会有消化问题，还吃不到扛饿的后奶，反而睡不安稳。由于婴儿尚小，安全起见，最好不要躺喂，以免妈妈不小心睡着，阻塞宝宝的呼吸。如果宝宝真的饿了，就抱起来好好喂一顿。

3. 防范乳腺炎

月子里是乳腺炎高发期，一旦出现疼痛要及时向专业人士寻求帮助，不要擅自处理。要特别注意宝宝含乳的姿势，避免乳头皲裂。

4. 留意避免乳头混淆

对于需要喂配方奶的情况，可用软头勺子替代奶瓶，以防止**乳头混淆**。一般在宝宝没有乳头混淆的风险之后，即使是纯母乳，也可以坚持每天挤一次出来用瓶喂，以免将来对奶瓶太过抗拒。挤出来这顿可以让爸爸来喂，如果他们参与得早、付出得多，以后带娃的积极性也会越高，爸爸的参与也能让宝宝更快乐。

如果你和大多数新手父母一样，那么恐怕你也会感觉到自己的角色总是在专家和业余之间来回摇摆。会感觉被责任鞭策着。不仅如此，还有许多育儿专家提出了许多相互矛盾的建议，反而加深了你的困扰。不过在你彻底丧失自信之前，请记住这一点：现在站在这里为人父母的你，其实是那些自远古一直延续下来的成功父母们的子嗣，你是这链条上的一部分。你和你的宝宝之所以存活下来了，其实是因为你遗传自世界上最优秀的家庭，是最好的母亲，最有保护能力的父亲还有最强壮宝宝的最佳组合。相信你自己的感觉，放轻松。

——摘自《卡普新生儿安抚法》

第七节 作息实例

对宝宝日常的吃喝拉撒仔细观察，有利于判断宝宝的需求。俗话说“好记性不如赖笔头”，可以采用记事本或手机软件进行作息记录。

在宝宝出生早期，完全的规律可遇不可求。本节的作息实例，只是提供一些可行的生活状态，时间仅仅作为参考，并非要教条执行。放松心态，一切以孩子的状态为准。

具体的入睡细节，可参照“小土安抚技和陪伴法”。

一　2～3个月实例A：理想化的基本作息

作息介绍：这款作息参考了《实用程序育儿法》中的E.A.S.Y作息，大致3小时吃一次奶，白天共4个小睡。去除了梦中喂食，改为后半夜第一次夜醒喂奶。如果需要进行梦中喂食的家庭，可以安排在夜里11:00，妈妈正式就寝前。但第二次夜奶最好不要早于早上5:00。

这款作息实例比较理想化，小睡时间均较长，对于睡得短的宝宝执行起来有难度，如果无法做到，可尝试增加小睡数量。

一些家庭，父母下班比较晚，无法在7:30就安排入睡（2～3次夜奶），入睡时间可以在此作息的基础上顺延1小时，安排在8:30左右，但不宜更迟。

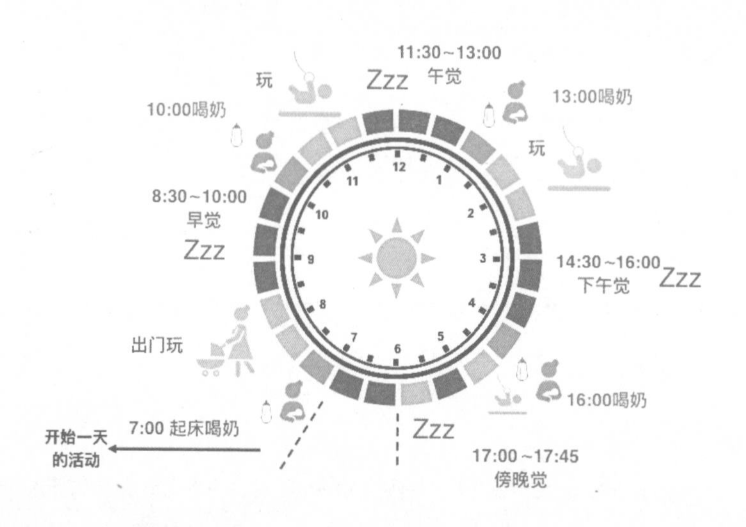

3个月作息示例B

作息介绍：该款作息案例是考虑到3个月左右时，有些宝宝有早醒和需接觉的特殊情况。

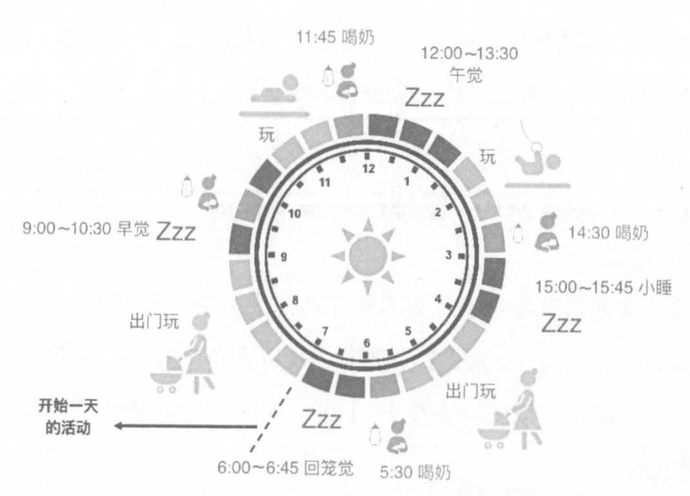

3个月作息示例C

作息介绍：该款作息实例适合早觉偏短但午觉能睡长的宝宝。

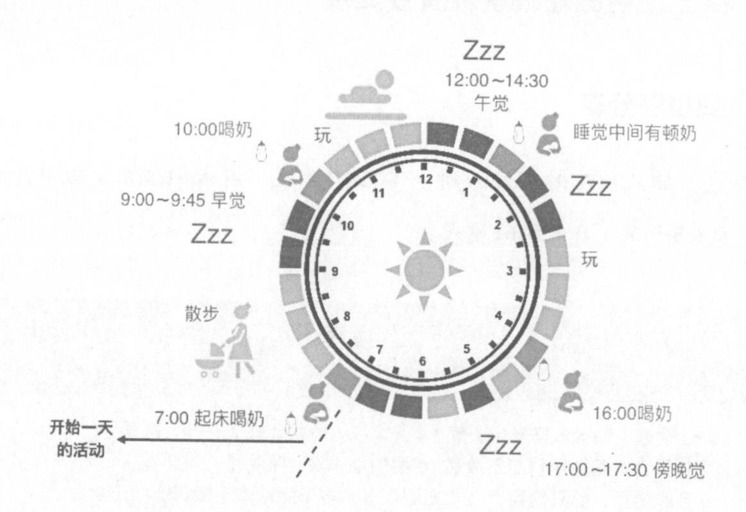

四 3个月作息示例D

作息介绍：这款作息实例中，白天睡眠量少一些，夜间睡眠时间较长，宝宝午觉能睡得比较长，小睡次数由4觉减为3觉，但下午醒和晚间入睡之间间隔较长，得注意是否会过度疲劳。

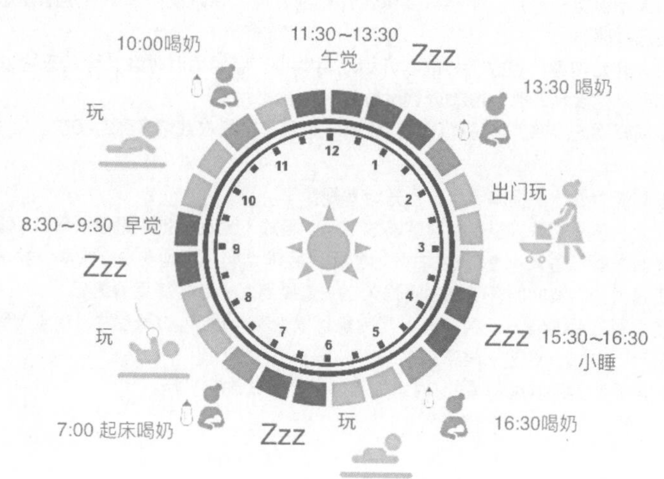

第八节 妈妈们的睡眠摸索实录

一 头三个月的睡眠状况演变实录

由妞儿妈小舒分享

宝宝信息：妞儿出生时刚好37周，体重3.1千克，身长51厘米。做这个记录的时候她12周，约6.5千克，身长约61厘米。

月龄	睡眠状况实录
第一个月	从出生起，白天频繁喝奶，晚上8～10点，吃奶比较久，开始睡长觉。 我每天会等着她晚11点至凌晨1点醒的那一次，喂饱了，再睡觉。 在我睡觉后，她只需要1～2次奶到天亮。夜里她基本上能睡3～4小时。
第二个月	小插曲：夜里出现还没有喝饱奶就睡着了，一旦“消极怠工”就捏脚，一旦睡着就换尿片，接着喂另外一边乳房。 奶越来越多，喂的时间也越来越短，从开始的每边乳房喂20分钟——到后来，每边喂15分钟——喂12分钟——喂10分钟——喂七八分钟。2个月后，她的夜奶需求变小了，一边喂5分钟就怎么也不喝了。 随着醒着的时间增加，睡眠开始成为困扰。 白天不像第一个月，不再只要喝饱什么都好说。惊跳反射加手舞足蹈，总使劲揉脸，把自己揉醒。 白天开始抱睡，但放下秒醒。开始动用背巾，看她困时哄睡，背起来可以睡2小时以上。 如果是抱着她入睡，抱20分钟试着放下。 夜间睡眠无规律，时好时坏，相比第一个月，夜奶次数增多到2～5次。
第三个月	睡眠能力一下子提高不少，也开始有规律了。 白天：还是抱睡，但是相对容易放下了。但放下她后，她总是很快醒，小睡很短。 夜间入睡：每天晚上6点左右开始犯困，我喂点奶，给她洗澡，按摩，接着喂奶，仍然是奶睡为主。睡前频繁喝奶，喝很久，一直要到九十点才算真的睡着。 夜里醒来后:像第一个月一样，喝完奶可以立即入睡了。9周左右，夜里规律地2点醒一次，5点醒一次，7点醒来起床。 夜里断断续续哄睡和喂2小时奶很累，于是尝试改变奶睡。

尝试改变：在我确信她喝饱后，晚上入睡用背巾背起来哄睡，身体紧贴，加上走路的轻微晃动，几分钟就睡了，睡得也沉。有时候背起来后，她还会一直吮吸乳头，拔出后很快就睡了。

改变哄睡方式后

第一天在10点多又喂了1次。我睡觉后，半夜里只夜奶1次了。后来都持续在12点前喝1次，半夜1次，直到天亮。

快12周时

一觉睡了5小时的整觉，晚上从9点上背巾，一直睡到凌晨4:30！3:30时我涨奶醒来，好惊讶她没醒，第一件事竟然是检查她呼吸……

本案例是比预产期提前了三周出生的宝宝，所以早期比较容易出现长时间睡不醒的状况，如果兼有黄疸现象需要叫醒吃奶，多吃多拉促排黄。惊跳反射严重的情况，可以引入襁褓。

晚间入睡频繁吃奶，在一定范围内是常见现象，要注意排查宝宝白天是否睡得比较少，到晚上是因过度疲劳而吮吸需求增加，可以尝试提早晚上入睡的时间。

背巾对于0～3个月的宝宝是哄睡神器，尤其是一个人带孩子的妈妈，还要干家务，背巾能够省力不少，但要及时戒除，避免养成不背不睡的习惯。

一些宝宝在临近3个月时已经能够夜间6～7小时不吃，妈妈无须担心，也不用特地叫醒吃奶。

二 7周开始的睡眠调整

由球球妈分享

原案例很长，受限于篇幅，也为了更方便阅读，整理成表格形式。对于0～3个月的小月龄宝宝，妈妈要抓住宝宝的睡眠时机，掌握安抚技巧，缓解宝宝的身体不适，帮助宝宝改善睡眠状况。“时光不语，静待花开”送给这个时候的你。

月子的情况

白天：从上午11点左右到整个下午，基本上都在哭闹中度过，有时哭累了可以睡上1小时，偶尔睡3小时的大觉。

夜间：7:30左右洗完澡，吃两边奶就睡着了，夜里3小时左右醒一次，醒了不哭，吃奶后继续睡。

夜奶：通常3～4次睡到第二天9点左右，每天睡眠时间13～14小时。

第二个月的变化

白天：睡眠仍旧不好，早上睡饱了醒来，是一天中情绪最好的，可以自己躺着玩1小时。接下来，开始轻微哭闹，于是抱起来逗他继续玩。一段时间以后，已经非常困了，继续哭闹，抱着也不管用了。因为太疲惫，好不容易睡了，放下就醒。到了下午，情绪非常焦躁，最终歇斯底里大哭以后才能入睡。

晚上入睡：以前吃完睡前奶就睡了，现在是吃完奶似乎睡着了，放下没多久就哭醒，抱起来一直大哭，哄十几分钟才能重新哄睡，放下又醒。如此循环反复，常常要放下4～5次才能真正进入夜间睡眠，有几次甚至闹到夜里12点，哭的声嘶力竭后才睡，睡着了还一直抽泣。

出了月子，独立带孩子，心理和生理的双重压力，焦虑、累、睡不够、又心疼宝宝，感觉日子很灰暗。

宝宝7周大时，开始接触睡眠知识，并分析了存在的问题：

白天无规则养育，进食睡眠完全无规律；

频繁哺乳，有时候一个多小时吃一次；

难入睡，不会自己睡觉，需要哄睡；

入睡后放床醒；

白天需要抱睡；

脾气暴躁，总是大哭；

夜间入睡需要反复哄睡，最终总是崩溃式入睡。

具体的改善过程

时间节点		细节描述
睡眠引导的第一阶段（月龄：7～10周）	计划	记录作息，逐渐建立进食和睡眠的规律。
	具体做法	在宝宝吃好并且玩了一会儿后，及时捕捉到他的疲倦信号，开始哄睡。通常清醒1.5小时以后，球球的疲倦信号就是轻微烦躁，不想躺着。当发现这个信号后，开始竖着抱，轻轻晃，拍背，配合轻哼，开始哄睡。
	效果	最初两天，哄睡稍微有点困难，慢慢地就相对容易了，通常需要20分钟。睡着以后，偶尔能放下。 实施2周，效果显著，每天大哭的次数明显减少，夜间哄睡也相对容易了。 妈妈基本上可以知道宝宝一天中会在哪些时候哭，哭泣的原因是什么。
	遗留问题	需要持续抱睡。
睡眠引导的第二阶段（月龄：10～12周）	计划	解决抱睡的问题。
	具体做法	原来哄睡是竖着抱，睡着了横着抱，等睡踏实了再放床。现在，竖着抱，睡着了直接放。
	效果	让人很惊喜，第一次就成功了。虽然2～3次放床失败了，但经过了两天的调整，放床睡基本上不成问题。 经历了2周的放床睡后，醒来以后不怎么大哭了。
睡眠引导的第二阶段（月龄：12周后）	遗留问题	原来抱睡还能睡40分钟，偶尔还能接觉。放下睡后，一觉通常只有30分钟，而且很难接觉。
	计划	尝试自主入睡。
	具体做法	趁他迷糊的时候就放在床上拍，偶尔成功过几次。
	效果	如果他自己在床上入睡，就可以自己接觉，睡上2小时。 哄睡越来越容易，把握好疲倦信号以后，抱起来5～10分钟就可以睡着。
	遗留问题	大多数时候，还是需要抱起来哄睡，晚上睡觉通常需要奶睡。

后续情况

球球足月出生，9个月前体重曲线一直在97%分位，是个胖娃娃，加辅食以后，逐渐回落到80%左右。身高增长也一直在90%分位左右。全母乳到11个月，身体一直很健康。目前球球1岁1个月，经历了4个月左右4觉并3觉，9个月左右3觉并2觉，目前还是白天2觉。因为觉得哄睡难度不大，没有尝试做进一步改变，仍然是白天抱哄，晚上奶睡，偶尔也可以滚睡。夜奶1次，在凌晨4～5点。

本章总结：笔者关注了很多素未谋面的孩子妈，大家分布在全国的各个角落，可每天关心的、念叨的都差不多是宝宝的吃、喝、拉、撒。人生漫漫长路，多拉一次，少睡一会儿其实完全不能算个事，但却占据妈妈的脑海，甚至目前就是生活的全部。

头三个月是最难熬的，生活经历了翻天覆地的变化，到本阶段末，新妈妈们基本也都由“吐槽”转成“认命+乐在其中”了。大家都说，养娃就像升级打怪兽，得一关一关地过，下面一章节，讲述宝宝4～6个月的故事。

第六章

4～6个月的睡眠

中国传统中，孩子“百天”是值得庆贺的大日子，是成长的里程碑。

进入第四个月，宝宝的皮肤变得白皙，眼神也丰富起来，脖子能较稳地支撑头部，对身体的控制从头部逐渐向躯干扩展，手逐渐有意识地触碰、抓握，还会开始热火朝天的翻身学习。

百天之后，婴儿对环境的兴趣增加，出门在外反而不容易入睡，这和前三个月出门就睡不同。这个变化，还表现在吃奶不再那么专心。此外，对陌生人焦虑的情况初步显现。

除了喜欢出门玩儿，宝宝们还喜欢躲猫猫，研究家中标签等小细节，啃咬牙胶等。

这个阶段会经历第四个、第五个大脑发育跳跃期，这期间睡眠会受到影响，一般几天后好转，尤其有妈妈反映第四个跳跃期的影响更为突出。

第一节 4～6个月的睡眠模式

结合各类睡眠书籍以及睡眠基金会推荐的睡眠时间，这里针对4～6个月区间，列出一些更细致的数值（数值为均值，单位为小时，下同）。

月龄	小睡醒睡间隔	白天小睡	夜间睡眠	连续睡眠长度	全天睡眠量
4～6个月	1.5～2.5小时	3.5～5小时	10～12小时	5～8小时	13～15小时

第四个月左右，小睡会先进入深睡眠，正是在此时，很多人从“持续抱着睡”向“睡着后能放床”转变。4觉向3觉过渡。第五个月，小睡更加规律，一些夜醒也逐渐定点、固定化。第六个月时，早中晚3觉的格局，已经比较明朗，早上、中午睡得长一些，傍晚打个小盹儿。

6个月算是个节点，传统的哭泣法（尤其应用于小睡），通常要求宝宝达到6个月（至少4个月）才能实施。

由于宝宝的个体差异，白天、夜间睡眠量的分布会有所不同，小睡短的宝宝，相应的夜间睡眠会更长；相反早醒的宝宝，白天小睡时间则会相应变长。

和最初三个月的睡眠相比，有一些变化：一般睡着之后放下不易醒，全程抱睡减少。小睡时间点逐渐稳定，作息逐渐规律，夜奶间隔逐渐固定化。

持续的老问题：小睡还是不长、比之前更依赖奶睡、夜醒频繁、入睡困难。

新增问题：睡眠倒退、夜里起来玩1～2小时。

睡眠倒退

宝宝现在快6个月，从4个月开始，由原来的夜醒1～2次变成无数次。2～3个月的时候，吃了奶放身边可以自己入睡，4个月开始完全奶睡，只有靠吃奶继续睡！醒的也频繁了，以前夜里最长一觉可睡5小时，现在最多2小时，白天也睡不好。

家长问　这到底是怎么回事？什么时候才能好？

小土答　类似俗语里面说的“猫三天狗三天”，在睡眠领域，这个现象对应专门名称是“**4个月的睡眠倒退（Sleep Regression）**”，指原先两个多月时夜里已经只醒1～2次，有较长连续睡眠的婴儿，在4个月左右，小睡缩短、夜醒增多、不易安抚，对抱睡和奶睡的依赖增加。类似的睡眠倒退还可能会发生在8个月、18个月。这主要由大脑发育、大运动发展等因素引起，且不同人受影响的程度不同，并非所有孩子都会经历倒退。

睡眠倒退一般持续2～3周甚至6周。一些情况中，阶段性的因素产生倒退，因素消失之后，没有及时注意到变化，演变成了长期的行为习惯。

妈妈们的经历

留言　煎熬中到了5个月依然没有好转的迹象。从过了百天一直熬到快9个月了，没有丝毫好转。

下面针对高发状况的详细分析，也包含了倒退期应对办法的探讨。

第二节 高发状况详解

我曾做过调查，在1271人参与的网络投票中，除却小睡、夜醒等老问题之外，高发的睡眠状况包括：翻身影响睡眠、早醒、择人哄睡（睡觉认人）、半夜起来玩、吃手、厌奶，而且会同时遇到大概3个问题，下面就逐个解析。

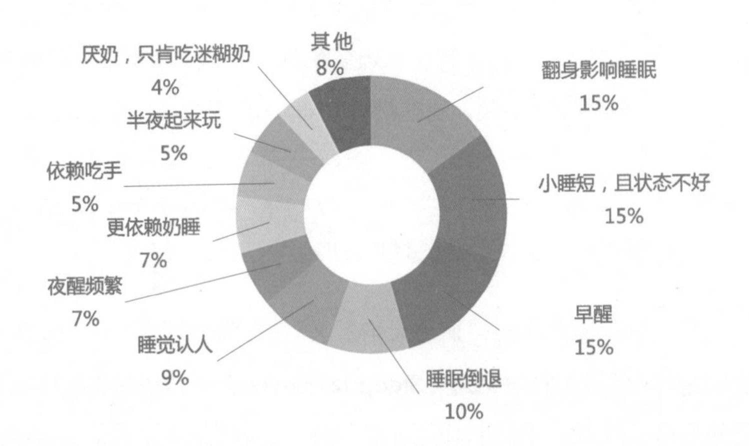

一　半夜练翻身的小孩

只会仰卧翻成俯卧的：后半夜控制不住似的翻身，翻不回来就会很生气哭醒，翻过去就练抬头，但又不会自己趴下。

会来回翻的：半夜闭着眼翻1个多小时才继续睡，抱起就打挺，放下继续翻。

发生时间：4～5个月高发，主要影响后半夜，对小睡也稍有影响。对此妈妈们纷纷表示崩溃。

1. 学翻身的内容及过程

翻身有两种：从仰面朝上的姿势翻到俯卧（趴着）；从俯卧（趴着）翻到仰面朝上。

孩子如果仰着的时间多，多数是先学会从仰翻到俯卧，几周到几个月后，学会俯卧翻到仰卧，即连续翻滚。国外的育儿百科中，提及多数孩子先从俯卧翻到仰卧，这和清醒时趴着的时间多有关。

2. 为什么翻身这么影响睡眠，该如何应对

这个细节现有的研究不多，在下面这张表里我总结了原因以及相应的对策。

原因	详解	对策
睡眠中，大脑复习白天学习的内容	翻身对睡眠的影响参见第一章对高发现象的解读。一位妈妈是这样形容翻身期的：“我们要是突然学会飞也会非常兴奋。” 还有些孩子白天被抱着的时间过多，缺乏练习机会，晚上就补课来了。	白天要给足机会练习，熟悉后，新技能带来兴奋，焦虑就会减轻。
睡眠中，不受控的身体动作使婴儿受到惊吓	睡梦中，很多成人经历过腿部突然的抽动或是感觉到坠落而惊醒。婴儿大脑发育尚不成熟，睡着时肢体运动没有被完全抑制，翻身等梦境很容易在肢体上复现，进而惊醒。	仅仅是翻动，不是真的醒时，尽量不做干预。 翻动过于频繁，可通过按住、搂住、枕头卡位、穿睡袋增加翻身难度等方式，控制身体，以减轻影响。 如翻不过来，已经哭醒，应及时帮助宝宝重新躺好，安抚他再次入睡（安抚不等于一味喂奶）。 白天做一些场景模拟，演示睡梦中发生的情况，以减少恐惧感。
睡眠基础不好	一些家长前期没有重视睡眠问题，翻身期的状况不是问题突然出现，只是暴露了出来。	重视睡眠能力的培养，从睡眠时机、入睡方式等多方面进行改善。

最终治本的方式恰恰是无为而治，接受暂时的倒退，不要试图用尽办法催睡。妈妈要耐心陪伴等待，让孩子的身体去学习和适应这种变化。

此外，翻身期也是坠床的高发期，可在大床边上铺上地垫或者采用防止坠床的床护栏；睡小床的宝宝，如果夜间喂奶，记得及时把围栏升起，防止宝宝掉到小床与大床的接缝中。

家长问 宝宝在小床里不断翻身惊醒，抱到大床上会好一点吗？

小土答 可能会有帮助，虽然并非所有情况均是如此。如果被翻身惊吓，可及时安抚。

妈妈们的经历

我家的小床已经算是比较宽的了，但每次宝宝睡着时翻身碰到栏杆就醒，不时地会把手脚伸到栏杆缝里，拿不出来就哭醒，睡大床没这方面的困扰。

妈妈们的经历

我女儿一直自己睡小床，前几天发烧在大床上睡。我感觉是小床更好，碰到障碍物偶尔会醒，但在大床上翻个没完更容易醒。

我还遇到过一位妈妈，与宝宝同睡大床，宝宝翻身时一脚踹在乳房上，结果引发乳腺炎。如果宝宝翻动太大，大人和孩子会相互影响，家长还可以暂时打地铺过渡。总之，大床小床各有利弊，酌情而定。

家长问 宝宝翻身期学会了趴睡，趴睡睡得更踏实，需要帮他翻回来吗？

确实有不少妈妈发现，趴睡仅仅只是睡眠姿势的小转变，却延长了睡眠的时间，减少了夜醒的次数。如果宝宝已经能够自如地从趴睡翻回仰睡，就不需要翻回来。关于趴睡是否安全的内容参见本书第十一章。

3. 大运动影响睡眠的案例

本篇的作者是悦渲妈，谈的是大运动影响睡眠的经历，但重点讲了翻身，所以仍然放在本节中。

由悦渲妈分享

宝宝已经养成睡前习惯，能自行入睡，能接觉。我以为她不太容易遇到严重的睡眠问题。但可能是因为她大运动的发展太快，来回翻、独坐，从趴到坐、站，都在一个多月内一气呵成，结果她自己却适应不了，严重影响了睡眠。

（1）大运动对睡眠的影响

4~5个月，翻身期：一开始宝宝只能翻身一次，无法翻回来。所以往往在睡着时突然翻身后吓醒自己。

5~6个月，来回翻身期：很容易撞到小床的边缘，基本是翻两次就撞到了，然后会醒，会哭。

6~7个月，从翻身到坐/从趴着到抓着床栏杆站起来：这两项基本是同步出现的。大半夜，她翻着翻着就坐起来，然后顺势就站起来，之后闭着眼大哭。有时站起来没站稳就摔倒了，受惊吓而哭。

（2）改善的经验谈

翻身期：宝宝在不会翻身之前是一半趴着睡、一半仰着睡，但会翻身醒后，我发现只要让她趴着就基本不会再翻身（注：趴睡存在一定风险，需慎重）。

来回翻身：把小床的床围换成加高加厚、带硬一点的海绵芯的，即便翻身撞到，也不容易醒（注：床围有缠绕风险，需慎重）。

睡前坐起来或者站起来的情况：宝宝明明很困，但放到小床就坐起来，甚至站起来，总之是哭闹不睡。这种情况我是给个奶嘴、安抚巾甚至牙胶，让她有点事做，这样注意力就不放在运动上了。又困又有事做的时候，比较容易睡着。

（3）半夜坐起来或者站起来

曾尝试过：在她闹的时候喂奶，因为原本半夜就不吃奶，所以作用不大。

后来的做法是：不管她，因为有几次我发现她自己坐着不知道在干什么，但我实在很困，就自己睡了；再醒来，发现她也睡了。

如果，她大叫或者喊我，就起来抱抱她，安抚一下，甚至用背带背她一会儿，一般也能睡着。最难的一次是夜里2～3点，她非常清醒，于是背着她在露台吹了20分钟风。

此外，白天的活动要足够，多爬多玩，宝宝心情好，运动量大，也有利于睡眠。

二 天没亮就醒

早醒也是这个年龄段常见的问题，尤其夏季更为突出。本书第十章有详细叙述。一般来说改善的方式是：采取遮光措施、重新调整作息、推迟或者提前入睡时间、采用回笼觉等。如果这些方式都无效，也不要太担心，一般随着宝宝成长，会自行好转的。此外，家长早点睡和宝宝同步作息也会改善晨起的感受。

三 睡觉时尤其认人

表现为：半梦半醒间会抬头看有没有人，没人就大哭，一来人就睡！夜晚闹觉挑人哄，只要妈妈。

这个阶段婴儿对养育者有更深的依恋，陌生人焦虑、分离焦虑初现，这是常见的现象。

家长问 只有奶奶哄才睡，别人包括妈妈哄都哭闹。有时睡到中途睁眼看看旁边，是奶奶就能自己入睡，别人就哭，怎么让他跟别人睡呢？

小土答 如果能够完全无须陪伴就入睡就不存在这个问题。不过很多孩子在这个阶段未必能够做到无陪伴入睡。睡眠是个很特殊的时期，成人都有认床的现象，而小孩子睡觉认人就更常见。足够熟的人，宝宝才能接受其来“侍寝”，这是前提。可以尝试让其他宝宝熟悉的人陪睡，这时奶奶最好能回避，比如告诉宝宝奶奶出门买菜了，这样他接受起来容易一些。

四　半夜起来玩儿

这个问题并非4～6个月的宝宝所独有，故列本书第十章专题专解内。如果是偶然情况，无须太过担心，以装睡观察为主。如果已经有习惯化的趋势，则需调整作息，进一步增加运动量。

五　依赖吃手入睡

在调查中发现，这个阶段的宝宝已经有依赖吃手入睡的情况。吃手属于自我安抚，无须过度干涉。当然如果孩子吃手过于频繁，令妈妈很焦虑，也可以尝试分散其注意力以及增加安抚进行干预。

六　小吃货变厌奶君

宝宝只有犯困时才想到吃奶，醒着不愿意吃，一看到乳头就哭，清醒状态下只吃一边，换边就大哭打挺。严重的时候白天一天下来一块尿不湿都尿不满。

厌奶一般是宝宝3个月以后高发，四五个月的宝宝也都有发生。有的1周即好转，还有一些可以持续数月。

厌奶的来龙去脉及应对法则

产生的原因	详解	对策
强迫进食	经过3个月的成长，婴儿胃容量增加，吃奶的效率变高、时间缩短、间隔变长。家长如果没及时注意到这种变化，还按原来的喂养频率，就可有产生强迫进食的行为，从而导致厌奶。	注意宝宝已经吃饱的信号，避免将吃奶和被强迫等不好的感受联系在一起。
依赖喂奶哄孩子睡觉	奶睡的睡眠联想，会表现为把吃奶和睡觉紧密联系，不困时就不愿意吃，只有困了才愿意吃，白天和夜间的奶量也出现倒置。	需要逐渐将吃奶和睡觉的联想分开；想着吃这么少怎么办，怎么还没睡，赶紧再来一口，就事与愿违反而容易延长厌奶期。
有过呛奶等不愉快经历	3个月是奶量比较充沛的时期，奶阵、流速过快导致呛奶，也可能导致婴儿拒食。	可以尝试喂食之前先手动刺激出奶阵，待到流速正常再喂；注意婴儿的反馈，及时调整喂养的姿势。
婴儿为偏好抗争	母亲两侧乳房的流速、产量，乃至大小，一直的喂养习惯，都能导致婴儿的偏好，原本两边都吃，会变得更偏好某一边。	从一开始喂养时就注意不要总先喂某一边，两边可以轮换，这样不容易产生吃习惯一边，另一边不熟悉而拒吃的情况。
婴儿对外界关注度提高	从第4个月开始，婴儿更加关心外界环境，吃奶不专心就是其中一个表现。小时候那种含上奶头，啥都不管，只顾埋头吃的时代，已经一去不复返了。	喂奶的时候，尽量保持环境安静舒适，减少刺激，避免分散宝宝的注意力，有条件的，可以单独在一间屋子喂奶。 母乳妈妈很辛苦，也很少有自己的时间，常趁喂奶的间隔看看手机来放松一下。但喂奶也是亲子情感的交流，试想如果只看手机不看宝宝，那他也很可能分心。
需要引入新食物	从出生起，只有奶这一种食物，有时候厌奶也是孩子需要引入辅食，尝试更丰富食物的信号。	很多权威机构都提倡前6个月纯母乳喂养，有需要提前添加辅食的，可以咨询儿科医生的建议后酌情处理。 配方奶喂养的情况，还可以尝试是否转换品牌后，厌奶会有所好转。
积食、前期长得比较快	西医中并没有“积食”的概念，这条是基于妈妈们的感受和判断写的，意在安抚焦虑。	相信宝宝的调节能力，不因一两天食欲不振而过度焦虑。

厌奶期能喂迷糊奶吗?

如果厌奶本身由奶睡的睡眠联想引起，那继续喂迷糊奶可能就会陷在恶性循环中，最好不主动吃就不喂。不主动喂时，进食间隔可能非常长，有妈妈遇到过宝宝长达8小时不进食的情况，令人煎熬，需做好心理准备。如果由其他原因引起的，可以酌情看是否需要喂迷糊奶。

总的来说，生理性的厌奶期不会持续很久，也不影响身体的正常发育。如果遇到了，妈妈要淡定一些，注意调整养育方式适应孩子的变化，平静渡过。如果持续时间过长，生长曲线不正常，就要引起重视，排查病理性因素。

七 秘密武器失灵——奶不睡了

宝宝以前每次吃完就马上睡去，现在吃奶后不能马上睡，吃一口翻个身睡不着，再回来吃，反复很多次，折腾很久才睡着。有时吃着奶，闭着眼睛，以为睡着了，结果又突然来精神了。

头三个月靠奶睡，比较省力，一些妈妈已经习惯了这样的模式。三个月后，妈妈突然发现，孩子奶不睡了，但又不熟悉哄睡，于是很烦恼。其实“奶不睡”是正常现象，吃完翻翻再睡，正是宝宝学习入睡的机会，这种情况不要反复塞乳头。

第三节 前阶段的延续问题

一 入睡难、睡前哭、睡醒哭

问题	具体遭遇的状况
入睡难、哭闹多	每次睡前必哭，以前醒了就哼唧找吃的，现在是号啕大哭。
小睡短	白天小睡就半小时，尝试了提前安抚、拍、奶睡都接不上。
夜频醒	夜里频繁醒，后半夜几乎1小时一次，到早上5点就完全醒。

这些问题比较复杂，且并非4～6个月所独有的，所以放在第四章进行专题的讨论，这里列一些小建议。

★ 本月龄段，如小睡实在很困难（尤其傍晚觉），仍可尝试背巾、推车、安全座椅内入睡等方式。虽然并非最好的选择，不可过于依赖，但至少入睡、接觉相对省力，妈妈也可以散散心，平和的心境也能带来更好的亲子互动。

★ 如果有个频醒的娃，就抓紧一切时间睡觉吧，他睡了你就睡，这样半夜不那么困，降低起夜的痛苦感。

★ 妈妈夜里太累，可以挤出一些在瓶内备用（奶瓶置于有冰袋的背奶包内，需要时用暖奶器温热）。夜里夫妻两人换着起来，休息改善了，焦虑的情绪也会缓解。夜里让爸爸帮忙安抚孩子，有可能还会改善夜醒。

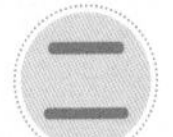

依赖奶睡、安抚奶嘴

妈妈一抱，就要找奶，无论距上一次进食相隔多久，不给就哭闹。宝宝喜欢含着乳头睡，一动就醒，夜里醒来除了喂奶很难安抚。

前三个月，奶睡所导致的关联问题尚不多，但到了这个阶段依赖奶睡、奶嘴的现象就比较突出了，这并非本阶段所独有，在之后的月龄也有，可参见本书第四章内容。

家长问

只要妈妈抱着，宝宝就不睡，一直笑或者要奶喝。但外婆抱，最多15分钟，宝宝肯定能睡着，这是怎么回事？

小土答

妈妈抱宝宝，特别是只有奶睡一个睡眠联想时，很容易发生只要妈妈抱时就要喝奶，宝宝根本平静不了。

还有一种相反的情况是，其他人抱都哭闹，但妈妈一抱就没事了。这是因为，宝宝跟妈妈最熟悉，最依赖妈妈。别人陪玩可以，陪睡不行。常出现的情况是爸爸一抱，宝宝就哭了，爸爸像碰烫手山芋一样将宝宝丢给妈妈。其实感情是需要培养的，投入越多，跟他越熟，就越能安抚他。

第四节 其他需要了解的内容

一 妈妈即将上班的准备

妈妈们的产假很快就结束了，即将回归职场。各种放心不下，但还得打起精神，做好上班前的准备：背奶、引入奶瓶、让宝宝熟悉新看护者等。

我的记录：“宝宝5个多月，明天要上班了，有和恋人分离的感觉，不是宝宝恋母，是为娘恋子。”

1. 引入奶瓶

不同奶嘴流速不同，要根据宝宝月龄选择，避免流速太快或太慢引起宝宝反感。和宝宝的安抚奶嘴相似的奶瓶奶嘴，接受度更高。

（1）何时开始准备引入奶瓶

奶瓶和亲喂即便装的都是母乳，两者口感、吸吮方式仍有很大区别。婴儿见到陌生人都要观察一阵子才能适应，更别说接受替代妈妈的奶瓶。

我遇到的案例中，因为没有提前准备，在妈妈上班的第一天，比较执着的宝宝会大哭，甚至饿上一天才勉强吃一点，几近绝食，着实令人心疼。

所以，妈妈上班前，至少提前两周而不是两天，就开始让宝宝适应奶瓶。当然奶瓶的引入需避免产生乳头混淆，最好不要早于出生后的3～4周。

（2）如何让奶瓶的引入更顺利

类似辅食添加，引入奶瓶是渐进的过程。一开始引入未必要吃，可以作为玩具放在一边，过几天熟悉了，再尝试吃。

常见的一个说法是婴儿比较饿的时候更易于接受奶瓶。但有时饿急了反而情绪很差，此时再给他一个陌生的奶瓶，无疑是火上浇油，会遭到拒绝。

为了区别于亲喂，奶瓶可以让宝宝熟悉的其他养育者喂。

将奶嘴温热，尽量模拟妈妈亲喂的感觉，还可以涂一些母乳增加熟悉感。

（3）为什么用奶瓶后，宝宝吃那么少

多数从来没有吃过奶瓶的婴儿，开始只能勉强接受十几毫升，浅尝辄止，这是常见的，适应之后量也会逐渐提升。

如果不接受奶瓶，还可以尝试勺子、鸭嘴杯、吸管杯甚至直接用小口杯喝。整个过程要有耐心、不强迫。

（4）宝宝习惯奶瓶后吃得好多，如何避免过度喂养

奶瓶流速快，容易吃到撑还在继续，最好不要躺着喝奶，而是上身直立，喂到差不多时，往外拿一拿，看是否已经饱了。饱了之后，千万别反复尝试："乖宝宝，再吃点，再吃点！"

（5）转奶的过程

背奶让宝宝能够继续喝母乳，是更好的选择。但如因母乳不足，要引入配方奶时还涉及**转奶**。太激烈的转变有可能造成肠道的负担，不同品牌间的切换也要渐进。配方奶和母乳掺在一起，从25%—50%—100%，逐渐增加比例，通过几天乃至十几天的适应，至完全替代。

转奶过程，宝宝可能肠道不适应，影响睡眠，妈妈需有心理准备。

2. 换看护人

这个阶段大部分宝宝的陌生人焦虑尚不严重，也不涉及辅食的添加。妈妈为了生计重返工作岗位，在本阶段引入新看护人是相对较好的时机。

向我求助睡眠问题的妈妈中有不少正是因为一直亲喂奶睡，即将上班时接手的老人又不熟悉哄睡，所以颇为焦虑。有一些妈妈甚至为此动了辞职的念头。我也经历过这样的纠结，明白不管对于谁这都是个艰难的过程。

困难无法回避，应对的关键是：要有充分的交接过渡期，避免今天来人、明天立马上岗的情况，减少突然转变给孩子带来的压力、恐惧。

二 上午觉减少为一个

宝宝在3～4个月时，进食间隔也逐渐增加，由3小时左右向更长的4小时转变，也会进行4觉向3觉的转变，因此小睡可能出现混乱。所涉及的是，全天作息的系统调整，可参见本书第十章并觉专题。

三 小牙初露尖尖角

出牙早的宝宝，在4～6个月时，已经开始了小牙的萌发。长牙期间睡眠很可能受到比较大的影响。本书第十章有详细论述。

第五节 4～6个月作息实例

以下几款作息，是根据本月龄宝宝的睡眠需求、生理特点，结合妈妈们日常中可能会遇到的多种情况整理而成。为的是尽可能呈现本阶段宝宝的各种生活状态，帮助妈妈了解和掌握宝宝的生活规律，可结合宝宝实际情况、家庭条件选取一两种作为执行的参考。

作息中除了喝奶、睡觉之外的时间都是在玩耍，为避免重复没有单独列出。宝宝对外界兴趣增加后，玩耍的重要性日益突出。

一 本阶段推荐的一些活动

★ 躲猫猫：

还不会爬时，妈妈用手捂住脸再拿开，或者妈妈进出房门，宝宝在视觉上会有妈妈在和妈妈消失的感觉。

如果已经会爬，引宝宝爬来找妈妈，找到再接着换地方躲，出现一下让他知道妈妈的位置，然后藏一下再探头出来，发出声音吸引宝宝寻找，窗帘后、门后，不同房间都可以躲。

★ 带宝宝游泳

★ 多趴着玩儿，地垫上、床上、大人身上、沙发上都是可以趴的场所。

二 作息实例A：基本的理想化作息

作息实例特点：比较理想化的作息，适用于夜觉质量高、起床时间规律、白天小觉长或接觉容易、清醒时精神较好的宝宝。不过对很多人来说难度也高。

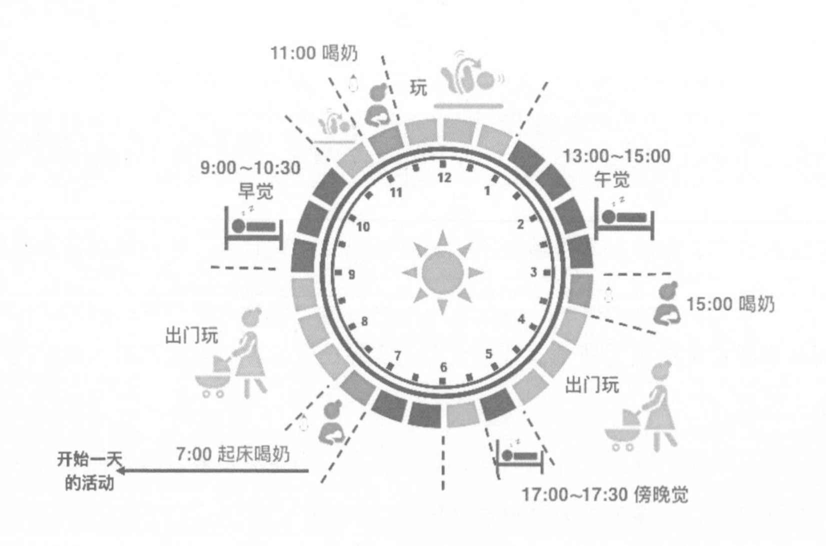

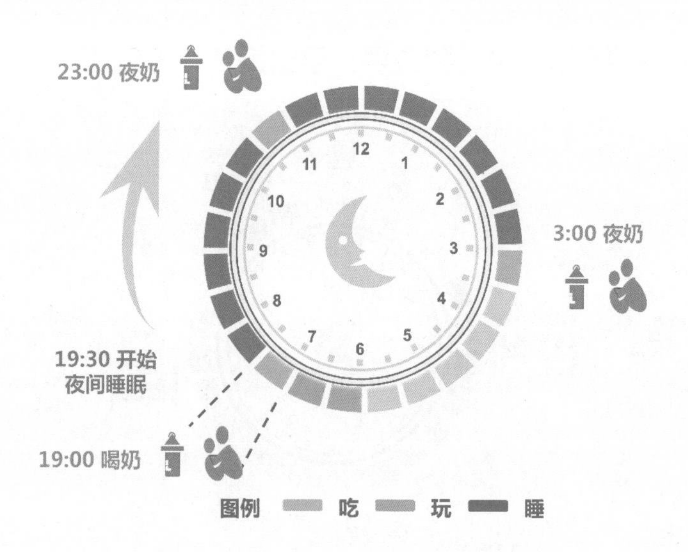

生活往往没有那么理想化，很多时候我们会遇到和基本作息不一样的情况。下面介绍的是几款基本作息的变体，分别对应于早醒、早觉长午觉短、早觉短午觉长、小睡均短的情况。夜间情况变化不多，后面就不重复了。

作息实例 B：醒得早，需回笼觉，全天作息顺延

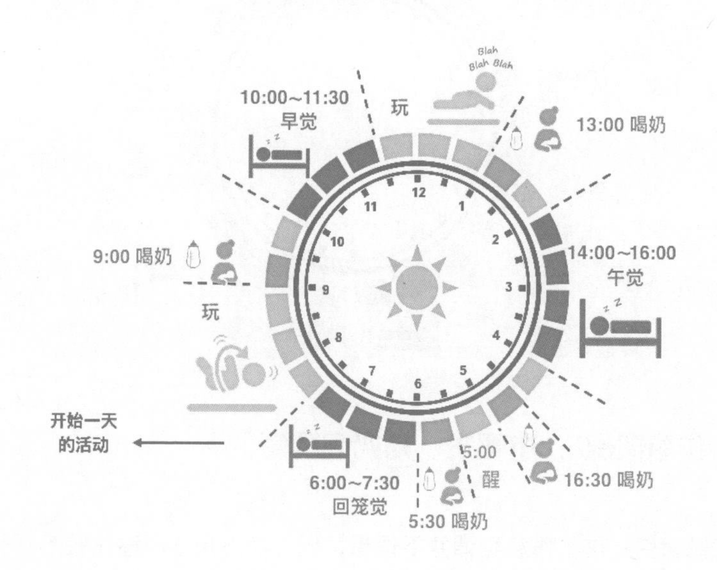

四 作息实例C：早上醒得早，早觉偏长，午觉短

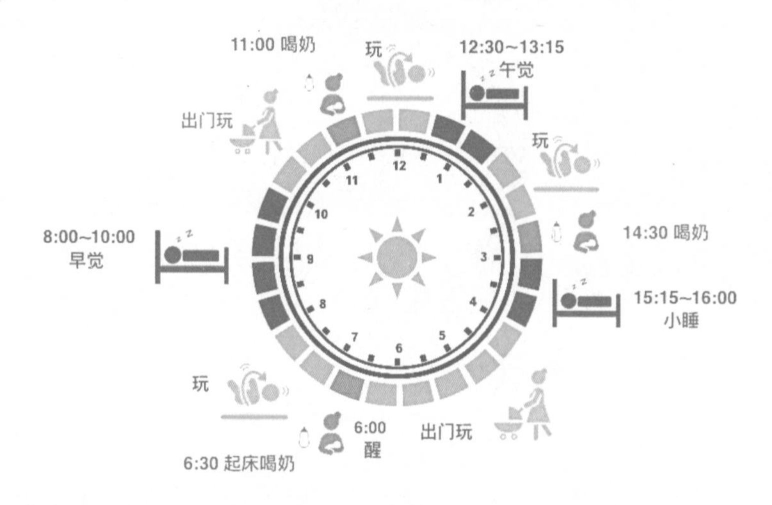

五 作息实例D：早觉偏短，午觉较长

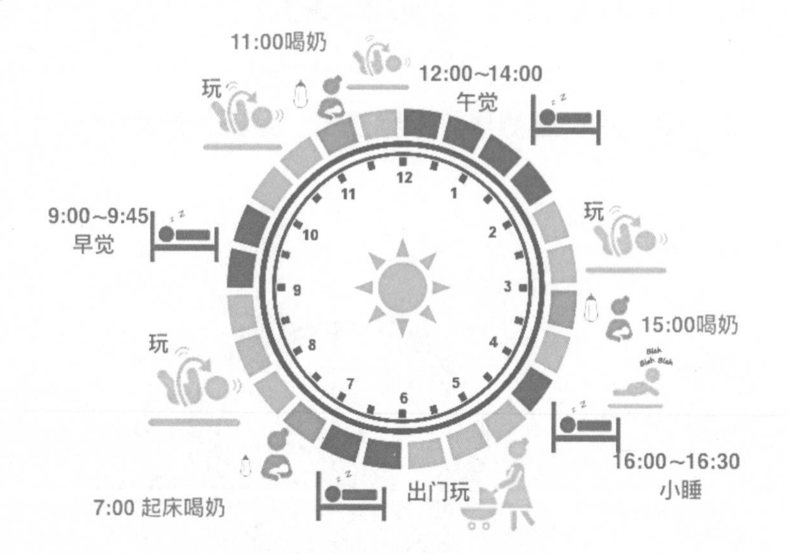

六 作息实例E：小睡短、喝奶间隔短

作息实例特点：这款作息可谓并不理想，但可能适用于小睡比较难睡长、需要增加小睡的数量弥补的宝宝，作息中喂奶间隔也比较短。

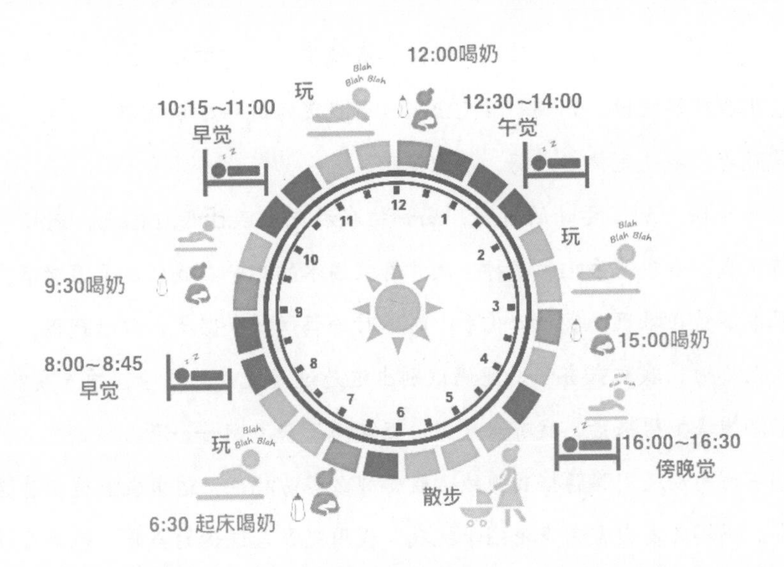

第六节　妈妈们的睡眠摸索实录

一　哄睡大战

由为为妈分享

这篇文章是以宝宝的口吻写的。有人说看完这篇文章，对熊孩子的愤愤立即减少了一半，我知道很多宝宝都是英雄所见略同。关于这篇的注解，我决定暂时抛开我那些叨叨叨，让这则短文轻松到底，想哭想笑都尽情吧。

我昨天白天睡了很久，今天回忆起来觉得错过了很多精彩的瞬间，很懊恼。时间多宝贵呀，尤其像我这种帅哥，再说睡觉多没有创意！

所以我今天不准备睡了，妈妈哄我睡，我就笑，笑没用我就四处看，看厌了我就哭，哭没用我就假装饿。妈妈一准儿上当，看我哭的诚恳赶紧喂奶，心里肯定还想着我吃奶就睡着。我吃完就起来嗨，让她傻眼。

玩了一小时，到了要睡的时间，妈妈把我放床上，让我自己玩，还按了海马放歌，想催眠我。看我吃手吃的精神，又拿着装温水的杯子在我肚皮上滚呀滚。这些招数，我根本不放在眼里。我照旧吃手，时不时给妈妈一个微笑，以示藐视。

醒了两小时，我更兴奋了。妈妈识别出这是过度疲劳的信号，抱着我就要哄睡。她来势汹汹抱我抱得很紧，我有点紧张，直接用了杀手锏——哭。

妈妈不为所动还用胳膊挡我视线，我哪那么容易就范，边嗷嗷嗷边扭着腰伸长脖子往外看。妈妈又发出嗡嗡声企图干扰我，我用哭声盖过她的声音，她再盖过我。这样持续了几分钟，我扛不住了，渐渐闭上了眼睛。

突然我打了一个激灵，眼睛又张开四处看。顽强如我，当然没那么容易投降！妈妈又开始了对我新一轮的轰炸，终于我放弃抵抗，睡着了……

怪只怪妈妈今天运气不好，打了一个喷嚏，把刚睡几分钟的我吵醒了。我才不会乖乖就范，妈妈又开始抱着我走，还开始像开飞机一样抱着我穿入云层又下降。这是新招式呀，我提高警惕，调整战略。

这次我安静地躺在妈妈怀里，一会儿对着她笑，一会儿打个哈欠。让妈妈不知道下一步走什么棋，猜不透我这样是养精蓄锐准备揭竿而起呢，还是睡意渐浓。这样抱着我走哇走哇，不知道持续了多久，慢慢地摧毁她的信念，保不齐她就放弃了。

果然，妈妈坐下来开始给爸爸打电话求助。爸爸说不要她太累，让她别管我。但是，挂了电话妈妈仿佛从爸爸的劝阻里吸收了莫名其妙的能量，又开始抱着我走哇走哇，嗡呀嗡呀，就是不愿意错过我一次小睡的机会。

瞧，这个游戏开始不好玩了。算了，不和妈妈玩了。我慢慢闭上眼睛，进入梦乡。

咦，为什么睡着了的我，脸上挂着微笑呢？

睡眠引导

由小云朵妈妈分享

这个案例中的问题和解决方法都相对容易，和宝宝本身脾气好，适应性强有关。大部分被睡眠困扰的家长可能没有如此幸运，别气馁，思路仍是可以借鉴的，概括起来就是区分困和饿的需求，减少对奶睡的依赖，在睡眠困难时帮助接觉，减少夜间的干预。

小云朵的变化	之前的状态描述	4个月时做的改变	效果
喂养情况	一闹就以为是饿，就会喂奶。 不闹时候2.5～3小时一喂，闹的时候一个多小时就喂，离不了人。	掌握宝宝睡眠规律，固定喂奶时间。 用备忘录记录下宝宝的作息。 喂奶间隔拉长至3.5小时左右。	知道她大概什么时候困，提早安排安静的活动，提早放床上，很快，她转两下自己就睡着了。 而且三个多小时一吃后，她吃奶也不像之前那样漫不经心了，不会吃一点就吐出。 妈妈也可以适时走开做自己的事。
白天的睡眠量	出月子后基本上是早上睡1小时左右，下午跟我一起睡3小时，晚上再小睡1小时。 妈妈不在时，没规律，有的时候2小时，有时却只有半小时。	睡着之后0.5～1小时易醒，在出现手指、摇头、眼皮跳跃等现象时轻拍，接觉。	基本能睡1.5小时以上。因为睡的足，醒来不哭不闹自己玩。 2小时放床上睡，妈妈困就在旁边一起睡，不困就走开。或者半小时左右过来在旁边观察着，接觉结束，等睡熟了再离开。
白天的入睡方式	白天基本上抱着哄睡，晚上奶睡。 玩着玩着想睡觉时就抱着边走边晃，老是闹觉，幸运的时候几分钟就睡，夸张时，哄上20分钟才睡。	培养入睡能力：白天看宝宝安静下来就立刻放床上，哭起来轻拍几下安慰； 情绪性大哭的时候抱起安慰，缓和了再放床上； 全程陪在她身边，安静待着。	前几次还会情绪性大哭，后来一到点就会自己安静下来睡觉。 在床上可以自己睡，在摇椅上也能睡着，抱着就更简单了。 除了晚上入睡有1次奶睡，其他情况都不需要奶睡，吃奶等于睡觉的睡眠联想打破。

续表

小云朵的变化	之前的状态描述	4个月时做的改变	效果
晚上的睡眠量和入睡状况	出月子后就基本只有夜奶2次；2个多月开始1次夜奶；3个月左右有一段时间晚上10点一直到早上6点才吃奶。 边吃边睡醒基本不醒，但为了成功奶睡着，反复塞奶头，偶尔她含着乳头的时间长达半个多小时，无法离人。	晚上喂完奶，如果她还没睡着，不强行喂，等到安抚性吸吮时把乳头拔出，让她自己待着，直到睡着。 夜里醒来，确定是饿了才喂；吃完如果还清醒着，不是情绪性大哭，就不干预。	入睡的本领已经越来越高，闹觉的次数也越来越少，夜里如果清醒了，很快也能睡着。

三 向整夜觉前进

这是我家宝宝5个月后开始睡眠调整的记录，是我的第一篇帖子。当时参考了《实用程序育儿法》，这本书也是我的启蒙书。当我了解和积累了更多实际案例后，发现以前也走了不少弯路，这篇文章也都会分析到。

1. 之前的状况

睡：会闹觉，睡的时间不可预期。

宝宝2～3个月时，我一个人带他，哄睡放在床上，一放就醒，也不懂何为原地安抚，不懂接觉，于是就全程抱着，一天要抱4小时。爸爸下班回来替我，接着抱，我才去扒两口饭吃。后来还腰椎间盘突出了，这是后话。

4个月的时候，发现可以放在床上睡了，但是还是睡不长，翻来覆去感觉睡不踏实，常常就是45分钟，很少超过1小时。靠抱着睡，推车里面推着睡或中间吃奶续觉。

吃：2.5小时左右吃一次奶，哭闹时常分不清是饿还是困。

晚上入睡：以奶睡为主，入睡时间不固定，8点多，9点多都有。

晚间醒来：头一觉稍长，到夜里1点，1点之后2小时或者1.5小时醒，醒来很难安抚，吃不到奶就哭。给奶继续睡，也会偶尔出现吃完奶十几分钟又醒的情况。

早上醒来：到早上5～6点，吃奶也不继续睡，醒来会打哈欠，但再哄睡非常困难。

改变的契机：百天之前还有几次放在床上自己入睡的，百天之后一次也没有出现过，这时我才意识到，每次宝宝需要睡觉，怕他磨觉，喂他吃奶，摇他入睡，可能反而让宝宝错过了最好的学习自我入眠技巧的时机。

2. 进行睡眠调整的过程

第一步：用了几天时间记录了起居情况，何时醒、大概什么时候吃、吃多少、小睡的时间、时长、晚间入睡情况、晚间几点夜醒，尤其是宝宝困的时候有什么表现。对可能影响睡眠的特殊情况，比如湿疹等，进行了排查和调整。

第二步：正式的睡眠引导

区分饿、困，规律喂养：宝宝醒来的时候把他喂饱，以这次吃的节点计算时间，预计下一顿喂食时间大概是3.5～4小时后，在下一顿之前，间隔太短的哭闹，先不认为是饿，去排查其他原因。

保证活动质量：在他吃饱后尽量陪玩他喜欢的游戏，保持比较兴奋的状态，1～2小时后留意是否有困的迹象出现。

发现困的迹象，哄睡：如果有困的迹象，就开始哄宝宝睡觉，轻轻和宝宝说说话，拍他后背。在宝宝没有睡着之前，已经平静下来时，把他轻轻放在床上。如果宝宝放下开始像说话一样咿咿呀呀，甚至声音中透露出烦躁痛苦，用拍拍、白噪音等安抚的方式来缓解。

如果情绪失控，哭得太厉害就抱起他，安抚情绪，哭泣缓解或者不哭了即可尝试放下。不用等宝宝在手上睡踏实了再放下。

尝试接觉：为了避免宝宝小睡时间过短，醒来的时候仍然疲劳，通常在宝宝醒来前5分钟，开始轻轻拍拍宝宝的背，把手放在他身上之类，甚至抱起来一下，让他继续睡。即使醒来但精神很好，也不勉强接觉。

夜间醒来：到了每夜都醒来的时间，也是采用抱起安抚，在不哭闹但没有完全睡着时放下。虽然费时比抱着摇晃睡或者奶睡要长，但还是让他多一些机会适应新的入睡方式。如果宝宝醒来哭闹过久，也可尝试采用多抱一会儿，甚至摇晃、喂奶，保全妈妈的体力和情绪。

3. 睡眠引导后的状况

第1~2天：开始留意、学习区分饿及困的信号。了解信号后，比较顺利地从原先的2.5小时进食过渡到4小时喂一次（但不是完全卡点）。

随后的几天：尽力让宝宝醒着入睡，帮助接觉，改变吃奶和睡觉的联系。生活规律了，小睡入睡变容易，时间也长了，夜醒减少。

虽然还是要人为帮助接觉，但是小睡时长用了一两天就延长到过1.5小时，十几天的调整期后，睡眠状况有轻微反复，但逐渐稳定。虽然并不是能直接丢到床上自己就睡，但在进行睡眠仪式后几分钟，尝试入睡就能睡着，我已经觉得很幸福了。

从下面的表也可以看出对比，之前一天都很忙乱，调整之后明显吃奶的效率提高，宝宝的觉长了，总体的睡眠量也上去了。孩子的状态更好，我也获得了更多的休息时间，不再忙乱。

无规则喂养（5个月+3天）	调整后的第六天（5个月+11天）
6:15醒 7:00第一顿奶 8:00~8:30睡觉（注：不懂得接觉，半小时就以为彻底醒了） 9:15第二顿奶（注：睡得短就吃得频） 10:00第三顿奶（注：不懂得区分饿和困） 11:05~11:30 睡觉（注：又是只有半小时）	6:50醒 7:30第一顿奶 8:25~10:15睡觉 11:30第二顿奶
13:10~14:00睡觉 14:00第四顿奶（注：靠奶接觉） 14:00~14:55继续睡 17:00~17:30睡觉 17:45洗澡	12:35~15:15睡觉（注：中途接觉了） 15:30第三顿奶 16:15~17:00睡觉

续表

无规则喂养（5个月+3天）	调整后的第六天（5个月+11天）
18:05第五顿奶 20:00第六顿奶奶睡	19:30第四顿奶 20:30开始哄睡（注：时间偏晚了） 23:00梦中吃第五顿奶（注：这顿不是很必要，可以后半夜第一次醒来再喂）
01:00 夜醒吃第七顿奶（注：不懂得还有其他方式安抚，只知道喂奶） 03:00 夜醒吃第八顿奶 05:00 夜醒吃第九顿奶	03:00反复翻动，担心饿给吃奶（翻身期的正常现象，其实未必需要干预）

4. 后记

我家宝宝脾气比较温和，可以说是天使宝宝，他的睡眠问题主要是因为我缺乏睡眠知识导致的。尤其是我早期过度追求亲密，每次宝宝一哭，我特别着急，第一反应就是喂奶，不懂得要先判断原因。随着宝宝的成长，需求越来越复杂，这种亲密无间和毫无延迟需求的做法，反而会破坏了观察宝宝的机会和他自我适应能力的发展。

孩子爸爸下班比较晚，宝宝总是在爸爸回来后要玩一会儿，习惯性的越睡越晚，也影响了宝宝的睡眠。

第七章

7～9个月的睡眠

这个阶段，很多孩子开始学爬和坐。视角和技能上的提升，带给婴儿全新的感受，和家长的互动也更有意思。作为已经陪伴宝宝6个多月的新手父母来说，仿佛一直的单恋有了回音，颇有苦尽甘来之感。

新手爸妈们为宝宝提供安全的环境，让宝宝能够愉快地去探索、练习技能，对他们的发育和成长非常有帮助。

宝宝开始明白更多事物之间的差别，喜欢观察细节，有时候甚至会目不转睛地注视地上的碎屑；还对因果联系、时间和事件顺序产生了浓厚的兴趣。

爱发出声响，比如吐口水的噗噗声，这种兴趣也是语言学习的萌芽。他们正逐渐能够明白成人的意思，玩的时候多观察宝宝的注意点在哪里，适时说一些相关的话题。躲猫猫仍旧是宝宝最喜爱的游戏，而爬更是极大地拓展了宝宝的活动范围和运动量。

6个月之后，宝宝开始区别对待陌生人和家人，碰到陌生人会紧张、哭泣，对妈妈表现出特别的依恋，也就是常说的“陌生人焦虑”以及“分离焦虑”，这些状况的出现都给睡眠带来了新的变数。

在快9个月大时会开始第六个大脑发育跳跃期，并持续接近1个月。

辅食的添加是这个阶段养育最大的课题之一，吃和睡如何安排，需要调整作息去适应新阶段的新挑战。

第一节 7～9个月睡眠情况

在819人参与的调查中，家长普遍感觉到和4～6个月相比，宝宝睡得更好了，有突然长大之感。

第七个月，有部分宝宝已经有连续10小时左右的睡眠，不再需要夜奶了。小睡数量逐渐由3觉向2觉过渡，出现并觉的需求。到第九个月末时，傍晚觉正式退出历史舞台，大部分小朋友只睡2觉。

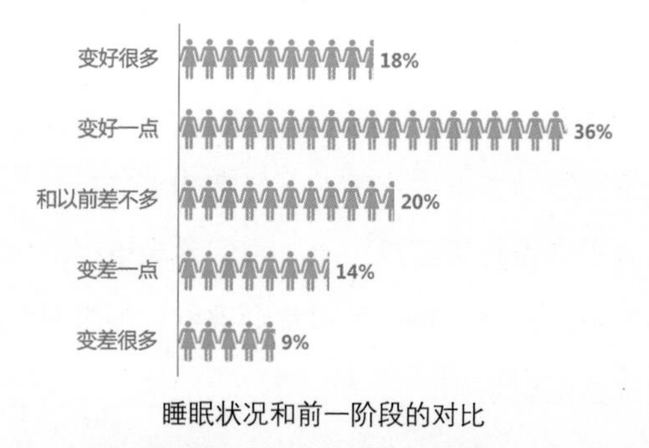

睡眠状况和前一阶段的对比

月龄	小睡醒睡间隔	白天小睡	夜间睡眠	连续睡眠长度	全天睡眠量
7～9个月	2～3.5小时	2.5～4小时	10～12小时	7～12小时	12.5～14小时

其中不少宝宝小睡有了突破，能超过30～45分钟达到1～1.5小时及以上，即便仍不是自主入睡，一旦睡着却已经能睡长了。还有部分宝宝，仍然依赖奶睡、抱睡，小睡还是不长，起夜也多。

如果原先的睡眠状况很差，这是一个比较好的介入时期，因为身体原因没有前两个阶段那么复杂，睡眠更成熟，内外界干扰因素也少。

第二节 高发状况详解

同一个网络投票中，除却依赖抱睡、奶睡、睡眠倒退这样的老问题外，高发的睡眠状况包括：翻身影响睡眠、长牙期睡眠变差、分离焦虑、不陪就醒、哄睡认人、黄昏觉入睡困难，甚至有不少妈妈同时面临几个问题的。

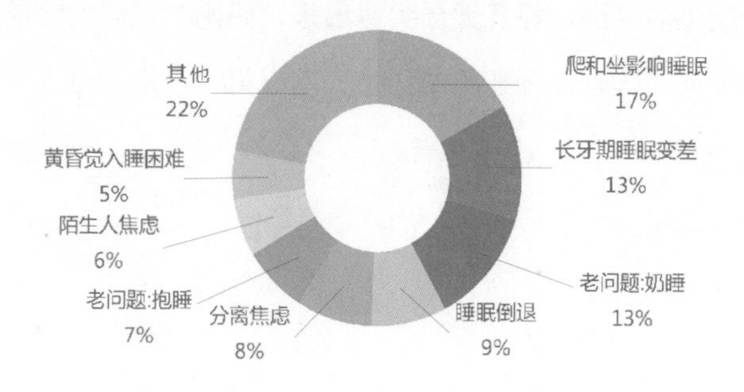

一　爬、坐对睡眠的影响

7～9个月中，不少宝宝学会了爬，学爬的早晚和季节也有关系。冬季宝宝穿的衣服比较厚重，天冷妈妈不舍得将宝宝放地上，常会延缓进程。

大运动对睡眠的影响，几乎在每个阶段都会遇到，很难避免。能从翻身影响睡眠的章节里找到一些共性的应对法则：

★ 清醒时增加练习的时间、空间；

★ 睡眠中爬走、站起时，采用分散注意力、限制活动的方式，尽量让宝宝维持躺着的状态。

妈妈们的经历

以前晚上我会和宝宝打“太极”，她如果要站床玩儿，你硬要她躺下，她不开心就开始大哭，之后就不好收场。所以我采取她站她的，但是我会用手握着她脚，她用力，但我不使力的方法。她放松，我拉她靠拢。情绪很重要。如此几个回合，她就躺床上安静地睡去。

二　长牙期的“噩梦”

长牙对睡眠有影响，大部分孩子在这个阶段会萌出第一颗小白牙。不少妈妈先是遭遇宝宝夜里无端尖叫惊醒，等几天牙尖冒出来，妈妈才恍然大悟前几天宝宝的闹腾是为何。关于长牙期的睡眠，牙和睡的纠结，本书第十一章会有进一步解读。

三 突然的分离焦虑

宝宝过了6个月明显感觉有分离焦虑了。以前把她放在一个安全舒服的姿势，给些玩具，自己能自娱自乐20分钟都没问题，我跑开能做很多家务。最近发现，同样情况，我一跑开她就尖叫，好像说：“妈妈你去哪儿了啊？”我一回来她就冲我笑，自己接着玩。

妈妈出门上班去了，到了入睡时间，孩子都可能明显表现出分离焦虑。这在7～9个月，尤为明显，也是很常见的。

在明确依恋阶段（6～8个月到18个月至2岁），对熟悉的养育者的依恋已非常明显，婴儿表现出分离焦虑（separation anxiety），在他们依赖的成人离开时烦躁不安。分离焦虑并非一直存在，和陌生人焦虑一样，它取决于婴儿的气质和当前的情境。在许多文化中，分离焦虑在6～15个月越来越重。除了抗议父母的离开，稍大些的婴儿还试图让他们一直在身边。他们把熟悉的养育者作为安全基地，对环境进行探索。

——摘自《伯克毕生儿童发展心理学》

我曾听一位妈妈描述，他的宝宝一岁多能说话时，曾表示不愿意睡觉是因为怕见不到妈妈。虽然这不是抗拒睡眠的主因，但仍然可以从这样的话语中感受到尚未能言表时宝宝的内心。

一些缓解举措：

★ 用温柔有信心的语调，向宝宝做出保证“没事的，妈妈没走远”“妈妈还会回来的”，来去都提前告知宝宝，不突然袭击、不偷偷溜走，增加互动的质量，能帮助孩子平稳度过这个时期。

★ 还可以用“躲猫猫”的游戏，帮宝宝建立起妈妈虽然不见了，但很快还会回来的概念。

★ 睡前充分的、高质量的陪伴和互动，对这个阶段尤为重要。换位思考，苦等妈妈一天，还没来得及好好和妈妈发发嗲，就得去屋里睡觉，这样宝宝们接受起来确实有难度（小提醒：无界限地过度关注，也会造成问题）。

家长问 宝宝8个月，他在床上睡着后，我悄悄起身，10分钟内必醒，没看到人就哭！感觉他只认妈妈，不认其他安抚物，怎么办？

小土答 分离焦虑在这个阶段是比较常见的，心态上放松一些。如果宝宝总是“查岗”，睡后不要立即走，过一阵子，宝宝会明白妈妈在就不会那么敏感，妈妈反而容易走开了。还可以尝试没睡着之前就告知宝宝，妈妈要去做家务，等下会回来，如此多做演练。安抚物的引入需要时间，慢慢培养。

这种与另一个的存在有联系的感受，是主要协助婴儿放心入睡的原因，睡前所玩的各种不同的游戏各有其微妙的功能，例如与婴儿协商转换至另一个状态，或是安抚他的恐惧。婴儿感受到母亲的了解有助于他承受夜里发生的种种变化。

——摘自《夜未眠》

妈妈们的经历

在我7个月产假结束后，宝宝白天一个睡眠周期就哭醒很难再睡，晚上1小时哭醒1次，必须我拍拍或者摸摸确定我在才能再次入睡。最开始我以为是睡眠引导反复了，他哭醒的时候，我不理，一般哭一会儿也能继续入睡，但是接下来每小时都会哭醒。

后来我考虑是分离焦虑，看他要哭醒时提前拍拍、摸摸，让他知道妈妈在，很快就改善了。

宝宝1岁时，每天几小时的哺乳期假结束后，我上班早了，宝宝醒来后喂完奶，我就出门了，陪他的时间明显少了，分离焦虑又来了。这次的表现是夜间醒的不多，不怎么找妈妈，但会在早上不到6点就醒，醒了就站在小床，朝我睡的方向喊妈妈。多陪伴后，又好转了。

四　陌生人焦虑

妈妈们的经历

宝宝8个半月。前天家里来了客人，是姑婆和姥爷。姑婆很喜欢孩子，非要抱宝宝。孩子本来就认生，一有逼迫和压力更甚，哭到崩溃，这3天她一直处于精神紧张状态，晚上超频夜醒，很愧疚作为妈妈没有保护好她。

之前宝宝心情好时，也许谁抱都行。进入本阶段，见人就乐的宝宝，也许会在陌生人出现时，一下子严肃起来。初次见面就搂就抱，会让宝宝害怕甚至哭闹收场。远道而来的爷爷、奶奶、外公、外婆也遭受到这样的待遇，有时令人扫兴。

这种由不熟悉的陌生人引起的恐惧，被称为“陌生人焦虑（Stranger anxiety）”，也就是民间所说的“认生”。

大部分宝宝都会经历这样的阶段，这标志着宝宝能够区别熟悉的人和陌生人，是自我保护和成长的一种。可能会持续较长一段时间，但程度不同，大多数情况，一岁多时就会明显改观。

一些缓解的举措：

★ 成人要以包容、理解之心，给宝宝们足够的时间，慢慢地而不是突然靠近，先了解和熟悉了，最后才是愿意亲近。

★ 尽量不要让宝宝长时间离开父母。

★ 保持生活环境的相对稳定，别频繁地让宝宝去适应新环境、陌生人。

★ 不得已要出远门时，提前和宝宝打好招呼让他有心理准备，带上一些宝宝熟悉的物品，在陌生环境里面要多留意宝宝的情绪，陪伴他。

五 黄昏觉消失

7～9个月，大部分宝宝黄昏小觉消失。消失过程中，会出现入睡困难，不睡又过度疲劳的现象，令人焦急。可参考本书第十章并觉专题。

家长问

刚过6个月的宝宝，傍晚觉难睡，我想放弃傍晚觉，这样对晚上睡眠有无影响?

小土答

睡眠有难易之分，傍晚觉是小睡里最难的一次，有时候得花半小时，比较折磨人。用推车带宝宝出去转一转也可行，在移动中入睡会容易一些。取消傍晚觉期间，需要提前晚间入睡时间，甚至提前到5:30～6:00。宝宝入睡后，可能会像傍晚觉那样，半小时后醒来，如果醒了，可作为夜醒处理，喂一些奶让宝宝继续睡，不要起来玩。

六 奶睡、抱睡——戒比继续难

妈妈们的经历

宝宝8个月，因为我一个人带孩子很累，宝宝晚上醒得比较多，所以为了好哄，我总是一塞乳头尽快哄睡。

很多人尤其全职妈妈，在新问题之外，依旧受小睡短、夜醒频繁等老难题困扰，究其原因，常能发现与奶睡、抱睡相关。

问题延续的原因有很多，最常见的是因为：

★ 不喂就要哄好久，希望宝宝尽快入睡，别累过头，所以喂奶；
★ 产后操劳，手腕、腰没有恢复好，哄睡累，放下易醒，通过躺喂减少疲劳；
★ 夜里怕宝宝哭把宝宝爸、老人吵醒，只能自己默默喂奶。

虽然第三章的“睡眠引导”里提过，入睡方式的改变不是必需的。但此时，问题仍然严重到难以承受，原因也明确是和入睡方式相关，那么解铃还须系铃人，改变奶睡、抱睡就势在必行。

改变不能解决所有问题，但案例中，不少通过改变抱睡、奶睡的宝宝的睡眠有了改善。这样的例子在本书中很多，不再一一列举。

寻求改善甚至比安静等待还要费力。我想对妈妈们说，一旦你想做改变了，就丢掉心理负担，鼓起勇气，长痛不如短痛。

第三节　其他可能遇到的情况

一　妈妈上班后宝宝的起夜增加

我上班以后换了白天照料宝宝的人，宝宝因为不适应夜间啼哭。夜里醒来一次，非常清醒，要玩一会儿才睡觉。

7个月以后，绝大部分职场妈妈返回工作岗位了。比较不巧的是，陌生人焦虑和分离焦虑恰在这个时期逐渐显现，几种情况交织在一起可能会导致宝宝夜醒增多。

还记得我们第一次离开家乡，独自上大学的感受吗？离开最熟悉环境，熟悉的人，这种孤独和害怕，在十几岁时仍然强烈，何况对一个尚未能学步的孩子。

这个阶段需要我们格外地耐心呵护宝宝，增加睡前的高质量陪伴，夜间起夜不一定急于喂奶，可以采用多样化安抚方式。

二 幼儿急疹等疾病引起的睡眠问题

母乳娃，9个月幼儿急疹，后来又感冒。我心疼发烧的黏人小妞，结果夜奶、抱睡全回来了。

幼儿急疹在6个月至2岁是高发年龄段，很多孩子6个月前几乎没有生过病，而幼儿急疹引起的高热，不免让人措手不及、忧心忡忡。这是一道85%以上的宝宝都会经历的关口。为宝宝做好生病期间的护理，烧退疹出即可确认。

宝宝生病期间需要额外的安抚，这也是正常的。妈妈要放松心情，别强求宝宝睡得和身体无恙时同样，这样你和宝宝都会有压力。病好后要及时将增加的安抚戒掉。

宝宝生病可能使原本已经好转的睡眠出现反复，之前情况就不好的，更是雪上加霜，很考验家长的体力和意志力。

三 加辅食后的消化不良、便秘

宝宝11个月，这两天辅食吃得超好，每餐一大碗粥。昨天傍晚6点的晚餐是老人家喂的，二老边喂边逗唱双簧，不知不觉就喂多了。直接的反应就是，晚上睡下45分钟开闹，哄了4次，每次都是哄睡着了放下，几分钟后又爬起来哭。

古语云“胃不和则寝不安”。对于宝宝来说，吃太饱不消化、添加辅食后便秘，都可能干扰到睡眠。

从我的经验中发现不少前半夜的频醒都和消化不良有关。调节饮食，别让宝宝暴饮暴食，对宝宝进行腹部的按摩，都能缓解消化不良。此外，加辅食后的便秘也需要家长留意。

第四节 添加辅食后作息的变化

辅食添加对宝宝来说是个里程碑。如果添加太早，即使孩子吃了，却不能吸收甚至引起过敏，得不偿失。世界卫生组织和美国儿科学会等机构都推荐满6个月再添加辅食。不过，适当的范围内可以有一些灵活的处理，并不是要掐表算着，早1小时都不行。

1岁以内，辅食只是奶的辅助，所以被称为“辅”食，在量和餐次上不宜喧宾夺主。很多人在这个月龄，开始考虑给宝宝减少或断夜奶。有规律的作息才能保证有高质量的进食，这也是夜间不饿的基础。本节会仔细讨论添加辅食后作息的安排。

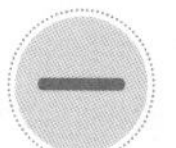

一 辅食和奶的顺序

辅食和奶，是同餐还是完全隔开，同餐孰先孰后？这取决于婴儿接受度和养育者是否便利，并无完全定论。不同安排，可以变换出十几种不同的作息，但万变不离其宗。后文也介绍了几款作息给家长，供掌握原理后灵活安排。

顺序	缘由	影响	点评
先辅食后吃奶	在饥饿的时候先吃辅食，意在增加辅食的接受度。	奶量可能受影响	适合添加早期和对辅食接受度不高时。
吃完奶再辅食	餐次少，比较方便安排，在饥饿的时候先喂奶意在保证奶的摄入量。	奶吃饱了，影响对辅食的兴趣。	适合爱吃辅食不爱吃奶的孩子。
辅食和奶的时间彻底隔开	可能两者的接受度都会提高。	餐次太多，比较折腾。	适合辅食量比较大，可以代替1～2餐奶。

辅食添加之后奶量

育儿专家张思莱医师认为，6~10个月的宝宝的奶量最好是每天800毫升，以后逐渐减少到600毫升。

奶量只是一个参考，有时宝宝胃口有变化，不一定顿顿达标，家长也不用太焦虑。

如何用辅食替代一餐奶?

例如，原本11点喝200毫升奶，添加辅食后，先吃辅食再吃奶 ，变成辅食70克后喝60毫升奶。随着宝宝年龄增长，辅食量进一步增加，一顿辅食吃完已经饱了，不再喝奶，这样就完成了替换。

辅食的量和配比

每餐食物的构成和总量，也是安排辅食中关注度很高的问题。一般来说，米、面等基础食物，比例占一半以上，此外还要注重视高蛋白和蔬菜的摄入。

在7~9个月，基础食物以粥或者米粉较为常见，粥逐渐由10倍粥（水是米的10倍），向7倍粥、5倍粥过渡。待11个月以后，过渡到3倍粥（软饭）。

不同阶段，辅食添加的种类和摄入量参考如下表（摘自《虾米妈咪育儿正典》）。

辅食添加的不同期	吞咽期	蠕嚼期	细嚼期	咀嚼期
口腔处理食物的主要方式	基本整吞整咽	舌捣碎+牙龈咀嚼	主要以牙龈咀嚼	主要以牙齿咀嚼
大致的月龄	6月龄	7~8月龄	9~10月龄	11~18月龄
每天吃母乳或配方奶粉的次数	保持原先次数	减少1次	再减少1次	保持至少1~2次
每天吃辅食的次数	1~2次	2~3次	约3次	3次以上
辅食的质地	柔滑的泥糊	稍厚的泥糊	碎末	软烂

续表

辅食添加的不同期			吞咽期	蠕嚼期	细嚼期	咀嚼期
每顿食物的量	碳水化合物	谷薯类	粥15~40克	粥40~80克	粥约80克	软饭约80克
	蛋白质（每次选一种）	蛋类	暂不添加	蛋黄从1/4开始逐渐加量	蛋黄1个	尝试吃整蛋
		乳类	暂不添加	自制酸奶50~100克	自制酸奶约100克	尝试加奶酪约25克
		豆腐	暂不添加	25~50克	约50克	约50克
		水产类	鱼泥5~10克（淡水鱼去皮）	约15克	约15克	约20克
		禽畜肉类	牛肉泥或内脏泥5~10克	牛肉泥10~15克或内脏泥10~20克	约20克	约20克
	维生素和矿物质	蔬果类	蔬果泥15~20克	蔬果泥25~30克	30~40克	40~50克
	油脂类	植物油	0~1克	约2克	约3克	约3克

注：表中的重量是成品的重量，作为参考。

普通草莓1个重20克左右，1颗葡萄重10克左右，普通鸡蛋1个重50~60克，如果对“克”没概念，可以此作为参考。

四　添加1顿辅食后的作息

宝宝七个月大，也就是添加辅食的第一个月，以熟悉为主，餐次只有1次，量也不大。

★ 作息思路：基本延续之前的模式。吃完辅食后吃奶或者隔开1~2小时。为了便于观察过敏情况，辅食多数安排在临近中午。

★ 辅食量：1顿，20~40克冲好的米粉或7~10倍粥，配菜。

★ 全天奶量：600~800毫升。

假设早觉和午觉均为1.5小时，实际中，还有不少早觉45分钟和午觉2小时的情况，可以灵活安排。早觉、午觉均为长觉的情况，傍晚觉取消得早，反之则取消得更晚。

本作息中假设宝宝还需要傍晚觉，如果傍晚没有睡的情况，则晚觉时间需相应提前。

★ 夜晚安排：19:00喝奶，19:30夜觉开始，可能仍有1～2次夜奶。

一些双职工家庭，爸爸、妈妈下班相对晚一些，没办法在7:30就哄小朋友睡。这种情况下，可以选择将整个作息顺延1小时，甚至特殊情况下可以顺延2小时。这个适用于本书全部作息，但要注意，有时入睡时间推迟了，起床时间却可能无法相应推迟。

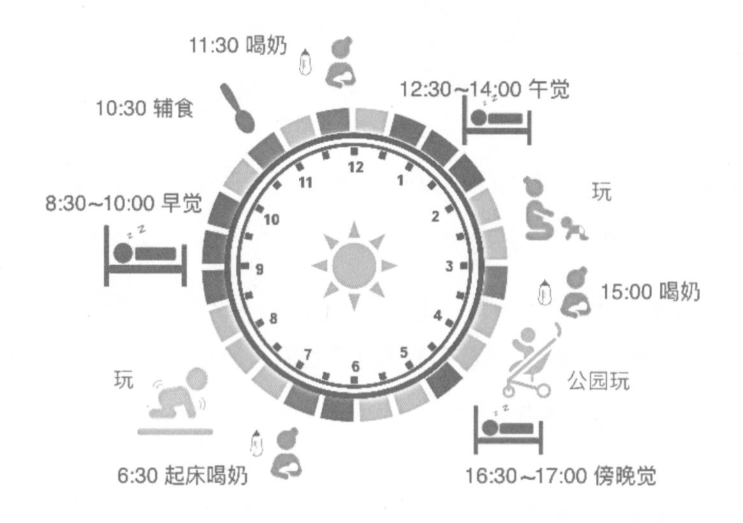

五 添加2顿辅食后的作息

宝宝8个月时，初次添加辅食已经一个多月，每天的餐次增加到2顿，量也增多，并持续两个月左右后才进入三餐阶段。

故而，8～9个月的作息，以2餐为主，这个阶段辅食可以彻底取代一餐奶。

★ 作息思路：早觉、午觉醒了之后喝少量奶，白天有两次辅食，安排在两次奶的间隙，辅食和奶的顺序可以酌情交换。

★ 辅食：辅食一顿的量40～80克冲好的米粉或粥、面，配些蔬菜、肉、蛋、鱼。

★ 奶量：总量600～800毫升。

该作息中，假设早觉和午觉一样长，实际中还有不少早觉短午觉长的情况，更少一些是早觉长午觉短。早觉短则下午觉适当提前，只要宝宝精神状态不错，都是可行的。该作息中假设傍晚觉已经消失，但如果宝宝此时仍无法取消傍晚觉，则晚上入睡时间会相应推后一些。

★ 夜晚安排：19:00喝奶，19:30夜觉开始，可能仍有1次夜奶。

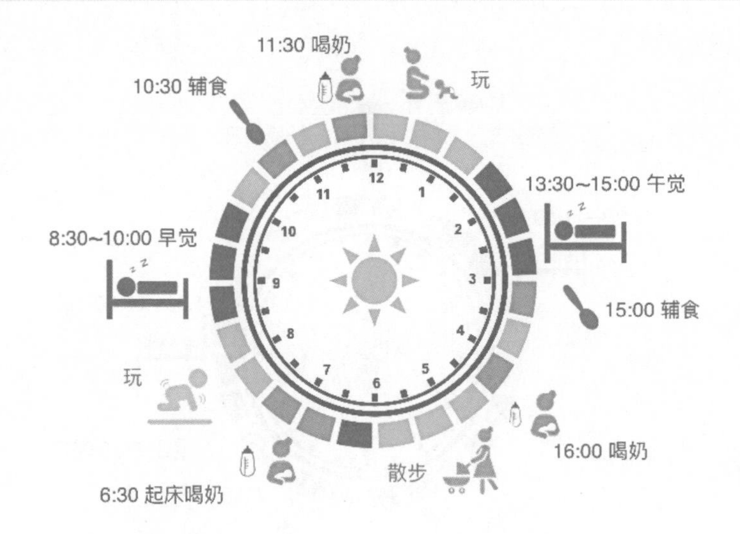

六　添加3顿辅食后的作息

9个月的作息和8个月类似，只是辅食的量可能进一步增加，也逐渐往三餐过渡了。辅食的形态更稠厚，由粥状逐渐过渡到软米饭。

★ 作息思路：早觉、午觉醒了之后喝少量奶，白天有两次辅食，安排在两次奶的间隙，辅食和奶的顺序可以酌情交换。

★ 辅食：早餐是粥菜，午饭、晚饭一顿的量40～80克软米饭、面，配些蔬菜、肉、蛋、鱼。

★ 奶量：总量600～800毫升。一般安排在早上起床、午觉起床、晚上入睡前1小时。

该作息中，如遇夜觉不足10小时的情况，早觉可以提前至起床后1.5～2小时内。夜觉延长至早上7点后起床的，早觉时间相应推后半小时。下午觉如果很短，则适当提前晚觉时间。

★ 夜晚安排：19:00喝奶，19:30夜觉开始，午觉时间长的情况，晚间入睡会适当推后。可能仍有一顿晨奶，相应的早起后的奶量也会相应减少。

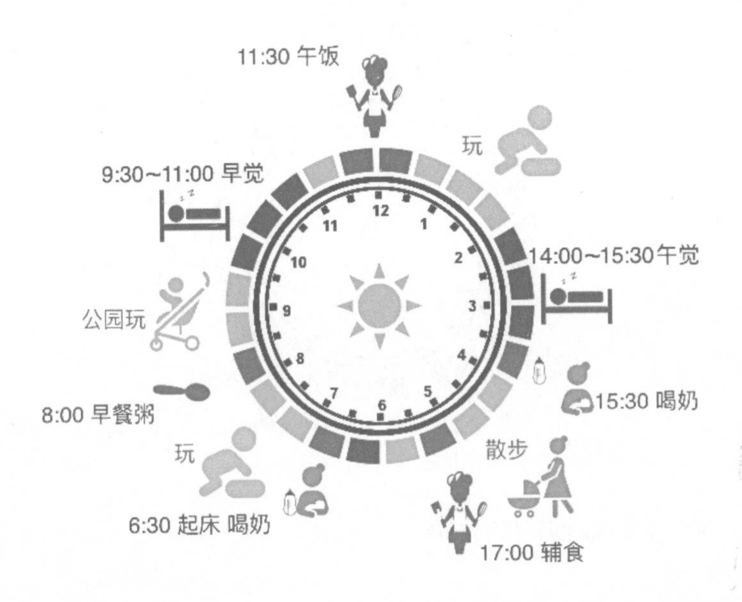

七 本阶段的玩耍

父母高质量地陪伴宝宝在成长过程中始终重要。这个阶段要多引导宝宝爬。宝宝喜欢看镜子里的自己，球、盒子也仍然是他们钟爱的玩具，家长还可以用手帕蒙住脸和宝宝玩，带宝宝去游泳等，带宝宝玩滑梯，荡秋千。他们喜欢各种球、撕报纸、各种按钮、开关、瓶瓶罐罐。

第五节　妈妈们的睡眠摸索实录

一　循序渐进地改善睡眠

由小妹妈分享

自小妹满月后，她便睡到了我们的大床上，一直到9个月才在自己的房间里睡觉。这种睡眠模式，对于大多数西方人，包括我先生的家人，都不太能理解，因为西方的睡眠书籍大部分观点是宝宝应该在自己的床上自主入睡。

不过，我们成功地“共享睡眠”了8个月，在“共享睡眠”的这些日子里，小妹因为母乳生理性腹泻造成的严重尿布疹痊愈了；度过了4～6个月的夜醒频繁期；一起经历了长途搬迁、两次国外度假；也完成了从奶睡、抱睡到拍睡，从落地响到自己睡的过渡；还在母婴不隔离还同床的情况下断了夜奶。

最后在小妹九个多月时，已经能自己入睡并有11～12小时的夜间睡眠后，开始在自己房间独立睡觉。

我循序渐进地顺应宝宝的反应来进行尝试，逐步改变她对睡眠辅助手段的依赖。

1. 睡醒了吃，吃完了玩，玩累了睡

玩和睡之间，哪怕是10分钟的间隔，都能帮助宝宝逐渐切断吃着入睡的联系。

2. 循序渐进的调整

首先是睡前奶不再躺喂，而是抱着喂。宝宝吃的过程中不时抚摸或亲拍她，吃完后喝水、漱口、穿睡袋，然后放入背巾中哄睡，睡熟放下。几天适应后，母乳睡眠联想其实已经开始戒断。

3. 改变抱睡的习惯

从原来的走动抱哄，变成慢走抱哄配以嘘嘘声。几天后，再由慢走变成站在原地，再变成坐着哄，最后变成放在床上我躺在身边拍。每个过程都会持续几天，最终完成了抱睡到放下拍睡的过程。

4. 夜间装睡也是我们常用的方法

从小妹六个多月开始引导，因为我对时间没有做具体计划，这种缓慢的调整办法帮助宝宝建立了健康的睡眠态度：不害怕睡觉，喜欢睡觉，觉得睡觉是一件舒服的事情。到了八个多月的时候，她自己开始睡觉；九个多月的时候断夜奶，开始在自己房间里睡觉。现在小妹21个月，到时间该睡觉就高高兴兴去睡觉了，哄睡早已经成为过去时。每天规律的作息和充足的运动，也让她白天夜间睡眠都很安稳。

虽然从安全角度考虑，母婴同室不同床是更好的选择，但妈妈们仍能够根据自家的情况做适合自己的选择。本案例中的方法属于相对顺利的，这和妈妈对孩子比较了解、亲子关系不错也有关：健康的睡眠态度：“不害怕睡觉，喜欢睡觉，觉得睡觉是件舒服的事情”，是这个分享最打动我的地方。

二 陪伴配合运动量改善睡眠

由可可妈小阿回分享

月子里，可可的睡眠大多没有超过2小时，有时甚至0.5～1小时，并且黑白颠倒，夜里要玩到12点才睡觉。

第二个月，我开始试着给她调整作息。晚上7点开始洗澡，然后熄灯喂奶，喂奶后还很精神，我依然关灯后抱着她在房间走动。虽然家人都笑我：“这么精神怎么会睡觉，等有睡意了再睡啊。”但我还是坚持，每天都提早一点时间入睡。大约1周后，时差倒好了，8点多一吃奶就入睡了，基本能睡满2小时，喂奶后又继续入睡。

此时，对我来说，深夜的夜奶能够在15分钟喂奶后，不用哄就可以继续睡，真是很美好的事情。但白天仍然处于趴在大人身上睡才可以睡得久，自己睡就不超过半小时。

小土注：对小月龄的宝宝，趴睡风险比仰睡高，需注意安全。肌肤接触也对小月龄的宝宝也很有好处。如果入睡困难，不妨坐在沙发或者靠床坐着，让宝宝趴在你身上安抚，温度合适时不用穿衣服，直接肌肤接触效果更好。

到了第3个月，能偶尔出现7～8小时长觉，这是夜奶最少的时期，当时以为以后都会这样吧，真美好！

可可的夜奶增多是从四个多月开始的，经历过第三月的天使时光后，4个月后的夜奶真的是恶魔般的夜奶。我想这也是大多数母乳妈妈在经历的，而且常会联想到“我是不是乳汁不够，宝宝没吃饱”“宝宝这样习惯不好，以后是不是也都要这样”。

不管是母乳还是睡眠角度，其实都会说，宝宝夜醒原因很多，别只要醒就怀疑奶不够。4个月左右因翻身和大脑发育跳跃期等因素影响，很多孩子会出现睡眠倒退，突然的夜醒增多，妈妈们多留一些时间观察，而不是一醒就塞乳头，以免过度干预。

5个月时，晚上8:00这一觉，可以吃完奶，潇洒地直接放床，她自己配合一个翻身睡觉了，放床睡觉也变得理所当然。并且第一觉可以睡很久，0:00后开始夜奶频繁。

6个月时，我开始上班了，出现分离焦虑，夜奶很多。

对于分离焦虑，我尽量高质量的陪伴，即使中午回家，也利用半小时，带她去户外晒晒太阳，看看花花世界。傍晚回家，我再带她去公园玩，并且以和她互动为主，躲猫猫、唱歌、眼神交流等。

7个半月，她开始会爬了。我带宝宝去公园，戴上护膝，在水泥地上开始爬行。

高质量的陪伴，配合上大运动量后，很明显睡眠改善了，夜奶次数减少。七个多月再次出现连续5小时以上的觉。

十个多月，可可爬行已经非常厉害了，睡觉迷糊中都会爬起来。这个时期，晚上8点多的奶睡后，可可很困很困，但动作上会推开我，要自己去爬，不要我抱睡。于是我顺势放床，她不排斥，开始在床上翻滚，即使眼神迷离还是继续翻滚。我就旁边轻拍唱歌哄着。宝宝出现第一次自己翻滚入睡，此后陆续就会出现这样的情况，但是我没有强迫，有时太累了就奶着睡过去了。

高质量的陪伴、增大运动量对于这个阶段睡眠改善非常重要。

1周岁后，频繁的出现这样的情况，我发现可可已经具备了自己入睡的能力，并且她喜欢自己躺床睡觉，当然还必须有我陪在身边。

从一开始一定要抱睡，到睡着后可以立刻放床，到现在自己可以躺床上睡觉，我想这就是孩子的成长。

本文的作者是一位母乳喂养指导，从母乳的角度来看奶睡常和从睡眠角度去看会有一些不同，但在这个分享中有着很好的融合，母乳和睡眠不矛盾。

三 睡眠引导记录

由潼妈小暖分享

时隔很久，却尤清楚记得当初潼夜醒1小时1次，白天抱睡落地醒，夜晚临睡前抱哄几小时，都哭闹不睡的艰难日子。那时候的无助和极度疲倦，历历在目。老人们都说，孩子小，就是睡不好，我只能咬牙坚持着，直到意识到这些是可以调整的。

3个月开始，规律作息，用抱睡、奶睡、推车睡等多种方法，先建立生物钟。

6个月开始，着手解决夜奶问题，晚上醒了不再喂奶，改为由奶奶哄睡。

减少夜奶的第一晚：还是1小时左右就醒，醒来一看是奶奶，也没太折腾，抱着哄了十几分钟睡着了。

一晚上醒了六七次，直到早上6点多，实在哄不好了，放在大床上喂奶像以前一样，她就边吃边睡着了，睡到7:00～8:00起床。

几天后，夜奶很快变成了固定只吃早上5:00～6:00那1顿。

一周后，宝宝仍然频繁醒来，只是很多时候已经不用抱起，拍拍就接着睡了。我为了解决频繁醒来做了进一步调整。

下表是进一步调整的过程。

时间点	调整内容
第一晚 晚间入睡	晚上8:20喂奶，20分钟后把已经习惯性吃着睡觉的潼妞放入小床，过程中她醒了，我拍拍她，对她说："宝宝，自己睡觉好吗？妈妈就在外面陪着你。"转身走出门，身后马上响起她嚎哭的声音。 第一晚是最难熬的，隔3分钟后进屋，潼一见我哭得更厉害，接着安慰，1分钟后出来，转身的时候她扯着嗓子玩命喊了起来。第二次隔了5分钟，第三次隔了10分钟，大约过了半小时，哭声开始小了，一见我进门马上不哭，揪着我衣服扣子，看着我。那叫一个让人心碎！但我心里明白还得坚持，不然更是让她白受罪。 如此往复，1.5小时后，她终于没动静了，我悄悄走进门，发现她抱着小海马，把脸贴在海马身上，睡着了。而那时，我的眼泪也快掉下来了。
第一晚 夜间醒来	半小时后，她喊了几声，马上接着翻身睡着了。 2小时后，又喊了几声，继续睡下。 直到半夜3点，她算是彻底清醒了，不睡了。哭了3分钟后，她自己抓着手绢玩了20分钟，随后继续哭起来，这次持续了1小时后才睡下。 此后，5:30、6:30，她分别又喊了几嗓子，直到7点她醒了，我把她抱上大床喂奶，她接着睡到了8:20起床了，起床时满脸笑容。
第二天 白天小睡	上午的小睡小声哭了20分钟，睡了1.5小时；下午基本没哭，睡了3小时。以前是半小时必醒的。
第二天晚上	入睡时我只进去了2次，她在9:30左右睡下，半夜4点喊了几声，直到6:00又哭起来，我发现她是大便了，换完裤子只好抱大床喂奶。吃完之后她接着睡到8:00点。 但这一夜，她已经连续睡了8.5小时。
第三天白天	上午睡1小时，下午睡2小时，但哭闹时间不短，所以之后白天仍继续安抚入睡。
第三天晚上	开始有些哭着玩儿，折腾了半小时后，9:00睡下，早上5:00半醒来要吃奶，吃完睡到8:20，仍然是8个多小时的连续睡眠。
第四天晚上	看见改善之后，我发现这时候的她，只需要我待在房间里几分钟，就可以睡着，我没有继续坚持，不舍得让她再哭20分钟，在她入睡前哭闹时安抚到她睡着才出门。这晚上，继续频繁醒。

续表

时间点	调整内容
第五天夜间醒来	看情况不妙，不敢再安抚到她睡着，于是这天她入睡时哭的时间回到了第一晚的模式。这一晚，我开始反思整个过程，并马上重新开始坚持严格的安抚时间，很快她又回到正轨。
灵活处理的部分	然而在这个过程中，我根据潼的特点，有了自己的处理。因为我没打算就此给潼戒夜奶，于是清晨五六点那顿奶我还是她一醒就喂（其实现在看来那顿已经是晨奶，的确不用强求断掉）。虽然法伯的书上，认为这样不可取，但我发现对之前的睡眠没有什么影响，也能让她多睡一会儿。
	白天的睡眠我没有同时改变，我想等晚上睡眠习惯养成，看看白天是否自然会有改善。
	事实上，从第二天开始，她哭的时间都只是在晚上喂完奶入睡时，后来就让她吃奶吃到睡着，不弄醒，直接放小床。当时感觉这有点冒险，没切断哺乳睡眠联想，但是，实际没有不影响到夜里睡眠，她仍然一睡8小时以上。
一周后	兜兜转转理清了状况。每晚还是喂奶让她睡着，正常情况下，她有时候会隔几小时喊几嗓子自己接着睡，有时候就一点儿也不醒，一直睡到 4:00～6:00会习惯性醒来吃奶，然后接着睡到早上。
稳定之后	晚上入睡前吃奶也不睡了，总是吃了十几分钟后就从我身上爬起来，自己揉眼睛，我把她放入小床，她抱着小海马，翻几次身就睡了。有时实在睡不着我就拍拍她或是把手放在她身上，很快她就能闭眼睡着。 有时候她半夜醒来哭起来不睡了，我会走进屋安抚一会儿，基本她用不了一分钟就会睡着。而这种安抚已经不再对她之后的睡眠有影响了。

后记：重新翻看这段历程的此刻，潼已经快2岁了，睡眠早已不再让人操心，即使换了睡眠环境也照样按自己的生物钟睡得稳定。性格开朗阳光，爱说话，爱玩爱闹，爱每一个身边的人。

这篇分享是按照法伯法的内容进行调整的，妈妈兜兜转转走了一些弯路，过程曲折，但调整的结果减弱了安抚和入睡的睡眠联想，减少了夜醒，母婴的状态随之改善。法伯法过程相对来说比较考验人。对于分离焦虑期的孩子如果能够温和调整的情况，尽量不要优先选用。

第八章

10～15个月的睡眠

将10～15个月划分在一章，来替代以1岁为分界，是考虑到在睡眠特点上，这个区间的宝宝更相似：大部分仍然是2觉，尚不能顺畅独走。

从10个月开始，有些孩子开始有意识地叫“爸爸”“妈妈”，扶着小床的栏杆站起来，这将给睡眠带来新的变数。当成长到14个月时，独站变得也比较常见，词汇拓展到“奶”“大”“不”等，也可以理解事情的先后顺序。整个从扶站到独站再到独走的过程，会经历好几个月的时间。

第十、第十二、第十四个月下旬，将分别开始为期1个月左右的第七、第八、第九个大脑发育跳跃期。

你会发现在这个阶段，孩子们能听懂大部分日常的简单对话，并且用身体语言做出回应，也会有意识地寻求帮助、关注、期待和鼓励。当他主动依偎在你怀中，当他亲吻你的脸颊，当他把自己喜欢的水果送到你口中……这些主动的情感表达，给人以无限甜蜜、幸福感。

第一节 10～15个月睡眠的特点

美国“全国睡眠基金会”（National Sleep Foundation）给出的建议中，1～2岁的宝宝睡眠时间是11～14小时。这里列出一些更细节的数值，供参考。

月龄	小睡醒睡间隔	白天小睡	夜间睡眠	连续睡眠长度	全天睡眠量
10～15个月	3～4.5小时	2～4小时	10～12小时	9～12小时	11.5～13.5小时

针对这个年龄段的网络调查，有688人参与。和前阶段的睡眠感受相比，结果是令人振奋的，60%的人都感觉到，情况比以前好一点甚至好很多，就连感觉持平的都有24%。

这个阶段多数宝宝仍是上下午各1觉，一些已经1觉了，只睡1觉后，玩耍的时间更多更连续，出门也变得更为方便，妈妈们颇有熬出头之感。

很多人也在此时尝试戒断奶睡。宝宝在这个阶段自我意识更强，身体也更活跃，改变要多从宝宝的意愿上入手。从改变难度上来说，改变夜间依赖奶睡比白天依赖难度更大。

第二节 高频状况详解

睡眠困扰的投票中，情况不再多种多样，而是逐渐聚集在了：早醒、夜醒多、不明原因夜哭、依赖奶睡抱睡、入睡时间长等。这些问题在各个专题中有详细讨论，这里谈一些还会遇到的问题。

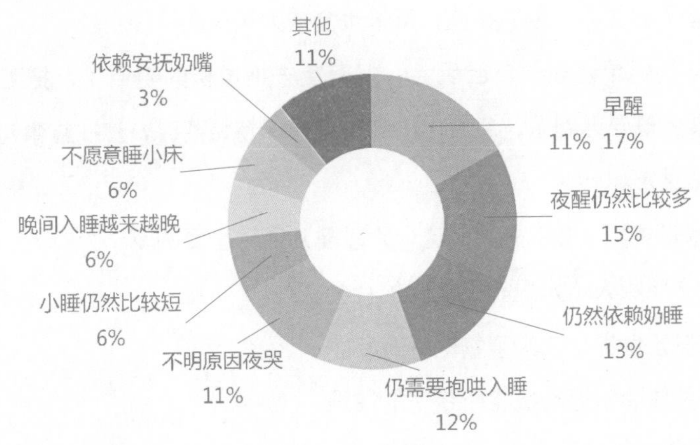

一 黏人、恋奶

民俗中说的“黏人”“恋奶”和“分离焦虑”有一些相似的地方。这个阶段的宝宝，普遍有依恋养育人的现象，这是正常的。

> 依恋是人对生活中特定人物的一种强烈而深刻的情感联结，与这个人交往带来的愉快体验，面临压力时会从这个人处得到安慰。6个月以后，婴儿依恋与那些能够满足他们需要的熟人，特别是父母。
>
> ——摘自《伯克毕生儿童发展心理学》

宝宝由于独站、学走接触到更广阔的世界，既新奇又害怕，妈妈就像是个安全基地（Secure base），宝宝走远了，回头看见这个“基地”又能充电继续探索。断线的风筝终难免跌落，而妈妈的爱和关注就是那远远牵着风筝的线。

不过当宝宝的依恋变成了一刻离不了的黏人，妈妈一离开视线就哭闹，就是会让人觉得苦恼。家长既完全没有自己的时间，也感觉到孩子似乎没有安全感。

从睡眠角度说，长期单一依赖奶睡的孩子，更容易发生这种现象，这和宝宝睡眠过于依赖外界帮助，造成生活规律混乱，信心缺失有关系。

这不难理解，如果别人一松手就立即摔倒，那么你也会害怕搀扶者的离开。一旦自己熟悉掌握了站立、行走的技能，害怕也会成为历史。

还有时，妈妈想让孩子自己玩会，好有空去把堆积的碗刷了，把脏了的衣服洗了，或是眼看上班要迟到了，急着出门……越想保持距离时，往往越事与愿违的发现孩子更紧的黏过来。

《从出生到3岁》一书中提到，这个阶段婴儿活动主要的驱动力：

★ 与主要照顾人（妈妈等）之间的社会交往。

★ 满足探索世界，未知事物的好奇心。

★ 掌握并体会新运动技能所带来的快乐。

这三种兴趣一般是平衡的，但如果有一种兴趣特别突出，可能会抑制其他两种兴趣的发展。

如果你发现宝宝过于黏人，可以创造条件，减少限制和干涉，鼓励他们探索，也就是让另外两种驱动力也得到机会发展。

比如让宝宝多在户外爬行，他喜欢摸石块、树叶，别嫌脏，带好手帕及时擦干净就好，紧张兮兮地这也不能碰，那也不能摸，宝宝也会对外界心生恐惧。

早期的并觉苗头

妈妈们的经历

宝宝正好15个月，本来稳定的上下午各1.5小时的觉，现在因为面临并觉常常打乱这个作息习惯。比如上午有时候一睡就2～3小时，然后下午不睡或者眯一会儿，造成晚上睡得早，结果早上也越起越早，有时候甚至5点就醒，然后玩不到9点又要睡早觉了，一直没有并觉成功。

2觉并1觉的苗头，最早在宝宝10～12个月时就会偶尔的出现，而在13～18个月时，会正式完成，也就是上午觉“退出历史舞台”。

这是难度最高的一个并觉，一般有以下一个或几个信号：

★ 上午入睡需要花越来越长的时间或者睡不长；

★ 上午觉时间变得很长，醒来往往接近正午了；

★ 上午觉能睡，但睡了之后导致下午觉入睡困难或者很晚。

12个月大的时候，82%的孩子会有两次小睡，17%的孩子只在下午睡一觉，到了15个月大的时候43%仍需要2次小睡……可能有比较艰难的几个月，一次不太够，两次又做不到。

——摘自《婴幼儿睡眠圣经》

2觉并1觉一般需要夜间睡眠比较成熟完整且时间较长。1觉的情况，夜间睡眠时间比2觉的长，小睡量则相反。

作息不同的婴儿，并觉方式也不同，需要根据实际情况进行灵活安排。

A类婴儿，早上睡得短，长觉在下午（例如，早上45分钟，下午2小时）。并觉过程一般为：上午觉入睡困难，最终取消，于是下午觉入睡时间提前，且长度变长，成为全天唯一的一次小睡。

B类婴儿，早上、下午睡的时间差不多（例如，上下午各1.5小时）。

并觉过程一般为：早觉睡得更长，接近正午，导致下午觉入睡困难，最终取消，早觉入睡时间后延，长度变长，成为全体唯一一次小睡。简言之：把早觉延后变成午觉，且要能睡长，或早觉不睡把午觉提前。

★ **并觉期间的特殊性：**

虽然大原则上讲求不要错过睡眠时机，但并觉期间，特殊情况特殊处理，要在能够延长醒睡间隔和不过度疲劳导致宝宝难以入睡之间找到平衡。

起得早就2觉，起得晚可能就只需安排1觉。在灵活应变基础上，尽量按照新作息来安排生活，睡在合适的时机更为重要，取舍之下将不可避免地出现一些过劳硬扛的状况，这是正常过程无须压力过大。

★ **并觉期持续的时间：**

过程快的几天，也有长达1个月的，需要耐心。如果1觉容易使宝宝过于疲劳的话，可能是进行得太早，可尝试早点起床，保障早觉顺利入睡。

这是我家宝宝当时的并觉经历：

满13个月后不久，连续好几天入睡时间很长，睡前就跟上了发条的永动机一样很兴奋地玩儿。我怀疑是宝宝早上睡太久导致下午觉太晚，进而影响晚间入睡。于是早上宝宝睡45分钟我就叫醒他，这样下午入睡变快了，但晚间入睡仍然困难，于是尝试并觉。

首先，是延后上午小睡的时间。本来7:00醒，10:00开始哄睡，其实宝宝十点多困意不明显，正好拖一拖，目标是慢慢能够挪到吃过午饭后11:30左右午睡，睡2.5小时左右，且在醒睡间隔内都能有比较好的状态。

第一天：7:30醒，11:00喝了点奶，11:30午睡，2.5小时多，并觉首日夜里甚至比平时更踏实。

第二天：晚8:00睡到早上6:40中间没有醒，把午饭提前到11:15，吃到最后眼睛有点睁不开了，11:30抱到屋里，立即睡着了。

第三天：中午11:30睡到13:30，晚上7:30睡到早上7:30，不过夜里三点多醒了一次，翻来覆去很久，后来喝了水，按摩了肚子才睡。中午提前到11:15午饭，有哈欠，但比第二天好一些，没有吃饭吃睡着，吃完玩了一会儿，12:00睡了。

后面的几天也类似，早醒，到中午饭时就感觉比较困，下午到晚上一直很精神。并觉前后睡眠总量差别不大，总共13小时左右。

后记：就在我认为并觉成功之后半个月，因为夏天的到来，宝宝早上开始早起，于是又开始睡两觉，16个月左右才真正转一觉。之前有两次考虑并觉，都算是误会一场，以下是我的记录。

第一次，十一个多月：宝宝生病的那几天总去医院，作息很乱。早上7:00醒来，上午10:00哄睡，就是不睡，一直到十一点多才睡着，勉强睡了40分钟。下午又是到

3:30才睡，晚上玩到9:00，特别兴奋各种爬。我寻思宝宝精神这么好，于是着手并觉前又确认了一下，提前到两个多小时睡，居然成功！

第二次，1岁：回老家作息乱了好几天，好多天只睡一觉，甚至累得在餐椅睡着几次。有一天碰巧早起之后，睡了早觉就逐渐好了。一度醒六七小时不睡，现在规律了还是睡醒间隔3小时，共2觉。

宝宝的睡眠需求是变化的，要遵循大规律，但具体到细节上又有很多不同。宝宝旅行或是刚刚病愈，都有可能出现短暂几天的入睡困难。这区别于长期并觉的需求，几天不睡并不一定等于身体做好了只睡一觉的长期准备。

三 断奶–离乳

有些人会选在这个阶段，断奶或者离乳，这件事对孩子和母亲来说都是很大的变化，属于母子的独特时光就此远去，回想起哺乳的日日夜夜，甜蜜而感伤落泪。因为不同月龄都涉及这个问题，本书第四章做了专题讲述。

四 仍然存在的无法自主入睡及夜醒问题

我家宝宝13个月，必须哄睡，艰难地哄睡，要抱着颠，边颠还要边跑，基本45分钟才入睡，然后再艰难放下，一感觉我准备放下他，立刻哼唧表示抗议。怎么能让他自己入睡？

13个月的宝宝是可以自己入睡的，这点要有信心。这个年龄段的宝宝，睡眠之中尽量减少抱起，用原地安抚和言语安抚替代。宝宝可以听懂大人的话，多沟通很关键的，让宝宝接受“长大了，睡觉方式不一样”。将新方式描述清楚，此外还可以强调一下你做这种改变的原因。让宝宝习惯“睡觉就是要躺在床上睡的”。

宝宝如果情绪失控或者爬走，可以隔几分钟重置再放倒。

非睡眠时段父母要积极陪伴，注意宝宝的情绪变化。如果每次晚间都入睡困难，要观察宝宝是否不够困，白天运动量够不够，是否睡太多或午觉睡得太晚等。

有时候宝宝玩高兴了不愿意睡，还可以通过亲子共读睡眠绘本，抱着他去关客厅的灯，和屋里的每个玩具说晚安等活动，来缓冲情绪。

更多这个年龄的入睡方式改变，需参考本书第二章和第三章的内容。

第三节 参考作息

进食和睡眠息息相关，相辅相成，这里给出一些作息参考。这个阶段正式过渡到3餐，由稠粥渐渐转向软米饭。奶的摄入一般安排在晨起后、午觉后和夜晚觉前。

张思莱医师建议的进食量参考：

10～12月龄：每天奶量600～800毫升，谷类食物40～110克，动物性食品，25～40克，碎菜50～100克，蛋黄或鸡蛋1/2～1个，水果25～50克。

每餐摄入量在全天大致的比例是，早餐：25%～30%；中饭和晚餐各：30%～40%；期间上午和下午可以适当吃点健康的水果当点心。

本章这几个示例，既有常见的基础作息，也有早醒、小睡短等突发情况下的作息安排，供家长参考，理解其背后的原理，就能以不变应万变。

一 10～11个月参考作息

这个阶段作息越来越简明了，一般是白天2觉，辅食3餐。

★ 辅食：早餐是粥菜，午饭、晚饭一顿的量40～80克软米饭或面，配些蔬菜、肉、蛋、鱼。

★ 奶量：总量600毫升左右。一般安排在早上起床、午觉起床、晚上入睡前1小时。

★ 遇到特殊情况时的作息调整思路：

夜觉不足10小时时，早觉可以提前至起床后1～2小时内。

7点后起床时，早觉时间相应推后半小时。

下午觉如果很短时，如果出现午觉45分钟就醒，整个下午就会比较难熬，到了傍晚更容易出现情绪崩盘，甚至餐椅里面吃着吃着就睡着的情况，需要在傍晚临时增加一个小憩（十几分钟即可）或提前晚餐时间。不管如何应对，对于被改变的作息，在次日需要相应回调。

睡前奶引起夜尿过多，睡不安稳时，可以提前睡前奶的时间或替换成酸奶，并将酸奶、奶酪奶制品的主要摄入时间放在下午，延后晚餐时间，这样入睡前不再进食。

★ 夜晚安排：19:00喝奶，19:30夜觉开始，午觉时间长的情况，晚间入睡会适当推后。有些宝宝仍有一顿晨奶，相应的早起后的奶量也会减少。即便整夜无夜奶的宝宝，仍有可能会短暂醒来1次。

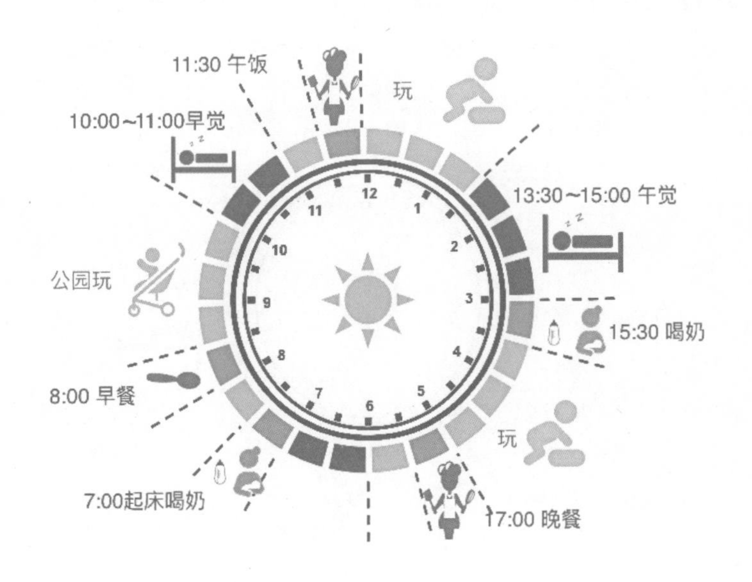

★ 10～11个月早醒的应急作息

作息思路：婴儿常出现早醒的现象，有时候醒太早会打乱一天的作息，也让家长无所适从，哄不哄都是闹，这种情况可以参考回笼觉的安排。

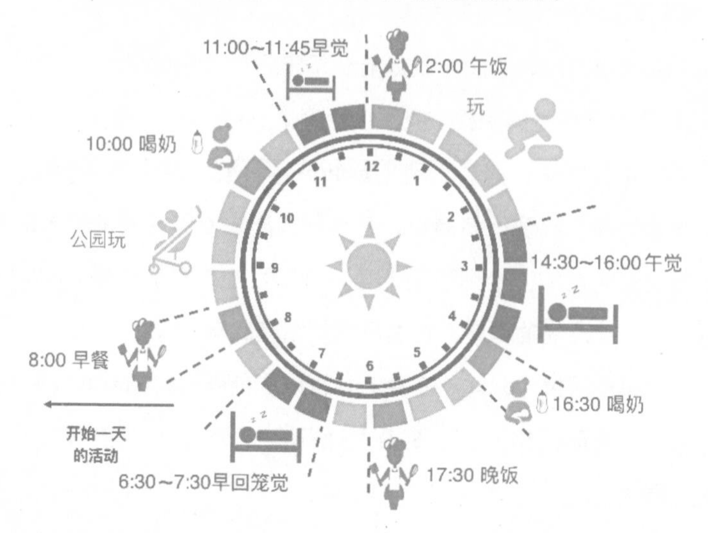

1周岁参考作息

★ 此时如果仍然是睡2觉的情况

作息和10～11个月类似。晚间入睡在20:00左右，一般也是无夜奶了。

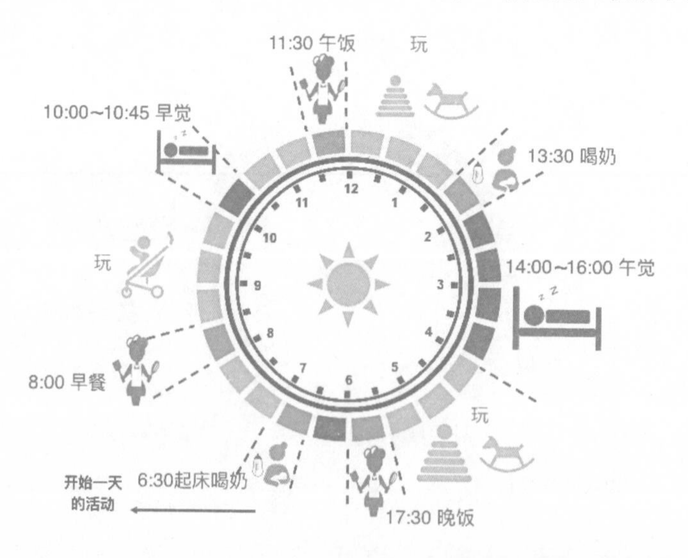

★ **下面讨论已经并为1觉的情况**

晚间安排：夜觉大致在19:00开始，一般整夜无夜奶，如果天热干燥，可以在屋内备一些水，宝宝夜里醒来可以喝一些。

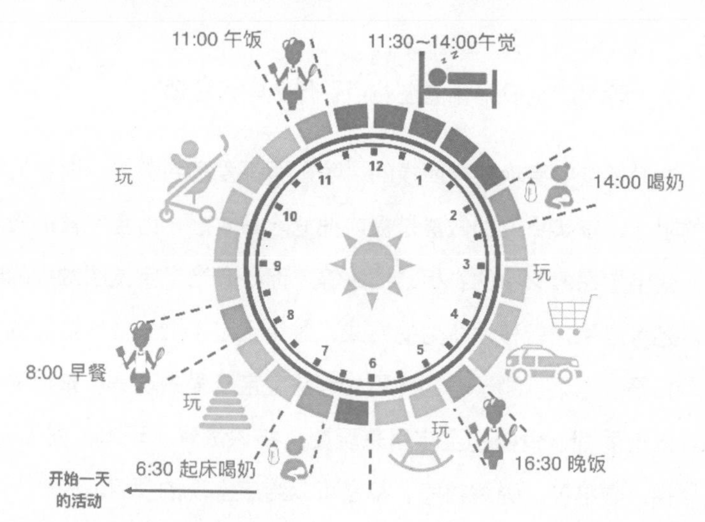

三 第十四个月参考作息

★ 作息特点：白天睡1觉，晚间在19:30～20:30入睡。这款作息安排的睡眠量比较多，如果睡眠量需求少的宝宝，可能会午睡更短或晚间入睡更晚，酌情安排即可。

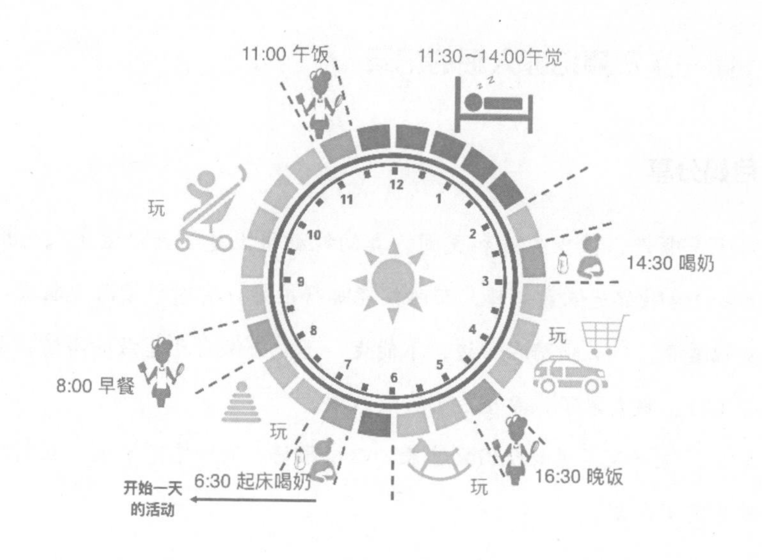

四 本阶段推荐的一些活动

宝宝正在学习扶着东西站起来，更多的时候他们靠爬扩大活动范围。

家长问 这个阶段的玩耍有哪些注意点？什么内容合适呢？

小土答 这时候宝宝喜欢东摸西摸的，啥东西都爱塞到嘴里，而我们常常不假思索的阻止，其实更好的做法是提前把危险品收起，为宝宝营造安全的探索环境，让宝宝探索家中的衣柜、抽屉等。而不是当宝宝试图触摸的时候立即阻止，还可以采用转移注意力的方式，避免宝宝接触一些有危险的物品。

扫帚、电话、刷子、锅碗瓢盆都是宝宝喜爱的玩具。家里的杂志、布书都可以给爱翻、爱撕的宝宝用来玩耍。扔球滚球、玩水、摇摇马、滑滑梯、爬楼梯、藏猫猫、弹跳椅等，都是可以给宝宝玩的项目。

第四节 妈妈们的睡眠摸索实录

一 第一次不靠奶睡入眠的记录

由十月妈分享

我的宝宝是顺产，很少生病和哭闹，真的能称得上是“天使宝宝”。出生至今，宝宝几乎99%的睡眠都是依靠奶睡，有时候能睡得很好，有时候夜醒无数次，白天的小睡，只要她睡着，我必须陪在身边，不能走，不能去做自己想做的事情，甚至是去上个厕所都不行。我太累了，希望能够有所改变。

十个多月，这一天早晨她6:30醒过来，心情很好，7:30吃完早饭，立刻给她吃饱奶，确保她肯定不会饿。

平时8:30准时上床奶睡，今天我仔细观察她，一直到她打了第一个哈欠，9:00我带她回房间，开了空调，拉起半扇窗帘。

我跟她说："十月，我们长大了，今天自己睡觉好不好？"

她似乎没听懂我的话，躺倒在床上，开始了只有我能听懂的哼哼声——那是一种急促，带着强烈渴望和期待的哼哼声——告诉我她想要奶，她有些困了想要睡觉。

我打开小海马——平时只有晚上睡觉的时候才用，认真地跟她说："宝贝，我们长大了，是大姑娘了，今天我们学着自己睡觉，不吃奶了可以吗？"

她踢踢腿，挥挥胳臂，似乎没听懂，眼睛里有一点迷惑，我懂她似乎在说："为什么你还不躺下来拉开衣服让我吃奶呢？妈妈，我想睡觉了。"

我一直一个人带她，没人能比我更理解她，我继续耐心地跟她解释。

她抱着小海马，啃啃小海马身上的标签，有些哼哼。十分钟过去，哼哼变成了带着哭腔的哼哼，她不停地爬起来，坐起来，甚至扒着我的手站起来，眼睛里从不解到失望，再到愤怒，开始大哭。

我依然坚持温柔地抚摸她，轻轻哼着歌儿，说着话，不停地告诉她说："十月长大了，妈妈相信宝宝，宝宝一定可以的对不对？"

她依然大哭。

我抱起她。

她开始打挺，甚至拒绝我的拥抱，不停地用手和脚推开我。

我努力抱着她，用脸贴着她的脸，把她因为生气而汗湿的小脑袋放在自己的肩头上，在她耳朵边轻轻地"嘘"、说话、唱歌。宝宝哭得厉害了，我就抱到床下走走，晃晃，哭得不厉害了，再抱上床放下。

她大哭，我再抱起来，放下；宝宝继续哭，闭着眼睛大哭，蹬腿。

我告诉自己说，如果到9:30还是这样我就奶她，于是不停地抱起放下，晃晃悠悠，哼哼唱唱。我没有发火，没有烦躁，我没有发火和烦躁的资格，因为我知道对于一个10个月大的小朋友，让她第一次尝试自己入睡，太艰难了。我紧紧抱着她，说："宝宝，我亲爱的宝贝，妈妈知道你第一次自己睡觉很难，我知道你很生气，你一定觉得妈妈好坏，好奇怪对不对？嗯，妈妈都知道，你想哭就哭吧，一股脑儿哭出来，妈妈接着。我们再坚持一会儿，马上就好了，你能做到的，对不？”

她哭哭停停，脑袋不时地瘫倒在我肩头，一会儿又立起来大哭，一会儿又沉沉倒下去。我知道，她累了，乏了，她快睡了。我不能退缩，至少要让她知道这是妈妈温柔的坚持。

最后，她睡着了，在我反反复复放下不知道多少次之后，含着眼泪睡着了。我看了看钟，9:40。老实说，我虽然如释重负，但心里有些难过，没有什么原因。

小土注：10个月以上的大月龄宝宝，频繁抱放可能是种刺激。在改变期间可以适当推迟入睡时间以降低入睡难度。一般选择晚上入睡时改变会比较容易。

这一睡，睡了一个半小时，中间翻了个身，又睡着了。第一次，没有用奶睡接觉。我很高兴，我为她骄傲。

醒过来的时候，我生怕她会因此而怨恨我，第一时间拥抱她，吻她，跟她说“妈妈好爱你”。她看着我笑笑，好像什么也没发生过。然后一直到下午1:30，除了我吃饭，全程都是高质量的陪伴。她爬，我跟在她屁股后面爬；她站，我跟在她身边站；她玩，不管她搭不搭理我，我都坐在旁边。只要她抬头一看我，我马上送上温暖的笑容和摊开的手掌——只要她需要，亲吻拥抱我绝对不吝啬。还好，她好像不怎么记得上午的事情，只管玩自己的，不时爬过来在我怀里腻歪腻歪，钻钻、抱抱。

下午时，不到1小时成功自己入睡，比上午自己入睡的时间长。不同的是，她没哭，也没闹。然后这一觉，竟然睡了快两个半小时，中途被窗外小孩子嬉戏的嘈杂声吵醒，爬起来哭了一声。我打开小海马，她翻了几个身，不到10分钟，又自己睡了。

第一次，破天荒，没有接觉，自己睡了两个多小时！这在过去的10个月中，前所未有！

晚上，7:30洗好澡，我一边喂奶，一边像是自言自语般地跟她说话，说很多，说我内心的感觉，说她上午哭的时候我心疼，说了很多很多。

她自己吐掉乳头，我把她轻轻放倒，穿好睡袋，灯光调暗，给她按摩，轻轻说话，她没反抗，带着一些复杂的神色看着我，似乎在说：“妈妈，我明白，你不必这

样诚惶诚恐，我会试着自己睡觉，只是你能陪在我身边吗？”

我躺在她身边，打开小海马，两个来回，9分钟，她睡着了。7:42分关灯，7:51分睡着，没哭，没闹，没奶睡。

我轻轻抽出她抱得紧紧的小海马，发现她一直紧紧握着小海马身上的标签，不肯松手，攥得紧紧的。那一刻，我的眼睛一下子就湿了。

不知为何，第一个没有奶睡她的晚上，我没有想象中那么开心，更多的是有些惆怅，她紧紧抱着小海马的样子让我心酸，让我想哭，小小的人儿呀，她心里在想些什么呢？

或许，也正是因为我没有把她当作一个什么都不懂的婴儿，所以，这次睡眠引导才会如此顺利。明天未必就会如今日这样顺利，但我想，不论怎样，我都会是那个一直陪伴着她一起渡过难关的人，一直陪伴着，陪伴着，直到她终有一天，不再需要我的陪伴。

小土注：这个分享比较长，但看着这样细腻的心理互动，我不由得动容。我写这本书的意义不在于冷冰冰的方法论，更重要的，我希望在这一个个真实细腻的分享中能让大家找到共鸣，找到情感支持，育儿路上你不是孤单一个人。

二　由推迟夜奶5分钟带来的改变

由肉球妈分享

一个偶然的事件，我确认孩子已经准备好推迟夜奶。

宝宝十个半月的一天，晚上我奶睡宝宝后起来开会，宝宝醒来发现我不在，很愤怒，大哭抗议，平时哭个十几分钟奶一奶就能哄睡，那天哭了25分钟才睡去。没想到一觉竟然睡到了凌晨三点多，那次真的让我惊讶了。因为这之前她睡觉的最长纪录才4小时！那也是我10个多月来睡的最长的一觉。

第2天晚上，很不幸，我又要开会，她又是差不多时间醒来哭了十几分钟就睡着，这一觉也是睡到凌晨3点。

经过这两天的情况，我基本上确定她不饿，临睡前的奶至少足够让她坚持6～7小时。

到了第3天，一切恢复原样，宝宝还是会在23:00左右要吃奶。确定了她不是因为饿，我想，最近没有长牙，没有搬家，没有换过阿姨，甚至没有添加新的辅食品种，那么她要起来吃奶，很可能是因为她需要确定我的陪伴。我可以让她吃奶来确定，也可以用别的方法来让她感知。

我想妈妈们也都要留心观察宝宝，有时候宝宝已经可以断夜奶了，妈妈却没发现。

不想让宝宝太难受，也不想给自己太大压力，所以方法很简单，每天推迟5分钟。

第1天，总是很难的！在大约23:00宝宝要吃奶时，我起身把她抱了起来，她发现没给奶吃，愤怒地大哭，双脚乱踢，身体打挺，眼泪直流。我把脸紧紧地贴着她的脸，慢慢地抱着她走着，温和地哼着歌，十多分钟后她平静下来了，在我怀中睡着了，大约睡了5分钟就又醒了，我把她放下，给她吃奶，记录了第一天吃奶的时间。

第2天，同一时间她又醒了，我还是用昨天的方法，她大约5分钟就平静下来。我跟她说“宝贝，我们一起努力，就晚5分钟就好。”

以后每天晚上睡觉前，我会提醒自己昨天宝宝是几点醒的，今天只推迟5分钟就好。

到了第五六天，她令我惊讶地在我抱了一会儿放下后自己睡去，自己把时间往后推了15分钟。

这样的日子持续了近2周，一开始，她醒来后要求吃奶时我一定会抱着她陪着她，她也很少会哭超过2分钟。到了后期我并不需要每次都抱她了，她会转过身，我让她的手摸着我的脸，我的手搂着她的背，她也能慢慢睡着，我已经可以一觉睡到4点多了。

现在宝宝已经满了11个月，我们晚上也在奶睡后可以一直睡到四五点然后起来抱一会儿再睡。其间也有反复，比如宝宝重感冒时，不过恢复后两天就好了。我的休息得到了很大的改善。

小心得：宝宝能够成功实现断夜奶，也得益于宝宝并没有对乳头有很强的依恋。从6个月时，我白天会找别的方法安抚她睡觉而不是奶睡，让她睡醒时吃奶，吃完一般她都心情特别好地自己玩很久。再大一些，白天多陪她，更多的拥抱、亲吻，不到吃奶的时间不吃奶，让她明白：妈妈爱你，而不是只有乳头能安抚。

后记，15个月时，成功地引导离乳。我们没有母婴分离，宝宝几乎也没哭。很感恩，15个月的母乳时光，很美也很辛苦。从最初每次出门来回算好时间必须在3小时内，到白天出门后必须背着冰包、泵奶器等好多东西，母乳肯定不是轻松的事情。但是，跟她一起哺乳的时光，宁静、满足、幸福，不管刚才在工作中碰到什么不快，那一刻都可以静下来享受这份快乐。

这个方式比较温和、简单，是减少夜奶的一个可行尝试，我写的陪伴法也从这些分享中受到了启发，但这个方式更适合本身并非频繁夜醒的情况。如果宝宝只有一次固定时间的夜醒，还可以尝试前文提到的“唤醒去睡”法。

本章小结：大部分父母在这个阶段的关注重点不再是睡眠了，我也替大家松了一口气。

第九章

16个月以后的睡眠

《从出生到3岁》一书中提道："14～24个月这一时期可能也是宝宝头3年中最有趣、最困难，也最激动人心的时期。"

这个时期宝宝从扶着走逐渐学会独立走，可以扶着大人的手上下楼梯，可爱的爬行动物正式站起来了。

语言上也将经历语言爆发期，除了以前就会的爸爸、妈妈之外，还有很多新的名词涌现。很多人说这是宝宝最可爱的时期之一。

这个阶段基本上真正完全脱离夜奶。第十七个月中旬，开始第十个大脑跳跃期，一些孩子还可能经历的"一岁半睡眠倒退"。

第一节 常遇到的几种情况

在18个月也就是一岁半时，绝大部分孩子都完成了2觉向1觉的转变。

月龄	小睡醒睡间隔	白天小睡	夜间睡眠	连续睡眠长度	全天睡眠量
16个月以后	4小时及以上	1～2.5小时	10～12小时	10～12小时	11～13小时

睡眠的生理需求中也增添了很多心理因素，睡前如何互动、关于规则和自由的界限都是父母关心的问题。

奶睡、夜醒仍是问题的中占比最高的，本书第四章中有详细介绍。关于戒吃手和安抚奶嘴，可以参考本书第十一章的详细解读，这里列出其他几个常见问题。

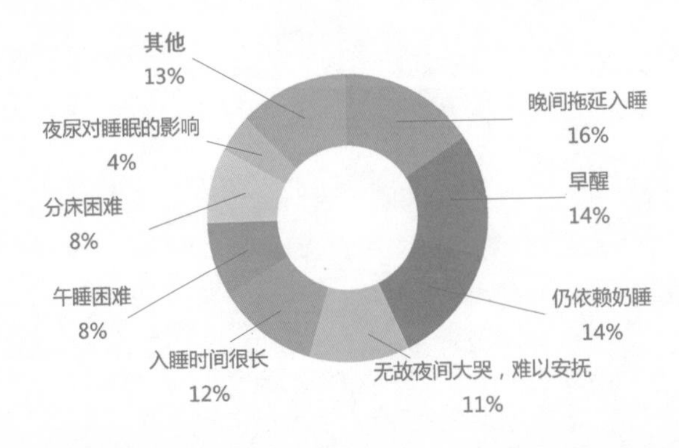

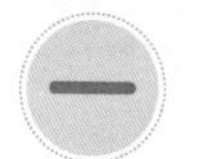

拖延入睡

宝宝现在大了，一旦睡着基本不醒，但就是入睡特别费事，一会儿要喝水，一会儿要讲故事，没完没了。明明已经很困了，但就是拖着不睡。

还有妈妈称“最近小孩得了不骂不睡，一骂就秒睡的病”，很多人都回复有同样经历。在本章的最后有一篇关于这个主题的分享。

宝宝拖延入睡，不愿意从精彩的一天中淡出回归相对乏味的睡眠。过了困的点没睡，到了夜间反而越来越精神，早上起来却又哈欠连天，这和很多成人有晚睡强迫症类似。

入睡困难的情况，还需要检查是否午睡比较晚又睡得很长，这个阶段午睡需控制在1.5小时内，太长太晚都会影响到晚间睡眠。对普遍存在于各个月龄的入睡晚，本书后面有专门的论述。

1. 帮宝宝舒缓情绪，让宝宝理解和接受睡觉的时间到了

★ 列出要做的事：可以用大一些的纸张，以简笔画形式，列出宝宝每天睡前要做的事，在每件完成的事后打钩。列这些事情的时候，可以邀请宝宝一起来参与设计，每一条解释给他听，征得他的同意。以便在执行中，能够取得更好的效果。事情的内容，可以是洗温水澡、哄玩具熊睡觉、把宝宝抱在怀里一起读绘本和房间里面的每一件物品说晚安等。

★ 睡前100%用心的陪伴：睡前妈妈用心陪伴宝宝，而不是三心二意老去看手机。有时家长惦记着没干完的家务，会特别希望宝宝赶紧睡，这样的陪伴不够专注，大人情绪焦躁，宝宝很敏感，感知到后反而更不易入睡。

孩子在睡前折腾父母，一个原因，是感觉到父母总是在急急忙忙想摆脱他们。会感到归属感受挫，就会通过反复要求喝水、上厕所、哭等行为来表现。当他们感觉到你真的很享受和他们在一起待几分钟分享一些事情，会体验归属感，减少哭闹的需要。

——摘自《正面管教》

2. 外界提醒和发挥自控能力双管齐下

所谓“自我控制”在发展心理学的角度讲是幼儿把自己看成一个独立、能指导自己行为的人，回忆养育者指示，并用指示来提醒自己的行为。

如何让婴幼儿明晰规则，并调动自我控制去遵循规则？落到让宝宝按时睡觉这件事情上，一定的提醒并且提前提醒很有必要：“还有5分钟要睡觉啦”“再读两本故事就要睡觉啦”。

婴儿控制行为的能力依赖于父母不断的监控和提醒。敏感和教养有方的父母，其孩子更听话，自我控制能力更强，要对婴儿做出温和而敏感的反应；

让婴儿停止正做的自己喜欢的活动比等开始新活动更难，提前提醒很重要；

婴儿记忆和遵守规则的能力有限，需要成人不断的监督；

表扬和拥抱能强化适当的行为，提高他再次发生的概率：对自控行为用言语和拥抱加以赞许。

——摘自《伯克毕生发展心理学》

★ 提前准备入睡：将入睡的准备提前，就不会因为一些突发的情况，而太过焦急，如果宝宝翻来覆去一段时间睡不着，或是再要求起身，也有时间余量去处理。

★ 给宝宝多一些选择和自主权：比如让宝宝自己选择睡前看什么书，自己拿尿不湿，选择妈妈陪还是爸爸陪，征得宝宝同意后再关灯等。

★ 如果宝宝遵守了约定，给他点鼓励，因为能够自我控制对很多成人尚且不易，小小的他却做到了。

二 午睡困难

3周岁左右，一些孩子醒着的间隔延长到能够无须午睡。这个苗头可能早在两岁多就偶尔出现了。宝宝中午入睡困难，但傍晚很疲劳，无法以较好的状态支撑到晚上入睡，令人颇为烦恼。

绝大多数幼儿园都要求睡午觉，为了避免幼儿园期间的不适应，我建议尽量规律作息，保留午睡的习惯。也希望老师对不午睡的孩子抱以谅解。

午睡困难时，可以尝试：早晨早些起床，不睡懒觉；午饭后早一些躺着，安静下来，以免错过入睡时机；午睡不宜太晚，否则增加晚间入睡难度，得不偿失。在并觉专题内，也有关于午睡消失的内容。

案例

午觉消失案例——由莘妈分享

2岁4个月+6天 最近午睡一直困难，今天干脆试验一次不午睡，随性子来。结果白天没午睡，精神倒是都还好，直到傍晚5:00刚做好饭，她开始崩溃，累过头的那种哭闹，晚饭一点儿没吃，傍晚6:00睡了。

2岁4个月+ 13天 又是没有午觉的一天。最近是前一天拒绝早睡，下一天一口气睡2~3小时睡不醒。很不喜欢过渡阶段这种不规律的作息，但也真没办法。

2岁6个月+ 15天 接连几天晚上极难入睡，越来越觉得可能真是不需要午觉了。今天没睡午觉，趁天气还不错出来放风。

2岁6个月+16天 记录一下，每天午睡真要成历史了。早7:00起，晚7:30睡，没午觉，一天情绪都好，吃的好玩的好。睡前确实困了，也稍微闹了一下，但很快就入睡了，孩子真是长大了，太快！

 夜尿对睡眠的潜在影响

2岁左右，很多孩子开始了如厕训练，这期间也有可能有睡眠扰动。

★ 午睡前、晚觉前，引导孩子尿完再睡，有时会帮助他们睡得更长更踏实。

★ 摆脱尿不湿期间，夜里妈妈也要格外敏感，及时发现宝宝要排尿的信号，减少尿床现象发生。

妈妈们的经历

我们家小朋友现在31个月，晚上会突然大哭，但是只要我抱她坐在小马桶上嘘嘘完毕，放回床上还是可以继续睡的。只是嘘嘘的时候要扶住她，不然她整个人软绵绵的。

家长问 不被夜尿憋醒一般是多大？

小土答 这个有非常大的个体差异，和睡前奶停止的时间也有关。超过一岁半后，睡前奶改成固体的酸奶，可以帮助减少夜尿，提高夜间睡眠质量。我家宝宝大约两岁半时开始整夜无尿。

妈妈们的经历

案例1： 我家宝宝1岁10个月，从1岁开始睡整晚且整晚不尿床，晚饭喝粥，睡前180毫升的奶。有时候心疼她怕她晚上憋得难受，叫起来把尿，可宝宝不但不尿反而烦躁。

案例2：我家宝宝差不多快3岁时候吧，没有刻意训练他，但是穿着尿不湿，一晚上也不尿。晚上睡得迷迷糊糊的，自己站起来嚷嚷尿尿，赶紧给摘尿不湿，然后尿小盆里。经常一晚上穿着尿不湿但都要摘了才尿，所以就干脆不给穿了。玩得太累的时候不会醒，直接尿床。

案例

女儿现在3岁，最近出了个问题，特别喜欢做噩梦，会哭醒，然后安抚了后再入睡。一晚上会做多次的梦，大多都是梦见自己掉到水里，水里有很多怪东西要攻击她，甚至会因为害怕做噩梦而不睡觉了。睡前都还是会喝奶，睡前会排一次尿，但是她特别多尿，有时候晚上排尿好几次。3岁了，但为了她的睡眠和我的睡眠，还在用尿不湿。

这个案例中，梦中的水指向对尿的潜在担忧，解决方式上也是要从源头上减少夜尿，睡前奶换成酸奶或者干脆睡前不要吃流质，尿好了再睡。

四 老二来了，老大却睡不好了

有很多家庭，在老大2岁左右的时候，迎来第二个孩子，两个孩子的年龄差小于3岁，可能会出现“同胞竞争”的现象。新成员的加入，对老大会造成较大的情绪冲击，进而引起睡眠问题。更多“二孩”的安排参见本书特殊睡眠状况专题的论述。这里分享一个具体案例，通过制作专属的睡眠书，改善了问题。

由冰激凌妈妈分享

老大从出生到4个月，同房不同床，快5个月自然断夜奶，之后就不同房，一直由我带，周末回奶奶家，睡眠几乎不操心，是天使宝宝类型！

老二出生之前我已经慢慢告诉老大，很快会有个小弟弟陪她玩。让她亲吻肚皮，摸摸胎动，她整体表现是欢迎弟弟的。

我待产前最后一个月身体不行，老大住到奶奶家去了。和她叮嘱了妈妈身体不舒服，没办法陪她做运动，没办法给她做好吃的，奶奶陪她。她也表示知道了，于是我就自己家、婆家两边跑。

弟弟刚出生时，老大21个月，仍住在奶奶家，每周末会回自己家玩一天，亲亲弟弟，抱抱妈妈，走的时候说再见，情绪很好！在老大表现出想妈妈，不想走时，我就留下老大。但晚上问题爆发了，夜醒频繁，要求喝奶，早醒，午睡时间缩短，每次睡醒，大哭！

我完全没有料到，于是试了很多办法，最终成功的办法是我自己制作了一本书。

第一张拍她喝奶，第二张拍她洗澡，第三张拍她穿睡衣，第四张拉窗帘，第五张关灯，第六张抱小兔子睡自己的床，第七张睡着的她，也是封面。

我带她看这本书，她有兴趣，晚上睡前也按照这个步骤进行准备。

每做完一件事情，我就问她下一步。她属于语言爆发期，会说好多话，不会立刻睡去，我基本不接话，除非情绪特别激动，由她自说自话，慢慢入睡。

经过5天，已经慢慢自己睡，我只需要到门口告诉她妈妈在，安心。

第二节 作息参考

本阶段推荐的一些活动

宝宝会独自行走之后，活动范围大大增加，对高质量玩耍的需求也多了。

这个阶段有哪些玩耍的内容呢?

拼图、积木、切切乐、涂鸦、过家家、扮演游戏、玩水、扔球滚球、攀爬、滑板车、摇摇马、秋千、滑滑梯、藏猫猫、阅读等，都是不错的玩耍项目，还可以逐渐多带宝宝接触同龄人或者更大的孩子了。

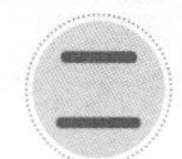

二 16～18个月作息实例

作息实例特点：全天1觉，晚间入睡时间20:00左右。有些宝宝可能午觉的时间会更晚一些，酌情安排即可。

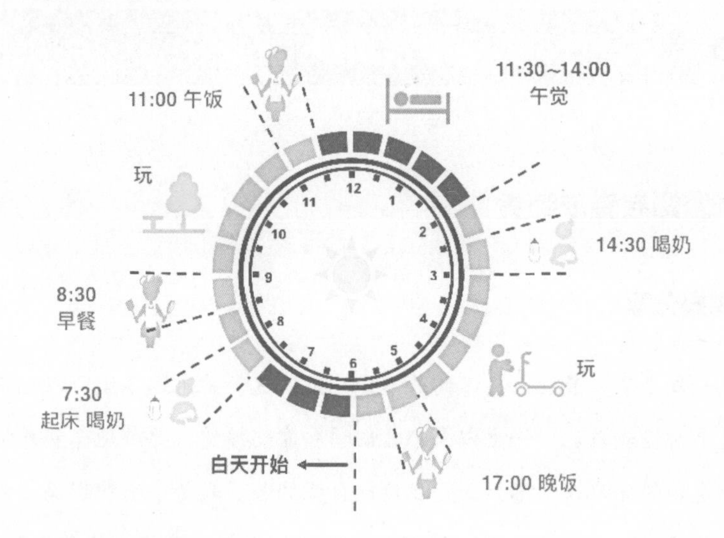

三 2～3岁作息实例

作息实例特点：全天1觉，睡眠较少的孩子可能起床的时间比作息中早。

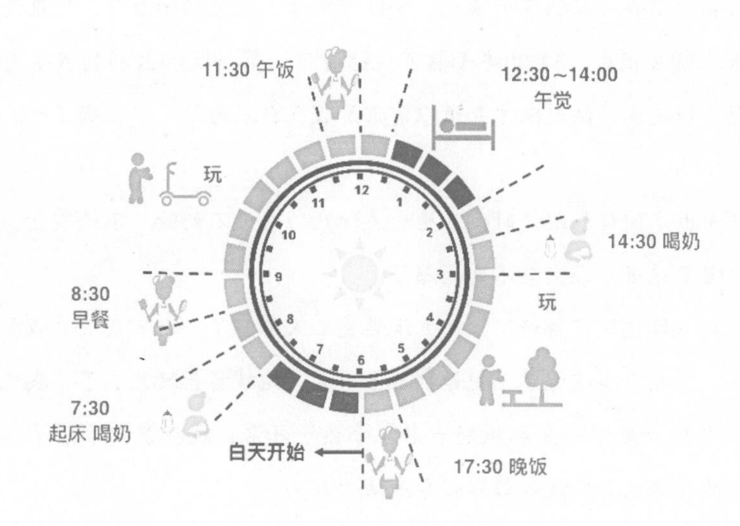

宝宝3岁左右，有时候午觉会颇为困难，宝宝出门玩得兴奋还会整个白天不午睡。一般提前晚上入睡的时间即可。

第三节 妈妈们的睡眠摸索实录

一 恋奶娃变成吃货

由多鸽妈分享

多鸽快一岁半了，最让人头疼的是不爱吃饭，这和她永远不饿所以吃不下饭有关系，其实这个都怪我自己，一直以来都靠奶睡和靠奶接觉，导致她恋奶严重。

与其说是她的坏习惯，不如说是我偷懒自找的苦。我是个全职妈妈，为了让她能在我希望她睡觉的时间入睡，我会迫不及待地给她喂奶，这样我能尽快做饭、吃饭、做家务，久而久之她就习惯了这样的规律。

17个月12天，调整的第1天，快睡觉前给她喂了1次奶，接着刷牙、讲故事、换纸尿裤，然后关灯安静一起躺下哄睡觉。给她哼哼歌，轻轻拍拍后背，结果没有哭没有闹，就是翻来翻去很久，11:00终于熬不住睡着了。第一晚那么顺利我很意外，我以为她会大哭，但是真的做起来才知道以前都是我在自以为是，半夜喝了一次夜奶直接到天亮。

后面几天也是同样，醒的时候带她出去玩儿，白天不奶睡，不给零食。下决心改变一周多，宝宝吃饭已经完全不是问题了。

后记：自从她吃饭吃得好了，我发现她整个人都变了，之前总缠着我要我陪她玩儿或者喝奶，现在只要吃饱了，把她往地上一放，她就自己玩儿去了，我吃饭洗碗都毫无压力。之前一度觉得全职妈妈一个人带孩子好累，现在完全不累了，她认真吃饭，认真玩儿，每天真的是超级开心和有活力。

迟来的睡眠引导

由一一妈分享

基本情况：一一相对高需求，横向比较起来，不容易被取悦，哭声震天响，撕心裂肺那种。1岁以前，对密闭环境抗拒，严重的陌生人恐惧症。1岁后，对新环境和陌生人的接受很慢热，很不喜欢陌生肢体接触。需要奶睡或者抱睡，不会接觉，睡眠周期转换依然需要吃奶或者抱哄。

断夜奶是我想了好几个月的事了。因为她有龋齿，除此之外，我观察到她的状态不好，80%以上是因为睡得不好。早上起床不久就频繁打哈欠，有的时候上午都叽叽歪歪的，完全没睡够，跟自然醒来的效果完全不一样，所以需要提高睡眠质量。

提前做的准备是跟她讲晚上奶精灵也要睡觉，睡觉的时候就不吃奶了。她很懂事地表示理解，大声说着："好，知道了！"

第一天，入睡发现不能吃奶，气急败坏地哭了1.5小时。平时是接受抱睡的，那天怎么都不肯抱睡入睡，纯粹是因为不能接受不能吃奶睡觉这个事。中间频繁醒来，每醒必哭。以大哭来表达她对不能吃奶睡觉的伤心、气愤、绝望。要妈妈抱，妈妈抱了不吃奶又难过。换爸爸抱，哭得更伤心。在黑暗中，我抱着号哭的她，心疼又后悔。

第二天午睡，先坐着吃奶，跟她说好吃完奶妈妈哄。真要睡了嘴里叫着吃奶睡觉，我抱着她，她哭了几声睡着了，因为晚上睡得太差，中午这一觉竟然一口气睡了两个半小时，醒过来神清气爽，很开心。

第二天晚上，吸取了第一天的教训，打算等到她真的很困了才哄睡，果真玩到九点多不断揉眼睛，我开始故作轻松地跟她说妈妈哄睡觉，她也平静地接受了。哄了十多分钟，一声没哼就睡着了。11:40和1:00左右都醒，抱了很久，五点多吃奶睡到七点多醒来。后面几天也是类似，每天有一点小进步。

一周过去了，虽然没有出现一觉睡到大天亮的奇迹，但是比起没有断夜奶前，她的睡眠的确有了很大的改善。

这次断夜奶的过程，让我进一步了解了宝宝。宝宝突然不可以吃着妈妈温暖柔软的奶睡觉，情绪非常激烈。困了想睡但是睡不着的时候，她经常提各种要求，比如说开灯，说到外面去，说拿某一本书，一开始我生硬地跟她说要睡觉了妈妈哄，不可以……她哭得更厉害了。

在婆婆的指点下，做了一些小改变，她说开灯，我温柔地说好，妈妈抱一下就开。她说出去玩，我平静地说好的，妈妈唱着《大海》抱你出去玩。效果很神奇，其实她也不是真的要出去，她只是不知道怎么表达自己不会入睡、不想睡觉的烦躁情绪，你接受了她的情绪，让她在积极愉快的心情下陪着她一起入睡，她通常很快就睡着了。

宝宝已经超过1岁半，不建议再使用踱步的方式入睡，夜间醒来尽量避免抱起，先观察不干预或采用原地安抚替代，过多安抚也可能成为入睡困难和夜醒的刺激源。这个分享中改善不彻底可能与此有关。妈妈最后提到的，大龄儿的情绪问题，的确，如果宝宝从内心接受了改变，这件事情就没有那么难了。

三 奶精灵的故事，放飞的孔明灯

由楷妈分享

楷是个标准的低需求娃儿，很少哭，能吃能睡能折腾。白天由爷爷奶奶带，姥姥姥爷也带过，晚上我自己带。楷从小拒绝喝配方奶，到两岁多加鲜奶之前，一直是纯母乳喂养。辅食加得也比较顺利，不过肠胃一直不太好，很容易腹泻。

楷25个月，我开始给他加鲜奶，并不时讲讲奶精灵的故事。

之前，我就经常给他讲他原来在妈妈肚子里是什么样的，后来怎么出生的以及成长中的各种细节，他听得津津有味。现在把奶精灵渗入其中，比如我说他出生时，奶精灵在天上飘着呢，看到楷来啦，就飞下来，到妈妈这儿，妈妈就有奶啦，诸如此类。

然后，告诉他，现在他长大了，奶精灵要去照顾更小的小孩儿了，所以每天不会来那么多次了。树叶变黄的秋天，奶精灵就会完全告别，不过，奶精灵仍然会想念你的。他最初听到这个，非常难过地哼唧了好一会儿。我一直都是抱着他轻轻说："我知道啦，楷很难过，我知道啦，你不舍得奶精灵走。"每天都讲，次数多了，他渐渐接受了这个事实。半个月下来，偶尔爸爸能用手机里录的我的呼噜声哄睡娃。他跟着别人，总是很容易在中午睡着，而跟着我，总是各种哼唧哭闹，非要吃上不可。

到26个月时，楷已经完全接受鲜奶，并能由我自己哄睡着了，中午、晚上都没吃母乳，自己抱着安抚物睡着。

后面的半个月中，他越来越能正视"奶精灵1天只能来1～2次"的事实，情绪平静地表示难过。我想，他是把难过和失落放在了心里，于是那一阵晚上的夜奶次数有所上升。有时候要吃很久。我开始时很拧巴，就是不想让他吃。后来确实感觉到自己的存货有限，他就是吃一个安慰，就随他去了。慢慢地，他也感觉到吃不着什么了，半个月后，他终于肯在半夜醒来要吃奶时听我说道"奶精灵已经飞走了，没有奶了"之后，比较听劝地继续拍拍睡了。偶尔，他也会闹着要吃，我们俩就一起呼唤奶精灵，然后给他吃1次。

27个月，我开始跟他商量如何跟奶精灵告别。最终他确定用孔明灯。

28个月时，我指着买来的孔明灯，告诉他奶精灵要坐这个飞到天上去，娃儿平静地听完，看着孔明灯，没说什么。

我又跟他商量："今晚放飞孔明灯，送走奶精灵，行吗？"他想了想，干脆地说："行！"微雨的傍晚，我在床上认真地把送给奶精灵的话写在孔明灯上，宝宝一边拿着彩笔在上面乱画，一边叨叨："奶精灵！奶精灵！"我问他要跟奶精灵说什么，他说："奶精灵，再见！"到楼下放飞孔明灯，看它越飞越远，他要追，我抱着他说："奶精灵已经走啦，今晚楷楷如果醒来要吃奶，妈妈告诉楷楷奶精灵走啦，没有奶了，楷楷就继续睡觉，不吃奶了。"

我们在黑暗里走着，娃儿忽然一字一顿地说："奶精灵，再见!"

那天晚上，我自己带着他，他半夜醒来，要吃。我说，你忘啦，奶精灵不是坐孔明灯飞走了吗？你还说再见来着？他很快平静下来，拍拍，继续睡了。

后来就这样了，他没两天就完全适应了断奶的生活，没有哭闹，没有抓着我不放。因为他知道，我一直在身边。

现在回头看，我的经验就是，打算怎么做，心中有计划，但要慢慢来。给孩子一个心理缓冲的过程。离乳时最好能有一个类似仪式的过程，前面可以用长长的时间跟孩子商讨细节，让他慢慢接受。开始断奶了，也要让孩子感觉到，虽然没有奶吃了，可是妈妈一直在陪着自己，不会走开。

虽然理智上我认为两岁多戒断夜奶偏晚，但这则分享一度让我看得掉眼泪，想到宝宝吃完看着我笑的场景。额外的点评也多余了，希望妈妈们能从其中体会到耐心和用心。

四 从温馨的睡眠仪式说起

由提啦妈妈分享

前言：快2岁半的这几天提啦忽然变得超级天使。每天早上7:30起来，说：“妈妈我要起床了。”我说好，她就一个人夹着小兔子，下床开门，出去后给我们关好门。有两次五六点说要起来了，我说太早了你还得睡，她就继续倒头睡。早饭后主动背着包着急地去幼儿园，一切好像就是从入睡顺利了开始的。

之前的情况：随着入睡的拖延，我越来越无奈地被动催促：“哎呀，你不是喝过水了吗？”“尿出来了吗？你还要尿多久？”“快看看时间，已经8:30了！”“我都困死了，你还没好吗！”和《睡觉去，小怪物》绘本中的情节如出一辙。

我感觉到自己和提啦的“联结”断裂，变成一种各自为政的角逐。我想的是：“快点快点睡吧，我太困了，能不能体谅下我。”她想的可能是：“我不喜欢睡觉，不喜欢关灯，我不喜欢妈妈对我这样，一到睡觉时间妈妈就对我这样。”

你说你的，她做她的。最后被我强制关灯，强制抱住不能下床，尖声号哭，死命挣扎，撕心裂肺，哭累了睡着。我利用了身体优势，她觉得不公平却无法抗衡。

这种感受让我自责而心疼，这是我最不想做的事情，却连着几天都这样。

“最重要的是让孩子感受到睡觉是愉快的事情”，脑海中的这句话，提醒我，目前进入了一个很差的循环。

这两天，我做了一些改变：

白天我尽量补觉，让自己在饭后不那么困，可以有精力更积极地处理并完成一个温馨的睡前过程。试着对她所做的事情表示理解和支持，而不再站在她的对立面。变被动为主动地在每一步之前与她确认下一步的程序。

“提啦，等会儿洗好澡后，你可以拿3本小书上床。讲完书以后，你来关灯，好吗？”

“这是最后一本书了，看完后是你来关灯，对吗？”

“我知道了，你还想再看会儿月亮。那你就拉开窗帘看会儿吧。等你看完了，自己把窗帘拉起来，好吗？记得跟月亮说晚安！”

“不能喝牛奶了哦！但是如果你实在觉得嘴巴渴，我帮你倒点水？”

“你太想喝牛奶了，但是又因为咳嗽不能睡前喝（之前吐过），怎么办呢？这样，我们一起祈祷咳嗽快点好吧。我教你念个咒语怎么样？”

“我还可以给你讲一个奶牛的故事！”

“哎呀，变黑了！你看不见了？哈，我也看不见了。我们来变个魔术吧。你从1数到10，现在看到我的手了吗？ 你再数到10，看到顶上的灯了吗？哇，你的眼睛好厉害，黑暗中都能看得到东西。”

“睡不着？那我们聊天吧？我跟你说说今天你去幼儿园后，妈妈做了些什么，你想听吗？”

……

我发现，不再将“在几点前睡着”作为目标，并且想着“你怎么这么能拖延”，而是去理解她，并且相信她可以很配合以后，而她真的变得合作多了。不再如之前抗拒关灯和睡觉。她会主动关灯，主动看一会儿月亮就拉上窗帘，能躺在床上不走来走去，能愉快地睡着，而且睡得更早。

从中，我感悟出对“叛逆期”孩子的一个小心思。这个时期的孩子，自主意识迸发，什么都想自己做主。那种很强的，不容忽视的小自尊心，很可爱，值得我们尊重和保护。他们还是很可爱而单纯的孩子，摸准了窍门以后，是很容易相处的。譬如对于提啦，我就发现，只要不直接说不，她就很容易说好，并且乐意接受你所加的条件。

临睡前忽然在床边看到一颗糖，我曾经试过坚持说不行，然后天崩地裂，半夜还噩梦哭醒。后来针对这个时期的特殊情况，改了策略：“按规定睡前不可以吃东西的，但是你肚子饿了，我们就破例一次吧。但是有两个要求：第一，这是特殊情况，以后不可以；第二，吃完之后要刷牙！”提啦连忙不迭地答应了。吃完以后自己很主动跑去刷牙。这个尝试里，我一下子对我之前所迷惑的“规则和弹性”有了顿悟！

让我一起感悟的，还有“信念”。我想起一句话，“孩子都是天生愿意合作的。”如果她不停地与大人对抗，一定是中间什么环节出现了问题。当我相信她是明理而合作时，心态和做法会完全不同。当我这么想的时候，我自己也很愉快。我们的相处也越发正面。

收录整理时，我保留了这篇分享中很多具体的对话，希望细节给妈妈们更直接的启发。随着年龄的成长，睡眠更像是亲子相处的一个缩影。一厢情愿的认为“我说了你就得听”只会在现实中碰壁，两败俱伤，多考虑“如何说孩子才会听”才能有真正健康的亲子关系。不是要么控制要么放任，不是东风压倒西风，有时候需要改变的是我们自己，才能最终双赢。

第四节 睡眠感受回顾

细心的你也许发现，9个月之后的两章，内容比之前少了，是的，因为这个时期问题少了。

身处问题中时，难免有只缘身在此山中之感，问题解决了，从过来人的角度看，又可能别有一番滋味在心头。这里就一起来事后诸葛亮，看看过来人怎么说的，这个针对16个月以上宝宝的“家长投票”中，共有159位家长参与。

关于“睡眠变好的转折点”，认为发生在“10～15个月”的，数倍于其他月龄。从原因上看，大部分人也将选票投给了“戒奶睡后”“自主入睡后”“心态放松后”。

对于“觉得之前的睡眠问题主要是什么引起的”？（多选）

这是个感受的汇总，感受不能完全等同于事实，但仍可以初见端倪。

排在第一位的是：“依赖奶睡、抱睡”。

排在第二位的是：“说不清什么原因”引起的。对此，我略感吃惊，一方面，说明睡眠问题的复杂性，发育不成熟，有些乃是正常的成长过程，即便真有问题，有时排查出原因也并非易事；另一方面，也体现睡眠知识普及的重要性，遇到原因连可能的原因都不明确，改善就更无从谈起。

其他的选项，按占比高低依次是，“各种身体状况引起”“养育作息不规律”“对睡眠知识缺乏了解”“运动不足，玩耍质量低”“先天因素”，有一定的代表性。

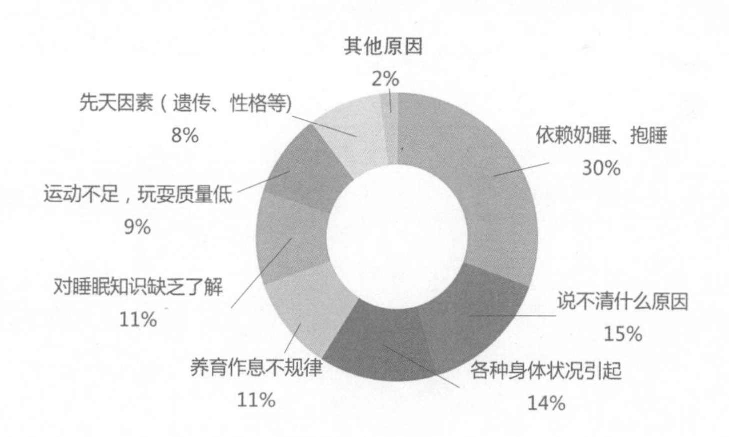

“从现在的角度，对睡眠引导的看法”（多选）

人生是条单行道，做了一种选择意味了放弃了另一种，不管如何选择，可能都会想“也许那时那样就好了”，也因为会关注我投票的家长，多是仍有睡眠问题的人群，总之，认同需要进行睡眠引导的占多数。

“了解一些睡眠知识有帮助”相较于“觉得差别不大”更是有压倒性优势。当然觉得“了解得多，反而焦虑”的也有，我想这与受研究水平所限，网络、书籍中信息过于繁杂、水平参差不齐，家长忙乱之下无法冷静梳理等原因有关。

至此，每个细分月龄的内容也讲完了，衷心祝福，睡眠的烦恼已经离你远去，那些暗夜里的疲惫、苦涩，都已成为微甜的记忆。

读到此处时，如果你的宝宝尚且年幼，我想请你坚定信心，相信成长的力量。要知道，再难，再觉得熬不下去的日子，都一定会过去。

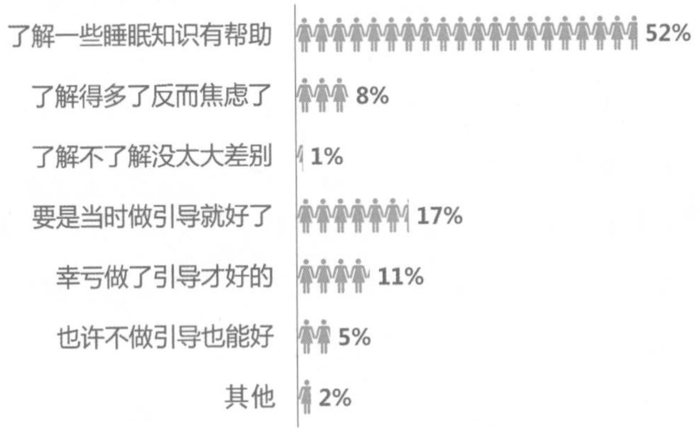

了解一些睡眠知识有帮助 52%
了解得多了反而焦虑了 8%
了解不了解没太大差别 1%
要是当时做引导就好了 17%
幸亏做了引导才好的 11%
也许不做引导也能好 5%
其他 2%

第十章 特殊睡眠状况

前文讨论了和月龄直接相关的细节，这章讨论跨越年龄段存在的睡眠状况。

第一节 特定时间点相关的睡眠状况

不同时段的睡眠特点不同，处理方式也有所不同，这里对每个特殊的时间点做专门的分析，包括：早醒、入睡晚、并觉、倒时差、昼夜颠倒、睡后半小时大哭、傍晚哭闹、半夜起来玩等。

一 鸡未叫娃先醒——早醒难题

婴儿通常起得比大人早，有“宝宝是追着太阳跑的”这样的说法。希望他们睡到早上9~10点不现实。宝宝一般10~12小时的夜间睡眠之后，在7:00左右起床会比较好，6:00没到就起床，才被称为早醒。

家长问 5月了，以前冬天能睡到7:00，现在5:00就醒来，怎么回事？

小土答 早醒问题在夏季到来时尤为突出。以上海为例，1月时，傍晚5:15左右日落，早上7:00日出，整个夜间14小时。7月时，傍晚7:00日落，早晨5:00日出，整个夜间10小时。两者相差有4小时之多，而生物钟靠日光来校准，宝宝夏天夜里睡得短，冬天睡得长就有这个原因。

除此之外，早醒的原因一般还有：家长不知道宝宝早醒后还能继续睡、白天睡眠量少、晚间入睡前醒太久、晚间入睡时间太晚、夜奶过多、睡眠能力不强、胃肠蠕动活跃、胀气等。

1. 知道原因后，对应的早醒解决方案

A. 简单的排除一些环境的原因

检查房间早晨的光线是否过亮，除窗帘外还需配备遮光布。观察早晨是否有特殊噪声。还有少数妈妈实践中发现，在晚上入睡时候不拉窗帘，借自然光，让宝宝适应在稍亮一点的环境也能入睡。到早上天亮醒来时，拉上窗帘告诉宝宝，现在还是夜里，没到起床时间，也能改善早醒。

B. 调整自己和孩子的预期

夜间入睡的条件和时间优于早上。比如，晚间翻个半小时入睡，一般家长都能接受，但如果早晨翻来覆去半小时，多半就直接安排起床了。就像成人醒来看手表，如果看到是8:00就会起床，但若是有一天，手表坏了，实际才6:00但手表显示8:00，我们多半也仍会起床。几点起和心理预期有关系。

所以，早上醒来，第一反应先看一下大致的时间，如果才五点多，妈妈要知道宝宝可能会需要继续睡。

★ 当宝宝咿呀自语时：妈妈可以装睡，不要立即去打扰；偶尔宝宝坐起来无法躺下或者翻不过去的时候出手帮助一下，可能过十几分钟后宝宝自行睡去；

★ 没睡够哭醒时：因为晨醒难哄，还可以抱或者喂晨奶，或者观察是否哭过后，能自行再次入睡。

C. 以1小时为单位（甚至更长），提前或推后入睡时间

看看宝宝早晨醒的时间有无变化。如果没有相对固定的入睡时间，那要做全面的调整。

D. 按摩腹部、调理饮食

宝宝出生后的三个月，早醒常伴有胀气、拉粑粑等现象，从而导致无法继续睡，可参阅本书“最初三个月的睡眠”的解决办法。

E. 尝试晨奶

宝宝一口气睡了9~10小时后，醒来很难继续睡的时候，可以尝试晨奶，但晨奶可能使宝宝在半夜醒来后也要喝奶，这招得视宝宝的敏感程度酌情使用。

F. 唤醒去睡

这个方法用在夜醒并不多的情况下，推后醒来时间，操作见本书第二章。

G. 增强睡眠能力

宝宝夜醒不频繁的情况下，早晨一般也更安稳。而如果夜里1~2小时就有一次夜奶，则往往伴随着早醒的问题。尝试减少频繁夜奶，将最有力的安抚，留着对付最难的早醒。宝宝的入睡能力增强，会帮助他们渡过本身就比较困难的清晨极浅眠阶段。

2. 以上这些方式都无效怎么办

还可以亡羊补牢，早醒之后，哄不睡就放弃哄睡，玩30～60分钟（最好不出房间），留意困的信号，在比平时睡觉间隔更短的时间，睡回笼觉。回笼觉区别于早觉，一般比较短，也不用接觉。

例如，如果宝宝5:00醒了，咿咿呀呀，排便，换洗之后，一家人躺着。到五点半多，宝宝出现了烦躁情绪，这时候妈妈抱宝宝喝奶，等迷糊的时候，让宝宝睡回笼觉45分钟左右。临近7:00左右起床，这样也是可行的。

3. 一个更常见却被忽视的情况

家长睡太晚，早晨被吵醒，好梦被扰，觉得特别痛苦，很难冷静处理。故而家长早睡也很重要。

总而言之，早醒问题不是独立的，可能是宝宝正常的生物钟，也可能是整体作息紊乱的一个表现，如果局部调整无效则需综合调整。

二 晚上入睡晚

虽然孩子和家长的互动很重要，但如果让宝宝拖着疲惫的身体被大人逗玩，影响亲子互动的质量不说，还会影响宝宝的发育。不少小宝宝因为家长睡得晚，也跟着到10:00以后才入睡，这个点实在太晚了！尤其是白天小睡短、下午觉很早结束的宝宝，如果晚上再很晚睡，宝宝真的承受不了了。

入睡晚的危害：

★ 影响早晨的正常起床时间，造成全天作息混乱。

★ 是很多孩子入睡困难、夜醒频繁的原因之一。

★ 我观察到的案例中，7~9点入睡，但常常同样都五点多醒，也就是说早睡未必早起，晚睡反而可能早起，入睡晚缩减了夜间睡眠时间。

故而早睡很重要，不单宝宝要早睡，家长也最好早睡，同步和充足的睡眠能改善夜间照顾宝宝时的精神状态，减少疲惫。这一点在本书中已强调很多次。

小区里面没有睡这么早的呀，六七点钟睡会不会太早了？

小土答

存在的并非都合理。不少人觉得晚上7:00睡太早了，而6:00之前就睡，更是挑战传统观念。其实这是成人和婴儿睡眠特点、需求不同导致的差异。如果宝宝没法晚睡晚起，那么只能早点睡，来避免睡眠量的损失。对家庭作息来说，早睡是更好的安排。不过一般1岁之后，入睡时间可以延至8:00～9:00。

宝宝6个月，调整作息，昨天17:30哄睡，居然没有夜惊和夜醒频繁，安睡到早晨6:00。

已经明白了早睡重要，但怎样才能提早入睡时间呢？

小土答

很多孩子睡得晚，和家长没有意识到需要早睡有关。有早睡的意识已经是成功的一半。剩下的：①要避免过度疲劳，不要错过睡眠时机，引起晚睡；②傍晚小觉不要长于45分钟，避免晚于5:00才开始，以免使入睡时间推迟。如果傍晚觉开始得很晚，可以醒后当作夜醒来安抚，直接当作夜觉睡；③如果入睡晚，是因为起床晚导致的，类似调时差，要从提早起床时间入手。

妈妈们的经历

案例1：除了月子里，宝宝在4个月前，都要10:00～11:00才能进入夜间睡眠模式。后来每天观察睡眠信号，然后一点点的往前调整夜间入睡时间，花了大概1周时间，就可以8:00入睡了。

案例2：到要睡的时间，提前将客厅灯都调暗或关闭，让宝宝还在客厅玩儿一会儿，黑漆漆的客厅和温暖的房间对比，他反而主动进屋了。

家长问

下班太晚，实在没办法那么早就安排宝宝睡觉，很焦虑，咋办?

小土答

实在做不到，也不必因要早睡太过焦虑，能晚睡晚起的情况确实也有。生长激素分泌并非按照时钟，只要夜间总长差不多，晚上9:00睡早上9:00起和晚上7:00睡早上7:00起，差别没有那么大。每个家庭不一样，一切取决于你和你的宝宝。

小睡的4大转折点——并觉

并觉是指婴儿随着醒睡间隔的增加，白天小睡数量的减少，也就是某个特定的小睡消失。

主要包括这四种情况：

★ 4觉向3觉转变——3～4个月——上午小觉减少为1个

★ 3觉向2觉转变——6～9个月——傍晚小觉消失

★ 2觉向1觉转变——13～18个月——上午觉消失

★ 1觉向0觉转变——3～5岁——午觉消失

以上几种并觉的时机不同，但原理、方式都有共通之处，可以相互借鉴。

1. 上午觉减少为1个（4并3）

宝宝百天前基本3小时一喂，吃睡都比较规律。百天之后突然难带了，白天小睡很难接觉，还没接上又到了要吃奶的点，既没睡醒又要醒来吃奶。后来有意拉长吃奶间隔，接觉又变得容易了，一段时间后，作息慢慢稳定在4小时循环。

在3~4个月，宝宝会出现4觉向3觉的转变，就是通常说的3小时循环作息向4小时循环作息转变。本书4~6个月睡眠章节中也提到这是这个月龄段的常见问题。

2. 傍晚小觉消失（3并2）

宝宝5个多月，最近并觉的趋势明显，好几天5:00左右的小睡没有了，晚上喝完奶一两分钟就睡了，比平时提前半小时。但是比较难判断傍晚5:00这一觉到底睡不睡，有时候哭闹了，以为要睡，但哄哄眼睛眯瞪几下又清醒了。

一般来说，傍晚觉是全天最难的。如果入睡困难，可以增加安抚力度，比如出门睡在推车、背巾里，或者酌情放弃。

时间上，以早上7:00起床为例，傍晚觉不要晚于4:30或5:00，也不要睡太久，45分钟足够，否则会延迟晚间入睡时间，增加难度。

6～9个月，傍晚小睡会正式消失，这个迹象可能更早就出现了。傍晚觉不睡，意味着下午醒来到晚上入睡的醒睡间隔变长，有可能出现过度疲劳，可提早入睡，这个特殊时期，甚至五六点钟即开始睡晚觉。

也有一些睡眠书籍主张，当超过6个月时，就应取消傍晚觉。我更倾向于，根据婴儿状态灵活决定具体何时取消。

和所有并觉一样，转变不会一天就完成，而是有过渡期，时有时无。在过渡期内，旧的作息被打乱，容易出现入睡困难、睡后不久大哭等现象。但这些变化并不那么可怕，它们意味着新阶段的到来，是成长的必经之路，家长要放松心情。

3. 上下午觉消失（2并1）

2觉并1觉的苗头可能最早在10～12个月出现，而在13～18个月会正式完成，详见本书第八章。我还遇到过一些特殊案例在8～9个月就完成了并觉，夜间睡11～12小时，白天睡一觉3～4小时。

莫名开始睡觉折腾的时候，可以做并觉的尝试，规律并非不可以打破。如果宝宝恰逢旅行、换地方、生病刚好，有可能会不愿意睡觉，出现几天的入睡困难、只能睡1觉的情况。但偶尔的无法入睡和宝宝身体已经能清醒更久是两回事，当环境恢复时，须注意调整。

4. 午觉消失

午觉的消失，意味着白天不再小睡，这是婴儿期多相睡眠向成人单相睡眠转变的重要节点，一般发生在3周岁左右。幼儿园有睡午觉的传统，时间点上会更晚，以我自己为例，直到上大学前都还每天午睡。

睡眠的时间点、合适的睡眠长度都是重要的，不该睡的时候睡了，反而有可能导致综合睡眠状况的下降。一些大宝宝，出现入睡拖延、夜哭的现象可能正和白天睡得多相关。

四 傍晚觉哭闹——黄昏闹

民间有流传很广的“黄昏闹”之说，过度疲劳导致傍晚入睡困难，是其中一个很重要的原因。

白天数个小睡都很短（30分钟一觉），累积了一天的疲劳在傍晚爆发，宝宝往往会出现严重哭闹而崩溃入睡，之后一睡数小时，又导致晚间睡眠开始的特别晚。

要缓解这个现象，需从源头上避免白天过度疲劳，小月龄宝宝需要睡傍晚觉，但

别太晚太长，或者直接当作夜觉来睡。傍晚觉的内容，还可以参考本书的“黄昏觉消失”部分。

五 睡后半小时大哭

我的体验：宝宝快1岁，有一阵睡后45分钟老醒。我很好奇，于是盯着看了一回，接近45分钟时，仍然一动未动，虽然知道必定逃不了醒，但又心想这哪里是要醒的样子，过了不一会突然间手抽动了一下，哭声随后爆发起来。

很多人有过类似的体验，晚上睡着后半小时（或45分钟）突然大哭，难哄。下面这张表就针对此现象汇总了原因和对策。

原因	对策
睡前醒的时间过长或过短。	尝试提前或推后入睡时间。
睡眠不成熟易醒。	如果哭几声就睡过去了，无须过度干预，但如果容易彻底醒来1～2小时才睡，最好能够及时响应，避免夜觉不连续；随着成长也可能自行好转。
小睡向夜间过渡时的不适应。	通过睡眠仪式的差别，帮宝宝将晚觉和小睡区分开。晚间入睡是和一天的美好时光告别，相应的入睡过程也比白天小睡长，睡前仪式要充分，避免太过匆忙。让宝宝知道，如果半小时醒来还应该继续睡，而不是起床。
白天的情绪问题。	入睡前增加陪伴时间、质量，不让宝宝怀着心事入睡。
睡前进食可能比白天更频繁、量更大，没有饱腹也易在此时醒来。	尝试直接再喂一点。
还没睡熟，因声音、家长离开而醒来。	可尝试晚上入睡后守在一旁等过了半小时的坎儿再离开，这期间可以轻轻抚摸孩子身体7～8分钟。

六 半夜起来玩

宝宝4个月了，半夜起来吃奶后不肯睡，凌晨2:00，醒来就冲你笑，玩儿1~2小时。

宝宝夜里醒来开始玩儿，不管喂奶还是抱哄都无法让孩子再入睡，这个现象各个年龄都可能出现。凌晨1:00～4:00为高发时段，以4～6个月的宝宝较为常见，出远门、旅行后、大脑发育跳跃期尤为突出。

成长过程中总难免遇上几次，通常为偶发的。

1. 究其起因主要有以下几个方面

起因1：白天睡太多或运动量不够

小睡一口气睡3小时，傍晚觉过长过晚，正在学习某项大运动，却没有充足练习时间，这些都有可能导致夜间醒来不睡。

对策：白天给足学习的时间、空间，增加白天运动量，多给宝宝一些自由活动时间，减少一直被抱着逗乐、被动玩耍。

宝宝5个月的时候经常半夜起来玩1小时。后来发现原因是白天睡推车里，经常一觉2~3小时，一天还睡2~3觉，所以夜里起来玩。后来减少了白天的睡眠量，尤其不一觉连续睡3小时以上，就好转了。

起因2：换地方兴奋

成年人换地方、遇到重大事情，夜里可能会辗转反侧，婴儿自我控制能力更弱，在换地方时，睡眠更容易受影响。

对策：保持生活环境相对稳定，避免过度的刺激是根本。

妈妈们的经历

宝宝4个月大，回姥姥家时，1个月有十几天，每天1:00～3:00醒来2小时。

起因3：夜间互动，刺激过多

想象一下自己半夜迷迷糊糊醒来，本来翻个身就准备接着睡了，此时老公来一

句："亲爱的，我订了个马尔代夫十日游，下周咱就出发！"你会不会秒醒？花花世界对婴儿的吸引也是如此，一道晨光、一个对视都很容易让宝宝兴奋起来。

对策：睡眠期间的互动要平静、安静，最好的干预就是装睡不干预。半夜不要配合玩儿。即使哄不睡，也可以隔几分钟温柔并坚定地提醒一下："这是半夜，不是白天，要接着睡觉。"

2. 有时，半夜玩并没有显著原因，处理方式上可以根据情况而定

偶然夜醒后不哭不闹开始玩：哄不哄差别不大，再次入睡需半小时到两小时不等。确保安全的前提下，大人装睡，不干预不互动或等闹了再哄。也有按住不让玩，哭一会儿后就能继续睡的情况。

连续好几天夜里起来玩：可尝试早上叫醒、晚睡，打乱睡眠节奏，比如提前或推后入睡时间1~2小时，规律一乱就不容易爬起来玩了。除增加至少1~2小时活动量，减少白天睡眠数量等常规方法外，还可以找准固定起来玩的时间点，在此前半小时，尝试唤醒去睡。

长期半夜醒很久玩：需要对整个白天的作息、活动量、入睡方式，进行综合调整。

七 昼夜颠倒

昼夜颠倒，一般在小月龄才会发生。

说起昼夜颠倒，要提到光线对睡眠的影响。

2004年欧洲睡眠研究协会做过一项为期3天，针对56位6周、9周、12周婴儿的研究。该研究指出，晚上睡得好的孩子，通常在白天接受了更多的日光照射。可见日光可以帮助婴儿建立起内在节律和生物钟。

日光不单叫醒我们，也帮助我们在晚上睡得更好，有节律的光线照射，对褪黑素等睡眠相关激素的分泌有调节作用。在充足的日照下，人体肾上腺素、甲状腺素分泌水平会有所提升，这将有助改善情绪低落、抑郁。不少人一到冬天和阴雨天气就会失

眠、烦躁，这些和日光照射时间减少有关。

除此之外，日光还可以帮助体内维生素D的合成，提高钙的吸收率。所以建议，宝宝每天至少有半小时到一小时户外活动（阳光强烈时避免直晒）。

光线的影响还体现在，不少妈妈反映，如果宝宝睡着时，家长在旁看手机，宝宝就睡不安稳，关掉手机后才睡安稳。

第二节 特殊时期的睡眠问题

成长不是一帆风顺，会有曲折，有低谷，这节聊聊各种特殊时期的睡眠波动，希望能帮大家，淡定一些，看开一点。

一 生病期间的睡眠

生病期间是宝宝比较脆弱的时期，睡眠会受到干扰，需要细心的照顾。对睡眠影响最大的疾病有：发热、拉肚子、中耳炎、鼻塞、咳嗽等。

当鼻塞影响睡眠时，可以采用：按摩鼻子、生理盐水清洗鼻腔、喷鼻器、热敷、在衣物上喷通鼻精油等方式缓解。

夜间咳嗽也容易影响睡眠，可以尝试将上半身垫高，用净化器、除螨机保持室内清洁，降低尘螨刺激，针对干燥引起的咳嗽，可使用加湿器进行缓解。

生病期间比平时睡得少或者多都有可能，多一些安抚是正常的，但不要过度。为了让宝宝多睡一会儿而用尽各种方式硬哄，未必有好效果，甚至可能导致病好后，睡眠状况的恶化却无法好转的情况。

二　牙和睡眠

1. 出牙会睡不好吗

宝宝7个月，最近晚上睡觉都闭着眼睛起来哭闹，怎么哄都不睡，得抱起来走才停歇，一个晚上反复这样哭闹3次左右，明明很困了就是不睡，平常都可自行入睡的，后来发现是长牙了宝宝烦躁。

在我接触到的妈妈中，大部分的人能明显感觉宝宝在出牙期间的不适。一般是先发现莫名的睡眠状况恶化，待到小牙萌出，才恍然大悟，怪不到前几天那么闹。出牙并非只能后知后觉，还有一些能被观察到的迹象：啃咬增加、口水增多，牙龈红肿、鼓包等。

2. 牙齿萌出的时间节点

右图显示了出牙的位置和大致的顺序。第一颗切牙的萌出，通常在6个月左右，少部分早的在4个月左右。第一颗磨牙的萌出，在16个月左右。第一次出牙及出磨牙可能对睡眠影响较大。

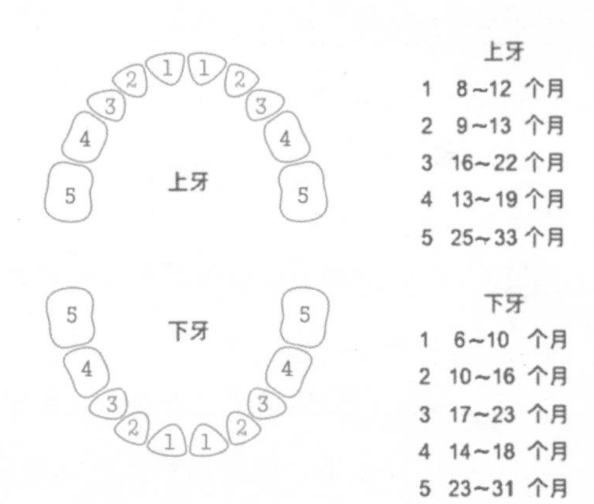

3. 如何缓解出牙期不适？

出牙期间宝宝会不舒服，格外焦躁，需要父母更多的体谅和照顾。缓解疼痛的安全方式有：使用冷藏的牙胶、磨牙棒、按摩牙龈等。对于是否使用止疼药物，欧美儿科医学界的指导意见有所不同：有的不建议使用出牙凝胶，有的则建议可以酌情使用。

出牙期夜间不要过度依赖喂奶来安抚，如果除了喂奶没有办法安抚，长牙结束后也注意及时调整。

4. 夜奶与牙齿

宝宝有一口洁白的好牙是妈妈们的心愿，母乳亲喂、配方奶瓶喂、夜奶、奶睡和蛀牙的关联，也成为很多人关注的重点。

睡眠时，口腔会停止分泌唾液，细菌有了滋生的温床。母乳本身不会导致蛀牙，但口腔中残留有没刷干净的辅食和奶混在一起，还是可能导致蛀牙。

配方奶喂养，尤其是常含着奶瓶睡的宝宝，蛀牙风险较高。正因如此，一些牙医建议，早在出牙时，最晚到磨牙萌出后，就应该考虑断夜奶了。

5. 磨牙

入睡后，大脑的一小部分仍然兴奋，发出信号让咀嚼肌工作，就会出现上下牙无意识的磨动，发出声响。这种磨动没有食物的缓冲，会对牙齿造成损害，还有一些其他的负面影响。

磨牙的原因尚不明确，一般认为可能和白天过于兴奋、紧张、精神焦虑以及消化功能异常、肠道寄生虫、佝偻病等有关系。

如果有磨牙现象发生，要紧吗？该怎么办？

儿科专家张思莱在《张思莱育儿微访谈（健康分册）》一书中提道："如果孩子偶尔发生一两次磨牙不会影响健康，家长不用过于担心，也不需要处理。但如果孩子天天晚上都有牙齿磨动现象，应对原因进行防治：晚餐不要吃得太饱，晚饭后不要再吃零食或者只吃少量的零食，并记住及时清洁牙齿。避免孩子出现紧张焦虑情绪或者白天玩得过于兴奋。口腔问题请牙医及时诊断治疗。改善孩子的营养状况，纠正内分泌紊乱，对于因变态反应引起的磨牙应该去医院找出变应原，及时预防变态反应发生。对确有寄生虫的孩子需要在医生指导下进行驱虫治疗，但是不能盲目认为驱虫治疗就可以消除磨牙症的发生。"

三 打疫苗后的睡眠扰动

宝宝前天吃糖丸、打百白破，这两天就入睡难，必须要抱，爱哭闹。白天要么睡不实总醒，要么睡实了一觉睡5小时不愿起来。以前晚上就1顿夜奶，这两天大晚上不睡觉瞪大了眼睛，看着又可怜，又心疼。

打疫苗是每个宝宝逃不掉的事，每人的疫苗反应程度不同。在妈妈们的反馈中，五联第一针、乙肝、肺炎、糖丸、流脑通常反应大一些。

疫苗对睡眠造成的影响，具体表现为：难哄、闹觉、白天嗜睡、夜醒频繁、夜惊、出汗、发热。有的宝宝甚至在打疫苗后出现连续折腾好几个晚上的情况。

如果遇到宝宝打疫苗之后睡眠不好，妈妈不要慌张，耐心等待时间过去。

此外，一些家长担心宝宝打针时哭闹，会趁着睡着的时候扎针，这样并不合适。最好能够在宝宝醒着的时候打针，因为睡眠中一旦被打针惊醒，可能受到更严重的惊吓，得不偿失。

四 睡眠倒退期

婴儿期的睡眠状况并非线性上升，而是存在着倒退期。最显著的睡眠倒退期发生在第四个月左右。此外由于站立、学走、分离焦虑等因素，在9个月、11个月、一岁半左右也存在睡眠倒退期。在一些案例中，我发现所谓的“倒退”和大脑发育跳跃期的时间也常吻合。

下图是从针对数千位不同月龄家长的调研中整理的。

从左至右，是家长对睡眠状况变化的感受，对比的是当前和之前阶段，感受分为五类：变差很多、变差一点、和以前差不多、变好一点、变好很多。每一行代表一个阶段的家长群，从投票的结果看，几乎每一个阶段，都有一定比例的人感受到睡眠情况倒退了，好消息是随着年龄的增长，变差很多的比例显著递减。

	变差很多	变差一点	和以前差不多	变好一点	变好很多
4~6个月	11%	19%	12%	33%	22%
7~9个月	9%	14%	20%	36%	18%
10~15个月	4%	11%	24%	35%	25%
16个月后	3%	4%	32%	28%	32%

五 猛长期

婴儿的成长和需求并非线性的，如果一段时期内，婴儿所需要的养分比较多，他就通过频繁吮吸来刺激母亲制造更多的乳汁。

处于猛长期（Growth spurt）的婴儿，体重、身高、头围都会有更快的增长，时间点大约是：2周，3周，6周，3个月，6个月，一般只持续几天，在此期间，会比平时容易饿。因为需要在睡眠中成长，可能睡得更多；也可能因为食量增加，而醒得更多，睡得更少。

注意观察及时调整白天和夜间的喂养量，一般几天后会达到新的平衡。

六 大脑发育跳跃期

进入了大脑发育跳跃第四期，宝宝这几天睡觉突然很难哄，白天基本45分钟就醒，拍拍睡了，过一会就又醒过来哼唧，要反复好多次才睡踏实。

有研究认为，大脑发育存在多个跳跃期。跳跃期内，宝宝会比平时睡得困难、更容易烦躁、对家长陪伴的需求增加，而跳跃期过后，家长会发现宝宝掌握了新的本领，就像突然之间长大了。

睡眠受大脑控制，如果将“大脑发育跳跃期”比喻为电脑升级系统，那么，升级期间，睡眠有异常表现不难理解。就像我们装软件时，硬盘会发出声响。

这期间多陪伴、安抚宝宝，提供充分的学习机会会有帮助。至于睡眠，暂时的反复，甚至倒退不用太焦虑，这就是成长的代价。

大脑发育跳跃期的具体时间节点[①]

表中第一列，指该行具体是大脑发育跳跃期的第几个（共10个）。表中的起始日期按照预产期而非出生日期计算。在诸多案例中发现，第四、五跳的异常尤为显著。

例如，宝宝的预产期是1月1号，但实际上12月1日就出生了，第二个跳跃期的起始时间是预产期后的1个月加22天（1M22D），距离上一次跳跃期结束14天。对应的，第二跳从2月23日左右开始，到3月7日结束，持续14天。

《The wonder weeks》(《神奇的飞跃周》）中的起始、结束时间是按天数计算的，这个表格中转为月份后，时间稍有差异，如需进一步了解详情，请参考原书。时间仅供参考，请勿生搬硬套。

飞跃期	烦躁期开始	飞跃周开始	飞跃周结束
1	1M 1D	1M 1D	1M 7D
2	1M 22D	1M 22D	1M 28D
3	2M 21D	2M 21D	2M 27D
4	3M 11D	4M 9D	4M 16D
5	5M 6D	5M 27D	6M 4D
6	7M 21D	8M 12D	8M 19D
7	9M 17D	10M 14D	10M 21D
8	11M 19D	12M 16D	12M 23D
9	13M 20D	14M 20D	14M 27D
10	16M 8D	17M 5D	17M 12D

① 据APP《The wonder weeks》制作。

七 大运动发展对睡眠的影响

大运动对于睡眠的影响，主要涉及翻、爬、坐、站、走，影响程度有轻有重。每个宝宝运动发展的进程不同，具体睡眠何时受大运动影响也不同。

诸多运动发展阶段中，以翻身对睡眠的影响最大，其次是爬和坐。期间，宝宝渴望更多的时间、空间来练习。这个阶段别过度依赖奶睡、抱睡，别期待宝宝睡得和平时一样多，耐心等待，这样的话，身体适应变化后，睡眠也会逐渐恢复。

八 节假日、换环境期间的睡眠

宝宝1岁半，假期各种串门、聚会，中午作息不规矩，所以今天，小朋友中午莫名兴奋，不睡，晚上六点多吃着晚饭，吃完就倒头沉睡过去。人生第一次“边吃边睡”。

1. 节假日

节假日期间，很多孩子换了环境，家里人多，会比较兴奋，睡眠规律会暂时被打破，日常的长觉可能被转换为数个小觉。一些过度兴奋的宝宝，还会出现在餐椅中睡着的情况。这些是常见的现象，没有太多妙法。尽力减少影响的同时，也要调整心态，毕竟生活不可能是一成不变的。

很多妈妈都有过“谁吵我孩子睡觉，我跟谁拼命”的感受，这是句玩笑话，母爱正是如此执着又可爱，爱护孩子的同时，也别忘了放松心情，有时候，事情并没有我们想象的严重。

节假日中最为特殊的，莫过于春节了。放鞭炮的人高兴，却让家长们担惊受怕。为了防止宝宝被鞭炮声吓醒，睡觉时可以裹上襁褓，最好有人守着，如果有惊吓及时搂压、安抚。已经被惊吓到的情况，可尝试带宝宝看一次放鞭炮的过程，看看声音是如何产生，知其所以然能帮助宝宝减少恐惧感。串门走亲戚时，还可以用上背巾、背

带，借助推车、安全座椅让宝宝睡一会儿。

如果宝宝正处于陌生人焦虑期，尽量提前和亲朋打好招呼，告诉他们如果突然被陌生人抱，宝宝可能会由此受到惊吓。

2. 倒时差

带婴儿长途旅行，会涉及倒时差。时区相差越大，越容易引起睡眠问题，需要几天的时间才能逐渐适应。

这里提供一些可能帮助缓解影响的办法：

★ 出发前的准备：宝宝长途旅行难免不适应，记得带上熟悉的玩偶、毛巾、玩具。自备一些宝宝爱吃的食品，如果提前预订，有些航空公司还会提供婴儿的辅食。

★ 航班时间的选择：有些宝宝坐飞机易哭闹，可选择晚班飞机，睡的时间多，减少旅途哭闹。此外，还可以白天坐飞机，白天没有睡成，反而到了目的地时能顺利就寝，更快适应当地时差。

★ 起降时：通过喂奶或者喂水引导宝宝做吞咽动作，缓解不适。

★ 落地后的生活安排：日光是生物钟的校准器，到了新的地方，需要多接受当地的光照，尽量按当地的时间来安排作息，避免白天长时间昏睡。如果早上醒太早，适当推迟入睡时间；反之，如果睡懒觉，早上就需要早点叫醒，逐渐适应。

妈妈们的经历

案例1：宝宝8、10、11个月，分别倒过3次中欧时差。回欧洲基本没反应。八个多月，第二次回国时反应较大，持续数日频繁夜醒，第二次回来则反应较小。尽量选择夜间航班，飞前尽量不睡，起飞后进食即睡，落地后跟随当地作息，调节室内光照。

案例2：从亚洲飞欧洲，很多航班是夜间航班，适合宝宝晚上睡觉，到达欧洲的时间是当地时间的凌晨（北京时间上午）。

到达欧洲后的第一天起，白天尽量按照平时的时间安排宝宝小睡，睡长了需要叫醒。晚上按照以往时间睡觉。会遇到宝宝早上早醒的情况，没有关系，坚持同样的做法，慢慢会恢复正常。从欧洲飞亚洲，通常到达亚洲的时间是下午，这时需要推迟晚间入睡的时间至午夜，白天小睡依然要按照正常量控制，超过正常小睡总量时需要叫醒。

比较有趣的是，有妈妈发现一些固定睡眠习惯，比如45分钟必醒，早上5:00必醒等，在一次打乱作息的旅行后反而好转了。所谓塞翁失马焉知非福，不破不立，有时波动也许成为好转的契机。

第三节 心事、心情的影响

对于成人来说，除身体状况之外，睡眠最大的扰动来自于情绪。压力、烦躁就像是不知道挠哪里的痒，令人辗转难眠。婴儿睡眠也同样受情绪影响。

你可能要问："那么小，不用上班，不用辛苦挣钱，有吃有喝，哪里来的压力啊？"联系一些生活场景，就不难理解了：有腿不能站，有口不能言，想妈妈却见不着……对小宝宝来说，这些都是真实且无处不在的压力。

可以做这些尝试：

★ 睡前给宝宝按摩、放松身体，让活跃的思维平复下来。

★ 一起阅读绘本、小游戏、聊聊白天发生的事情，让宝宝的情绪通过言语宣泄，而非积压于内心。

★ 更大一些的宝宝，可以引导他想象，幻想身处于轻松的环境，比如床像一艘船，枕头是汪洋大海中轻轻飘荡的一艘船；想象像鸟儿飞翔在蓝天，月亮公公守护黑夜，星星是小精灵在眨眼等。可参见本书第二章的"小土安抚技"。

妈妈上班、分离焦虑

宝宝六个半月，分离焦虑期，不管是白天还是晚上，睡着睡着会突然睁开眼，看我在不在，看着了就笑笑继续睡，没看着就哭！晚上黑灯瞎火的看不见，就得抓到或者听到我的声音才能安睡。

婴幼儿的睡眠比成人想象的脆弱，重大的家庭变故，搬家、旅行、弟弟妹妹出生、父母离异、换抚养人等，都可能造成夜里睡眠状况变差。

尤其妈妈返回工作岗位后，常发现宝宝夜里起得多了。换位思考，想想失恋时的烦躁、无助感。宝宝陡然之间不见了日夜相伴的母亲，其心情可想而知，并且他们情绪调节能力尚弱，更是雪上加霜。

所以，妈妈上班之前就要提前做好计划，让宝宝逐步适应新的喂养方式和养育者。繁忙的工作之余尽力多陪伴孩子，尤其要注重睡前互动的质量。

宝宝夜醒增多时，妈妈要耐心包容，舒缓宝宝的情绪，多一些安抚方式，不要一味喂奶了事。

对睡眠的抵触情绪

宝宝明明困得哈欠连天，狂揉眼睛也拒绝哄睡，一说睡觉就打挺、哭，不哄睡马上笑，可是自己又不会睡，最后还是崩溃大哭；一抱进屋就哭，出来立马笑嘻嘻。

宝宝犯困时，情绪容忍度降低，脾气会比平时大，平常不会在意的小事都可能成为情绪的导火索。有时改变入睡方式比较突然，宝宝会受到惊吓，从而导致一进入房间哭闹严重，甚至拒绝妈妈抱，这种时候千万别太拗着。

这个现象，可从尝试从以下几点入手改善：

★ 增加运动量，多一些户外活动、游戏，让宝宝体力、脑力得到释放，从而降低入眠难度。

★ 把握易睡窗口，在过度疲劳之前安排睡眠，出现由困引起的轻微哭闹时，不要误认为不困，允许适当的情绪宣泄。

妈妈们的经历

我家宝宝之前严重闹觉，横抱、竖抱、房间、客厅都哭，困又不会自己睡所以大哭，我就抱着在卧室让她哭，也不唱不拍了，就走走，跟她说话，发现她哭十几分钟也就累了，停了，后来慢慢哭的少了。

★ 当情绪已经比较差时：不要硬拗着，先避谈睡觉，灯光不要着急完全熄灭。采用分散注意力的办法，如讲故事、唱歌、玩安抚物等，来稳住情绪。此时重点是让宝宝能够在床上待住，不要让宝宝对在床上待着特别反感，与此同时暗中观察。

妈妈们的经历

我家宝宝曾经也有过横着抱拍哄就开哭的经历。后来就换竖着抱，也不拍，就在有光线的屋子里溜达，让宝宝逐渐平静，他就不反抗了。到了睡眠的点差不多开始打哈欠了，再走会儿眼睛就睁不开了，在他迷糊的时候放床上，自己翻个身找到合适的睡姿睡着。

★ 当情绪完全失控时：此时可能抱都无法安抚宝宝了，尝试先带他离开房间，暂停入睡，等情绪好转后，再重新开始。

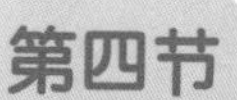

家有二孩的睡眠安排

曾经看过一句话："一起成长的兄弟姐妹，是父母给孩子最好的礼物之一。"随着近年来"计划生育"政策的调整，越来越多的家庭会拥有两个孩子。好的睡眠习惯和规律的生活，能帮助"二孩"家长保持足够精力，陪伴孩子成长。

1. 二孩的睡眠安排，尤其两个孩子年龄相差3岁之内，会有难点

★ 家里人手不够，两个孩子作息冲突，顾此失彼。

★ 老二出生后，对老大的陪伴减少，引起老大的情绪问题，进而影响睡眠。

实际案例中，有个2岁宝宝，已经断夜奶睡整觉好几个月了，但由于弟弟的出生，夜奶反复。正因为有这样的现象，人们常说夜奶也是孩子情绪的窗口。

哥哥1岁半时，我生下了弟弟，弟弟现在刚刚12天。挑战包括哥哥和弟弟抢奶吃，故意捣乱吸引注意力，哥哥原来一夜安睡，现在夜里有时会哭醒或者醒来找奶吃。哥哥发现妈妈这里有奶了，原先很爱喝的牛奶也不怎么喝，有时饭也不好好吃。

2. 能做的改善

在老二出生前几个月：

提前做好老大的思想工作，给新生儿购买小床等物品时可以带老大一起参与挑选，让他觉得自己是这件事情的一分子，也期待新生儿的到来，以便帮老大做好心理准备。

在老二出生后：

★ 更要多让老大参与到老二的照顾中，帮忙递尿片、二宝哭时帮着叫妈妈，都是幼儿能够胜任的事情。

★ 列出老大和老二的作息，并根据避免冲突的原则，做一些穿插安排。

★ 多给老大安排一些户外活动，如去公园、商场和小伙伴们玩儿。

★ 最好有专门的人照顾老大的作息，尤其是妈妈照顾新生儿分身乏术时。

★ 父母每天有一些专属的时间给老大，让他觉得弟弟妹妹并没有“抢走”父母的爱。

★ 养育两个孩子很辛苦，家长也要找时间让自己得以放松。

★ 本书第九章中分享了老二的到来造成老大睡眠扰动的案例，并给出了可行的解决办法。

3. 二宝的睡眠摸索实录

由嘟哥恬妹妈分享

刚生二宝时，哄觉变成难题，为此我让爸爸陪着大的，我陪着小的睡，结果哥哥说梦话都在叫妈妈，让我很心疼。

于是，允许他挨着我睡，但约法三章：要等妹妹睡着后进来；进来后只能小声说话；如果把妹妹吵醒了，就得挨着爸爸睡。

开启了一房睡一家四口的景象。事实上，妹妹哭并没有影响哥哥的睡眠，而妹妹在深睡眠中，也不易被哥哥打扰，晚上睡觉的问题就算解决了。

但哄睡问题来了，每次我在哄妹妹睡觉，哥哥就在外面哭。掌握了妹妹的睡眠习惯后，我邀请哥哥进来帮我一起哄，哥哥变得更好商量，妹妹也慢慢适应了有哥哥吵闹声的生活。

心得是：找准两个宝贝的睡眠习惯，放平心态，相信两个宝贝都会适应这样的生活。如果因为大宝的吵闹，二宝无法入睡不要太焦虑，等一下再哄，要知道两个孩子就是这样的。

家有俩宝肯定比一个宝宝要累，切记调整好心态。大宝因二宝情绪不佳时别怪他，因为“生二宝是自己的选择，不是大宝的错”。

第五节 双胞胎的睡眠安排

双胞胎的养育，相比二孩更是艰辛。一般建议：

★ 增加人手，以免妈妈疲于奔命。

★ 两个孩子能够分开睡，减少相互干扰。

★ 作息上保持相对同步，便于照料。

精力有限，就更要重视规律作息、睡眠习惯的培养。让宝贝们早日实现自主入睡，对于减轻家庭负担很关键。这里也同样分享一则案例。

双胎宝宝睡眠摸索实录

由末末和末末妈分享

还有10天未未和末末就7个月了，她们是纯母乳，6个月开始加辅食，平时家里有我和宝宝们还有外婆，周末是和爸爸，4个人横躺在床上睡觉，我睡中间，孩子一边一个。

睡眠状况，月子里基本是天使宝宝，吃饱了就睡，夜里醒了就吃，吃完了自己倒头就睡觉了。出了月子，有几个晚上睡到5小时才吃奶，那时候不懂，怕她们饿，居然从3小时后开始每隔1小时就试图摇醒她们喂奶，孩子却是奶到嘴边都不吃，埋下睡眠问题的隐患。

一直在外婆指导下带孩子，可是外婆爱看电视，都是晚上10:00多电视剧演完哄睡，这时出现哄睡困难。外婆一边看电视一边抱着哄睡，后来是连唱带跳都不行了，每次睡觉必哭，放下就醒，开始夜醒，频率虽不高，但是醒了要哄1～2小时才能接着睡，折腾得我几乎整晚整晚没得休息，外婆和爸爸也是一样。最后尤其是末末，闹觉的哭是越来越厉害，声嘶力竭，不停地挠自己，脸上头上老是挂彩，最长纪录是哭1小时，每次都是累极了突然睡着。

无奈之下，用了法伯法：

小觉和晚上的睡眠一起调整，白天两个孩子一人睡一个卧室，晚上也是这样，等我们要睡觉了，再把客卧的孩子转移到主卧跟我一起睡。

过程相对比较顺利，从开始哭十几分钟到后面的几分钟，大概1周的调整时间。末末性格比较敏感，有时她能哭到彻底清醒，就不强求完全自己入睡。虽然末末需要抱个枕巾、用安抚奶嘴，但已经比较轻松了。

晚上只要睡着，基本都是睡到早上五点多至七点不等，而且一个哭不会吵醒另外一个了，目前两个孩子白天、晚上都基本是自己入睡，只是会有早上5:30左右一个醒来并且吵醒另一个的情况。

本章小结：这一章中归纳了很多我们会遇到的特殊情况。供大家在需要时查阅。睡眠不会一劳永逸，有反复很正常，平常心看待。

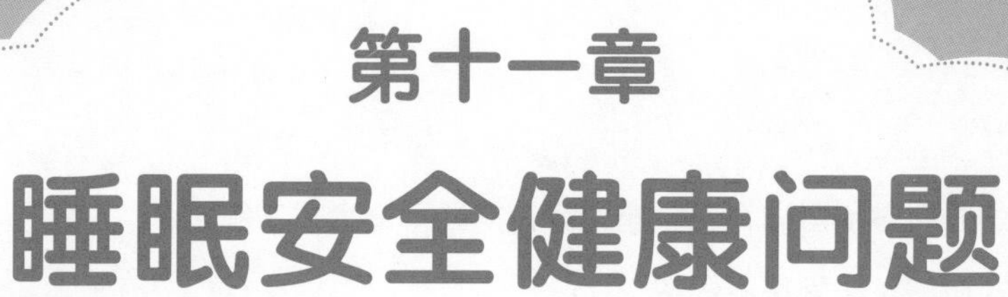

第十一章 睡眠安全健康问题

安全是一切的基础，本章重点谈和睡眠安全、健康相关的内容。

第一节 婴儿猝死综合征（SIDS）

婴儿猝死综合征（简称SIDS），是指外表看似完全健康的婴儿突然意外死亡。SIDS是2周至1岁婴幼儿最常见的死亡原因。

 病因及改善方式

研究上对其发生的原因还没有定论，美国儿科学会（AAP）给出了一些建议，来减少发生的概率：

★ 仰睡
★ 床的表面必须坚固，安全座椅等设施并不适合日常睡眠
★ 婴儿应与家长同房不同床
★ 软的物品、诸如枕头、毯子、减震垫等，不适合放在婴儿床内
★ 不使用定型枕等物品
★ 孕妇应接受常规的孕期护理
★ 怀孕期间以及生产后都不要抽烟
★ 母乳喂养
★ 可以在睡眠期间使用安抚奶嘴
★ 别盖住婴儿头部也别让他们过热
★ 不推荐使用宣称能减少SIDS的产品
★ 婴儿应该注射所有推荐的疫苗
★ 清醒的时候让婴儿多趴着玩

值得庆幸的是，随着宝宝的成长睡眠中猝死的风险会越来越小。

睡姿——趴睡、仰睡、侧睡

强调“仰着睡”更安全后，婴儿猝死综合征发生率降低，所以我将睡姿也放在本节内。

客观现象上，多数婴儿偏好趴着睡，趴睡和侧睡的睡眠时间一般也长于仰睡，也常遇到，只要帮着侧身、趴着，即可成功接觉的情况。

婴儿爱趴睡，可能有几方面原因：趴着缓解了胀气等原因引起的腹部不适；趴着时，人感觉被包围、有安全感；有呼吸道梗阻状况时，偏好趴着。

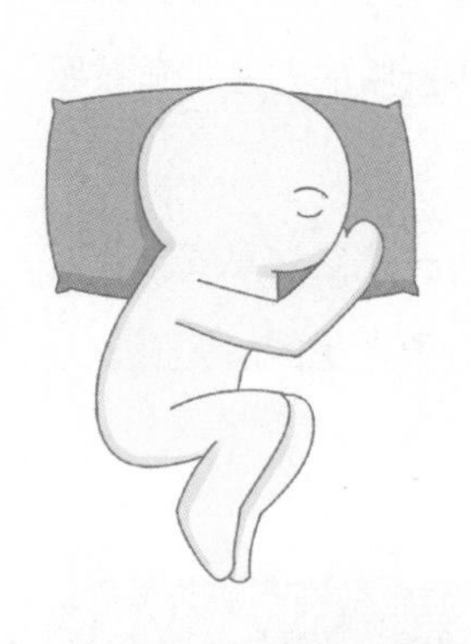

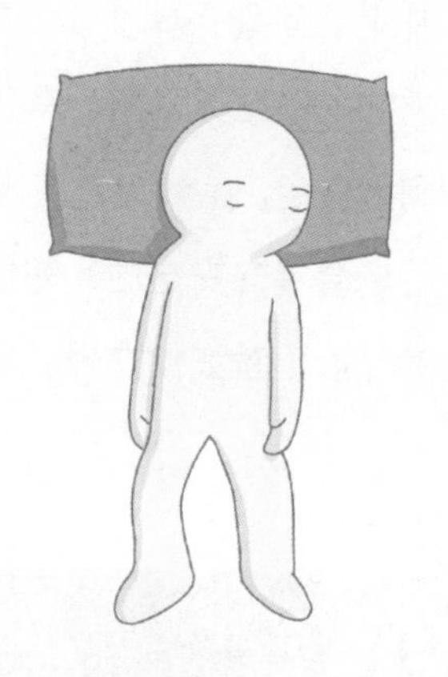

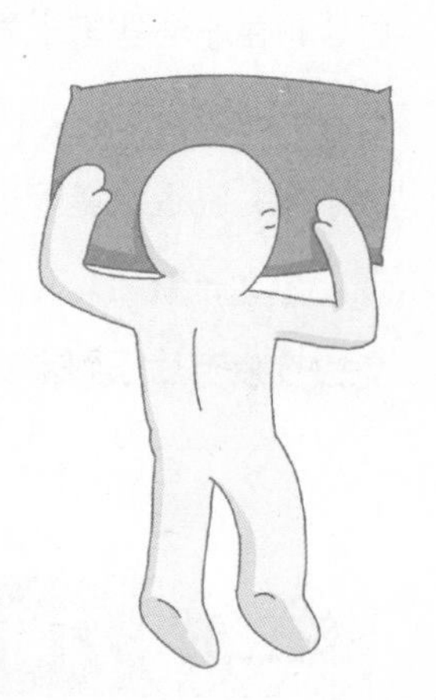

不过趴睡（侧睡类似）的危险性也不可不知：

- ★ 趴睡时，吸入的气体有可能还是原先呼出的，易引起缺氧。
- ★ 趴睡时，容易过热。
- ★ 趴睡能睡得更沉，但如果有意外，醒不过来的可能更高。

美国儿科学会给出的建议是：“1岁内的婴儿应该始终仰着入睡，并在睡眠之中保持仰睡，除非能够自己从俯卧中翻回仰卧。”

一般来讲，一旦婴儿学会自主翻身，在保障睡眠环境安全的前提下，自己翻身成为侧睡、趴睡，无须过度担忧。

此外，如果宝宝比较大了，还一直喜欢趴着睡，并伴有口呼吸、睡觉跪姿（屁股撅得很高）、打呼噜等现象，则需到耳鼻喉科做进一步检查。

三 是否同睡

一些成年人和婴儿同床时，易有压到宝宝等意外事故发生，由于这些原因，美国儿科学会（AAP）建议母婴同室不同床。

不过，在东方文化中，同睡很普遍。一方面，是和传统观念、习惯有关；另一方面，也由于一些家长发现，同床时，可能哭闹变少、容易安抚，母乳喂养也更方便。还有一些妈妈觉得，同床时和宝宝的联结更紧密。有些家庭选择折中的办法：睡着了放小床，临近早晨闹了，再抱到大床上。

总之，新生儿有自己单独的床会提高安全性，即便同床，也一定要注意安全，避免过度疲劳后压到宝宝，引起意外。不管如何选择，安全都是首要考虑的。

第二节 打鼾、口呼吸

我曾对141个4到8个月大的婴儿做过研究，12%的孩子打鼾，10%睡觉用嘴呼吸，打鼾的孩子相对于不打鼾的每晚要少睡一个半小时，而且醒来的次数要多一倍。

——摘自《婴幼儿睡眠圣经》

打鼾俗称打呼噜，大概有15%～25%的婴儿会有轻微打呼噜，通常对孩子无害，可能是扁桃体或腺样体肥大的结果，反复感冒或花粉热季会加重。长期持续打呼噜，可能会遭遇呼吸暂停，导致缺氧，也会经常醒来，从而睡眠量减少，影响到睡眠和白天的情绪，须重视。

一般人用鼻子呼吸，睡觉时，如果口总是张开，被称为"**口呼吸**"，属于不良习惯。长期口呼吸对青少年的面部发育会影响，引起牙颌面畸形（腺样体面容），且可导致口腔干燥，从而引起抵抗力降低，还会产生口臭、牙周病、口腔溃疡等问题。

口腔颅颌面科卢晓峰医生谈口呼吸的起因、矫正时提道："舌以上呼吸道任何位置的狭窄或阻塞都可造成口呼吸，口呼吸最常见于少年儿童的腺样体或扁桃体肥大；鼻炎、鼻息肉、鼻中隔偏曲等鼻阻塞疾病、先天性颅颌骨发育障碍等也可造成口呼吸。大多数人的腺样体或扁桃体会随着年龄增长而逐渐萎缩，但对已有口呼吸习惯和牙颌畸形的患儿，要及时地解除阻塞、纠正口呼吸，进行口腔正畸治疗，越早处理，越简单，效果越好。"

对于有类似情况的妈妈，前人的真实经历，往往有借鉴作用，下面这则是金虎妈妈做的记录：**4周岁时全麻下的腺样体切除术**。

1. 发病

金虎小时候身体一直都很好，但在每次感冒过程中，睡觉会打呼，有时张嘴。当时觉得是感冒鼻塞，没太在意。转折是上幼儿园后，反复发烧、咳嗽、流鼻涕，大概有3～4个月时间，晚上睡眠就很差了，打呼、张嘴睡、有时闭着嘴，但会感觉到鼻子很费力的抽气，翻来覆去睡不实。去医院拍了CT，确诊为鼻窦炎及腺样体肥大，当时不在需要手术的范围内，所以也没在意。

2. 手术

可是好景不长，没几天又使劲抽鼻子，呼吸加重、打呼，通常嘴边还有白沫，睡眠糟糕到了顶点。再次检查，结果很不乐观。腺样体分三个级别：轻、中、重，金虎直接就是重度堵塞90%，医生建议马上手术。

手术连麻醉共1小时，第一天8小时不能进食，护理有些痛苦。第二天，能吃流食就好多了。3天后出院了，回家一切正常，没有用药。1周后复查，恢复不错。

3. 术后情况

术后当晚，呼吸顺畅，没有打呼，也没有口呼吸了，就是说话有很重的鼻音。手术完已经3个月了，睡眠一直不错，偶尔才有翻来覆去睡不实的情况，鼻音也基本没了，一切正常。

4. 其他一些想法

引起腺样体肥大的原因有很多，我家的情况是感冒病程太长，长时间鼻塞，过度刺激引起腺样体增生肥大。一直觉得感冒会自愈，基本硬扛，现在觉得还是应该采取措施缓解症状，以免引发更严重的后果。对于腺样体肥大，我身边确实有不治而愈的孩子，所以原本抱着一线希望，想着长大一些，腺样体自然萎缩。虽然对全麻始终有顾虑，但从严重程度和结果上，觉得自己的选择是对的。

第三节 夜惊、噩梦

夜惊（Night terror），属于非正常觉醒的一种，是意识不清的醒，一般发生在晚间入睡后的1～4小时。

噩梦（Nightmare）是梦的一种，但内容可怕，常会使人从睡梦中惊醒，一般在下半夜发生。

它们都属于非正常觉醒，仅针对婴儿期，噩梦和夜惊的区分度并不高。

一 夜惊的状况

妈妈们的经历

案例1：宝宝1周岁，9个月开始就能睡整觉的，自己躺着由我拍拍入睡，也没有生病。最近，每晚都醒2～3次，像做噩梦一样突然惊醒，醒来就哭。想看看宝宝能不能自己入睡，没有立即哄，结果越哭越凶，一般夜里12:00～3:00都会醒。

案例2：宝宝3岁多，夜里11:00～1:00，突然大哭大闹，持续哭泣20分钟以上，抗拒接触，爬起来、乱窜，不得不弄醒，醒来后，一脸茫然并要求关灯睡觉，早上起来也不记得。

深睡眠被唤醒，人会很不舒服，就是常说的“起床气”。婴儿深睡比成人深，却比成人易醒，睡眠周期转换中，如果没有成功过渡，就容易陷入半梦半醒之间，反应激烈。

夜醒一般表现为哼哼唧唧，突然尖叫哭醒则可能是夜惊。夜惊时，可能依旧能辨别最熟悉的内容，比如吃奶或者抚养人，但也有完全无法辨识父母的情况。整体意识状态和清醒时不同，常常宝宝被叫醒之后，表现得好像什么也没有发生过，甚至破涕为笑，也有宝宝醒后情绪仍无法恢复。

一些依赖奶睡的情况也和夜惊有相似之处。

妈妈们的经历

宝宝1岁，一晚醒2～4次。主要是哼唧，慢慢声音由小变大，转为哭，再转大哭，声音震天，而且逢哭必流泪。从来没有过干号。好处是过程中只要给奶秒停！坏处是如果不给奶任何方法都抗拒。抱打挺，拍推开，唱歌、说话、讲故事当没听见。

二 如何处理

类似电脑程序突然无响应，可以等等看，也可能要强制结束程序。有以下几种做法：

★ 用言语、抚摸、抱、哺喂进行安抚，帮宝宝确认环境，重新进睡眠状态；

★ 用灯光、声音、甚至抱出房间进行唤醒，以脱离大哭状态；

★ 宝宝本身处于混沌状态，安抚有可能会被认为是一种攻击，反而影响他平静。所以什么也不做，等待自己渡过，这个异常阶段大概十几分钟。

姥姥们的经历

宝宝1岁多，自从断奶睡和夜奶后，昨天、今天连续两天了，7:30睡9:40哭。坐起来，嘴里叨叨“奶奶奶奶”，进去安抚，还是闭眼哭，就对他说：“我是谁？我是姥姥。好了，躺下，姥姥陪你。”放倒，给一只手摸着，1分钟后睡着。

妈妈们的经历

宝宝9个月，醒来，不睁眼号哭，拒绝抱，双手用力推开大人，哭一会儿又哼唧一会儿。有时用摇铃声加唱歌安抚下来了，有时愈发厉害，只得开灯叫醒，平静下来后再重新安抚入睡。

叫醒是完全清醒还是迷糊就可以？叫醒了不睡怎么办？

叫醒到停止大哭就可以了，迷糊一些有利于再次入睡。如果彻底醒了，就在黑暗里醒一会儿，等再次有困意时再睡（大致十几分钟到半小时）。

妈妈们的经历

孩子六岁半，睡眠不好，经常入睡两小时内会哭闹（频率为1个月五六次）。哭闹表现为：闭着眼睛像抽泣、腿乱蹬、敲床板，看上去很可怕，叫不醒，早上醒来对发生的事情无记忆。时间通常要持续半小时以上，自己不会哭停，每次都是父母弄醒。白天一切正常。后来减少白天的兴奋量，增加睡眠时间，让晚上睡得好一些，夜间不叫醒，等发作完了自己会再度入睡，逐渐好转不再发生了。

三 如何减少此类情况

这些现象会随着年龄的增长、睡眠的逐渐成熟减少。如果经常发生，可以尝试从下面几个角度改善：

★ 增加睡眠量；
★ 规律作息；
★ 睡前不过于兴奋；
★ 睡前减少液体的摄入，避免憋尿引起夜惊；
★ 减少担忧、焦虑情绪，争取愉快入睡；
★ 建立良好的睡眠习惯，睡眠能力提高后夜惊也会好转。

第四节 睡觉应该盖多少

细心的妈妈也许会发现，即便穿和白天同样的衣物，白天不出汗，入睡后却可能摸到汗。

小婴儿身体其他部位的汗腺发育不完善，出汗常集中在头部、颈部。

汗腺由神经系统调节，婴幼儿的神经系统发育还不完善，入睡之后新陈代谢水平未能及时下降，热量以出汗的方式在短时间里释放，所以在入睡后的1～2小时内尤其容易出汗。随着交感神经的兴奋性受到抑制，出汗现象消失。

有些妈妈在宝宝脖子后垫小纱布，防止弄湿领口；或是采用入睡后先不盖被，等睡着汗退后再盖的方式；或者入睡不穿睡袋、之后再穿来应对睡后出汗。

天气热时，能睡长的宝宝突然起夜，可能是由于出汗多、渴了，妈妈可以在屋里准备一些水。

非快速眼动期的体温调节水平比觉醒时低，在凌晨的快速眼动期，体温调节则会被抑制。后半夜不注意保暖，则会醒来，造成睡眠中断。

第五节 夜尿和睡眠

曾经有妈妈提到，小月龄宝宝把尿后，不愿意尿在尿不湿里，睡觉总被憋醒，并未把尿的妈妈，也有类似现象，但比例少一些。

妈妈们的经历

宝宝6个月时，发现晚上娃翻身或者哼唧的时候，大部分是要尿尿，抱起来嘘几下，尿好抱一会儿，就继续睡了。有时候哼唧时间不长，自己尿好就又睡过去了。10个月时，有意不把尿，持续了没多久，可以自由的尿在尿不湿里了，睡觉不憋尿了。

其实夜惊、夜哭、睡眠不安也可能和尿有关联，夜间应使用尿不湿，不建议因为把尿而干扰宝宝的睡眠。

第六节 睡前小动作

一 吃手

婴儿开始协调自己身体的最初标志就是他越来越频繁地把拳头放进嘴里并咀嚼或吮吸……随着宝宝的逐渐发育，他渐渐地能够把拳头移动到自己嘴边，并一直放在那里。在他醒着时，不管自己的拳头还是任何类似的东西放到了他的嘴边，他都会去吮吸。

——摘自《从出生到3岁》

吸吮带来快感，吃手这个自我安抚方式，早在胎儿期就能被观察到了，这是:

★ 宝宝在学习掌控身体，也是自我安抚，靠吃手来入睡、接觉，颇为常见。

★ 状态的一种提示，如突然进入一个陌生环境时，宝宝可能会开始吃手。

家长问

宝宝老吃手，是不是饿了?

吃手是无法充饥的，安抚成分居多，看到吃手就喂奶不必要。

1. 什么情况需要干预

吃手一般不需要干预，但如果睡前吃手时间过长（超过半小时），要考虑宝宝是否过度疲劳或自我安抚能力不足。可以给一些替换物，奶嘴、棉的织物，甚至抱抱他，握住他的手按摩，而非完全无视。

吃手，一旦比较依赖会很难戒，2岁之前问题尚小，更大时仍依赖吃手，则可能引起牙齿和面部的改变，需要人为干预。

2. 吃手如何戒除

除却之前提到的替代方式，“就不让”也是办法中的一个：包纱布，戴护套等，以及采用在手指上涂苦味的厌恶疗法。

一切习惯，待到很依赖时再戒除都是困难的。通过下面两例案例中妈妈们的真实经历，可以感受到过程的曲折。

妈妈们的经历

案例1：相对容易的戒除：宝宝一到睡觉就要吸拇指，这两天断母乳吸的更频繁，于是在枕边放了玩具熊，告诉她这是她的好朋友，想和她一起睡觉，在提醒下，宝宝会拍拍玩具熊睡觉，吸手指貌似在慢慢减少。

案例2：用大拇指护指戒吃手：3个月时宝宝吮吸手指入睡，到现在15个月了，完全依赖吮吸手指入睡、接觉，别的哄睡方式，包括抱抱、摇晃都没用。上幼儿园后，因为生病太多，吃手越来越严重。于是决定戴大拇指护指（Thumb guard），帮助她戒除吃手。

考虑到宝宝没了主要的安抚方式，情绪会很差，妈妈应该陪伴在身边，我请假2周，宝宝也不去幼儿园。

用护指的第一次是午觉前，她发现不能吮吸入睡，加上困，足足哭了1.5小时，我抱着她试图安抚，几乎没用，最后自己哭太累了睡着。一觉睡了3小时，中间接觉就只是翻了个身，没有任何吃手的意思。

从那次起，我都让她提前上床，把窗帘关上但不全黑，和她说笑、唱歌，低强度玩一会儿，保证睡前情绪好，然后她自己翻来翻去几下睡着，完全不吃手了。现在仍旧戴着指护，巩固一段时间。

对于大一些的孩子，还有专门讲戒除吃手的绘本，可以读给孩子听。

二 摇头

婴儿入睡前或是睡眠周期结束时，常会出现较高频率的摇头，似乎要把自己摇醒，看起来怪怪的，有点吓人，其实这是比较常见的，也有多种原因：

★ 多汗或湿疹引发头皮痒，靠摇头来缓解；
★ 神经发育不成熟、兴奋度高；
★ 前庭觉发育尚不完善，大了会好转，也可以荡秋千、骑木马、抱着宝宝跳舞、转圈等来改善；
★ 摇头属于有节律的运动，是自我刺激、自我愉悦的一种方式。

还有人会把摇头和缺钙联系在一起，综合来讲，摇头和缺钙并没有什么关系。一般程度的摇头会随着成长逐渐消失，不用过于紧张，过度关注。如果摇头已经严重到影响日间活动，则需引起重视，及时就医。

三 小怪癖

有些宝宝睡前虽然不吃手，但爱吃被子或者一定要抓妈妈的头发、睡在妈妈肚皮上，最搞笑的一个是一定要抠着妈妈的鼻孔还有要抠妈妈脸上的痘痘的。

这些和睡前吃手有一些相似之处，在此也分享一个案例。

妈妈们的经历

宝宝20个月，她很喜欢我的头发，白天拽晚上也拽，她看似很享受。虽然我暂时接纳了，可我真觉得疼。昨晚睡睡哭哭，一晚上把我的头发拽得生疼，早上看着床上好多掉发，有种“忍无可忍”的感觉，决定“戒头发”。方法很直白，就是说妈妈病了头发很疼，不能摸了，然后坚决捂住不让摸。

第一天很顺利，半夜抗议了下也睡着了；第二天半夜闹了很久；第三天，入睡折腾很久，没有哭，睡着前听她自言自语地感叹：“妈妈的头发好玩儿，可是妈妈病了，怎么办呢？”最终在我的坚持之下，还是戒掉了，解脱。

第七节 营养和睡眠

饮食和睡眠有密切关系，也是家长比较关注的方面。人们常问睡不好是缺钙吗？老夜哭是缺钙吗？枕秃是缺钙吗？要不要补这个，要不要补那个？本节就一一解答这些疑问。

一 睡眠和钙的纠葛

钙是神经系统中最重要的矿物质之一，是天然的弛缓剂。严重缺钙会使得神经肌肉兴奋性增强，会出现抽筋等症状。

1. 钙质的摄入

对于6个月内的宝宝，奶几乎是唯一的钙质来源；6个月后，宝宝添加了辅食后，逐渐也会接触诸如酸奶、奶酪等其他奶制品，但奶仍旧是钙最可靠和丰富的来源，并非一般食物可以替代，1岁以上的宝宝饮食上还可以尝试豆腐、芝麻酱、虾皮等含钙量丰富的食物。

下表是钙的日均参考摄入量，母乳和配方奶的含钙量波动都不大，除在有限的范围内提高母乳质量之外，更重要的是，保证奶量以及提高吸收率。

年龄	摄入量[①]
0～6个月	200 mg/dl
7～12个月	250 mg/dl
1～3岁	600 mg/dl

2. 钙的吸收

钙的吸收量=摄入量×吸收率，研究显示，维生素D缺乏的时候，成人钙的吸收率是10% ～15%。但如果维生素D充足，吸收率可以达到40%以上。缺乏维生素D还会导致“**维生素D缺乏性佝偻病**”，所以维生素D很关键。

多汗、易激惹、夜惊都有可能是佝偻病的症状，但有症状，还不能确诊。是否缺乏维生素D，要依据临床表现，以及检查结果等综合考量。

母乳及食物中维生素D含量少，光照虽然有利于体内维生素D的合成但不稳定，所以美国儿科学会（AAP）建议，从出生后不久，母乳喂养需要每天补充维生素D至少400 IU，早产儿则需要更多。

3. 常见的疑问

睡不好是缺钙吗？

肌肉常抽动，一抽就醒，可能和钙质不足有关联，但钙只是众多原因中很小一个，并不能因为睡不好，就判断出缺钙。

我的孩子会缺钙吗？

以前曾有过全民补钙的巨大误区，很多和钙无关的现象，却言必称补钙。并非“任何情况下肯定不会缺钙”，而是“在摄入量充足的前提下，不会缺钙，更不需要盲目补钙”。

---

① 引自《中国居民膳食营养素参考摄入量》。

家长问 可以通过微量元素检查是否缺钙吗?

小土答 此类检查结果并不准确反应是否缺钙，正因如此，很多知名儿医都不推荐婴幼儿微量元素、骨密度检查。

家长问 多汗是缺钙吗?

小土答 缺钙使神经系统兴奋，是多汗的众多原因之一，小婴儿身体汗腺发育不完善，出汗通常集中在头部、颈部，多汗更可是正常的生理现象。此外病后虚弱、穿多了、盖多了，也都可能出现多汗现象。

家长问 枕秃是缺钙吗?

小土答 不少婴儿后脑勺都会少一圈头发，一般叫作“枕秃”，这个现象一般大了自然好转。

枕秃常被和缺钙挂钩，其实枕秃的原因复杂：婴儿新陈代谢旺盛，毛囊发育不全，但长时间躺着，后脑勺和床经常性摩擦，易脱发而形成枕秃，和钙没什么关系。

家长问 睡不好夜哭，是缺钙吗?

小土答 夜哭的原因很多，缺钙只是众多原因中很小比例的一种。我所遇到的案例中，确实有妈妈发现频繁夜醒，在补过钙之后有所好转，但这并不是严谨的对比研究，不排除巧合。

家长问 如果缺钙如何补?

小土答 补钙分食补、药补两种，优选食补，也就是增加膳食中含钙食物的摄入，实在无法从饮食中获得足够的量，才需要考虑钙剂补充，要遵医嘱。很多情况，是喂养出现了问题，需要综合调整，而不是单独考虑是否补钙。

缺铁性贫血对睡眠的影响

贫血是最常见的营养缺乏症之一，充足的铁摄入，在6～24个月尤为重要。全世界大概有20%的婴儿患缺铁性贫血，缺铁性贫血对身体有系统性影响，影响到大脑的发育。

有研究监测了患缺铁性贫血孩子的睡眠，发现其表征不同睡眠状态的脑电波发生了改变。一旦有贫血现象发生，一定要及时医治。

有可能影响睡眠的食物

产生兴奋感的茶、咖啡，易产生胀气的豆类，容易引起便秘的食物，都可能间接影响睡眠。

民间有偏方用“保婴丹”“七星茶”来改善婴儿睡眠，其实这类药物里含对人体副作用不明的成分，不建议给婴儿服用。

第八节　影响睡眠的一些状况、疾病

早产儿的睡眠

足月儿是指孕足37周以后出生的宝宝，在此之前出生的，称为早产儿。

早产儿情况复杂，很多事需要更谨慎的考虑，诸如改变入睡方式、断夜奶的时机都应参考矫正月龄计算。比如早于足月2个月出生，现在出生5个月，实际的矫正月龄是5−2=3个月。

“早产宝宝遇到的睡眠问题”

由琳琳妈分享

琳琳是28周时出生的早产儿，在新生儿重症监护室（NICU）住了115天，出院回家后，还需要定期看7个专科医生，一周有9次康复，其中的艰辛自不必说。她刚回家时，最让我头疼的是吃奶、睡觉，这里说说那时出现的各种睡眠问题。

问题一：安静的家，却睡不着

怕有响声影响到她，家人走路、说话都轻，家里几乎是噤声。我抱着走各种哄，等我胳膊都酸痛了，她却怎么也睡不着。

无奈之下，我打电话给儿医求助。儿医听了描述，分析原因是家里太安静，琳琳在医院住惯了，那里不分白天黑夜都是机器声、警报声、人来人往的声音，突然回家，整个世界都安静了，反而不适应。

改变：根据医生的建议，我开始在卧室播放白噪音，试了很多类型，她最喜欢的是菜市场和海浪声。在白噪音的伴随，她平静下来，在我怀抱里沉沉地睡着了。

问题二：喝奶喝到一半就睡着，一拔乳头又必醒

回家后，每次喝奶还没有喝完，就含着乳头睡着了。我每次想把乳头拔出来，她就会被吵醒，然后大哭。

实在没办法，只能让她含着乳头，抱着她，让她睡一会儿。但每次睡得也不长，总是30分钟就会醒，然后似乎又饿了，再找奶吃。那段时间，我身心疲惫，每天做的事就是抱着和喂奶，感觉她是挂在我身上的。

改变：后来从儿医那知道，早产宝宝的吸吮力普遍偏弱，加上普遍个头小，吸奶消耗了几乎全部的力量，所以会非常容易累，吸吮力弱的解决方法是，让宝宝多吸，锻炼吸吮力。

第一，打破“一吸奶就睡着”这个习惯：当宝宝吸奶困了，眼睛快闭上时，叫她名字、和她说话、摸她耳朵、挠她的脚底。一开始，还是会睡着，但坚持一段时间

后，醒着喝奶的时间慢慢延长了。

第二，拔乳头注意技巧：把乳头往下压，先通过产生的空隙，打破衔乳的密闭，再轻轻拿出，而不是直接拔出。

问题三：每次白天小觉时间很短，都是非常痛苦地哭醒

琳琳吸吮力逐渐增强，可以全程清醒着喝完奶。新问题出现了，她每次睡觉醒来，都非常痛苦地大哭，撕心裂肺。我非常疑惑，咨询了肠胃专科医生后，得知，可能是胃食管反流导致的，反流灼伤宝宝的食道，所以会非常难受，从而哭醒。

改变：根据医生的建议，每次喂奶后，不急着把宝宝放下，多拍嗝并竖抱30分钟。

问题四：前一秒还在大哭大闹，后一秒竟然就睡着了，像是被打晕了似的

此时，琳琳已经回到家两个多月，不再像之前那样，一直在吃和睡中度过，清醒时间开始慢慢变长。哄睡开始变得特别困难，需要抱着哄睡。尽管她已经非常累了，但一开始哄睡，她就会大哭大闹，在我身上一直动，然后突然会秒睡，前后几乎没有过度，就像是被打晕了似的。

儿医告诉我，一般足月宝宝的睡眠会经历四个阶段：

困了：宝宝眼睛耷拉了，开始准备入睡；快速眼动期（也叫活跃睡眠）：这时宝宝虽然睡着了，但是他会踢踢腿，动动脚，感觉还没睡踏实；浅睡眠：呼吸开始变得平缓，动作也开始变少了；深度睡眠：很难被叫醒。

但早产儿的神经系统发育不完善，很多时候，没有这么明显地经历这四个阶段，有时还会跳过深度睡眠。所以特别容易出现哄睡困难、睡不踏实、秒睡秒醒这些情况，需要有更多的耐心，多安抚。

改变：听完医生说的，我更加耐心，明白她哭闹不是不想睡觉，而是身体内部的机制还没调节好，还不会自己入睡。我能做的是发现她的规律，帮助她。比如，她喜欢抱着拍她的屁股，并发出“嘘嘘嘘”的声音。

早产儿有更高比例的肌张力高（低）、胃食管反流、低体重等问题，家长也更为辛苦，多一些耐心，相信宝宝有自己的节奏，随着成长，和足月宝宝的差距会越来越小。肌肤接触、抚触、按摩都对早产儿比较有好处。哄睡困难的情况，还可以采用背巾、瑜伽球等辅助工具。

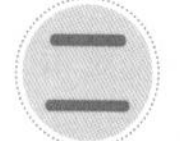

肌张力高

肌张力是肌细胞相互牵引产生的力量。是维持身体各种姿势以及正常运动的基础。早产、低体重儿、难产儿、巨大儿中有更高的比例出现肌张力高。肌张力高还有可能是脑瘫的症状，需要及早干预治疗。

我所遇到的情况中，肌张力高的宝宝往往很难睡好，更易激惹、持续哭叫、入睡困难。常见表现是：穿衣时难以将其手臂插入袖内，换尿布时两腿不易分开，被动屈腿相当困难，拳头难以松开等，简单地说就是肌肉紧张难以放松。不过按照这个标准去套，很多家长会紧张自己宝宝是不是肌张力高。

更精确的检查有专业的“四角一线”，即四角检查：足背屈角、内收肌角、腘窝角、跟耳征；一线：围巾征。如果确有怀疑，应该寻求专业医生的诊断。

轻微的肌肉紧张状况，通过，按摩、被动操等让肌肉放松的方式，每天坚持半小时以上，睡眠可能会有所改善，有困扰的家长不妨一试。

留言1：宝宝从20天开始惊跳反射特别厉害，闹觉、睡不好，白天一直抱睡。到两个月时，几乎不能抬头，趴着就哭，检查出肌张力高。

去医院检查，医生说动作的异常、身体的紧张、频繁哭闹、情绪焦躁、睡眠不踏实都和肌张力高是有联系的。

做了一个疗程20天的理疗、水疗、运动。十几天后，抬头就有90度，慢慢开始睡床了，下午一觉能睡3小时，脱离抱睡。再做检查都只是稍微偏高，没大碍了。

现在宝宝4个月，肌张力下来之后，睡眠好了很多，以前奶睡、抱睡、推车什么都没用，闹起来至少半小时以上，现在真的是半个天使宝宝了，体重也增长得不错。

三 过敏和睡眠

有一部分婴儿对普通配方奶、辅食、甚至母乳过敏，症状有：呕吐、腹泻、腹痛等，还有的出现皮肤发红或湿疹。

过敏会影响睡眠质量，也可能引起频繁夜醒和睡眠量减少，一般回避过敏源后，睡眠也会有好转。

1. 过敏的诊断、改善

医学发展所限，目前没有任何一种过敏原检测可以作为准确诊断的依据，特别对于婴幼儿准确率会更低，实际上身边很多过敏宝宝症状非常显著，但过敏原检测结果却完全没有异常。

过敏诊断的金标准，是回避激发试验。国内具备婴幼儿回避激发试验能力及资质的医疗机构非常有限，更为可行的方法是耐心做好宝宝的饮食和生活记录。

对于食物过敏的母乳喂养宝宝，要同时详细记录妈妈和宝宝的饮食情况，长期观察记录分析，以便发现问题。

对于吸入和接触过敏的宝宝，日常生活的各种细节记录会有助于过敏原的排查判断。对于症状严重的过敏宝宝，需要找有经验的儿科过敏医生就诊，通过母乳忌口、水解或氨基酸配方奶喂养及室内外主要过敏原的规避等方法，来缓解及改善。

另外值得一提的是婴幼儿高发的湿疹：

对于半岁以内的婴儿湿疹，很多是由于孩子肠道及免疫发育不完善的暂时现象，绝大部分可以自愈。

对于持续很久的湿疹，目前医学研究发现，湿疹与过敏的关系非常复杂，并且以往被过度评价，很多湿疹的根源在于先天性的皮肤屏障问题，需要更多从皮肤保湿护理角度来控制改善。但对于复发泛发的严重湿疹，就必须从排查过敏入手了，其中食物过敏只占大约一半，另一半影响因素包括吸入、接触、气候、温湿度、情绪刺激等。

以上内容结合了与重度过敏斗争了4年的动动妈妈的经验总结。

2. 过敏的案例分享

过敏的婴儿常常由于身体的不舒适需要额外的安抚，也有更多的睡眠依赖。一些宝宝，过敏好转后，睡眠即自行好转。不过也有一些宝宝养成了不好的睡眠习惯，过敏消失后，睡眠仍无法好转。

案例1：宝宝5个月，过敏期间睡觉打呼，固定凌晨1:00～3:00夜哭，换氨基酸奶粉后所有症状消失，但长达5个月的夜醒，留下了固定时间夜奶的习惯。

案例2：由白菜妈分享：

我家宝宝6个月开始吃大米米粉，一直没有皮疹、腹泻等明显异常。1岁的时候检查，发现大米是重度不耐受，停吃一切含大米的东西，第三天开始起床推迟了近1小时，但持续了半个月后又慢慢变回去了，不确定两者之间是否有相关性。他不过敏的时候基本不夜醒，醒了自己抓着吸管杯喝两口水或者哭两声就睡过去。但是，如果白天吃了过敏的东西，晚上入睡2～3小时后，就开始每一小时或半小时一醒，闭着眼睛翻滚大哭，必须抱起来或者拍着抚摸，很磨人。因为我家宝宝大部分时候属于迟发过敏，很难立刻观察到。晚上一旦闹夜排查白天摄入的食物，就比较容易找到问题所在。据我观察，一些食物不耐受的反应其实比较轻微，白天各种玩耍刺激，宝宝不会有太明显感受，但到了晚上，安静下来了，宝宝就会明显地感觉到不适，而夜间哭闹可能与此相关。

“为母则刚”这4个字，在这下面则分享中表现得淋漓尽致。相信你看完这篇文章，再想想自己所面临的睡眠困扰，也许又是另一番心境了。这篇分享中的动动妈妈与重度过敏斗争了4年。

案例3：吃母乳都会过敏的孩子 由动动妈分享：

昨天是动动4岁生日，也是酝酿了半年多的，重大人生任务启动日——“戒安抚奶嘴”。

说来话长，因为动动过敏得空前绝后，一吃奶就腹痛、腹泻、呕吐，一喂就哭，夜里进入吮吸→入睡→消化道不适→醒来→继续吮吸希望被安抚→越吮吸越不适，这样的死循环。最后以大哭呕吐收场，只有靠家里人“接力赛”——抱着大哭大闹的她，满屋悠着飞跑来帮助入睡，悠晕了、哭累了才能最终睡着，过程历时半小时至两小时不等，之后也放不下，整夜抱睡，夜里1～2小时一醒，大哭，然后继续抱着飞跑入睡。

发生类似情况，更早一些引入安抚奶嘴会有帮助，早期可以引入摇篮、瑜伽球等辅助工具，以减轻大人的负担。

经历几个月的误诊，直到7个月才被确诊为过敏。母乳忌口无效后，断奶，改为氨基酸配方奶。但她不吃奶瓶、不吃配方奶、不会睡觉，断了3轮，前2次绝食，前功尽弃；第三次绝食了2天，不吃不睡，全家全天候抱着飞跑，把保姆都给累跑了，即使3倍工资都坚决不干。不得已用上了安抚奶嘴。

安抚奶嘴可以早一点引入，但即使母乳亲喂，也要注意适应奶瓶。不然一旦妈妈不方便亲自喂奶时会比较难处理。

动动吃安抚奶嘴，整夜像小耗子一样在那里嘬，完全没有深度睡眠，多年来一直试图让她戒掉奶嘴，均以失败告终。

使用安抚奶嘴的副作用之一是，可能持续吮吸，反而影响睡眠的连续性。但如果次数不多，影响不大。

每次戒奶嘴，都哭到吐。半年前开始，我进入了4岁戒奶嘴规划阶段，每天动之以情晓之以理“吃奶嘴会大龅牙不漂亮”“吃奶嘴是生活不能自理的小婴儿行为”“吃奶嘴会被别的大孩子看笑话”等每天看绘本《和奶嘴说88》，隔三差五，就一起商讨奶嘴的“追悼会”形式，挖坑埋了或是串成一串悬于门梁做装饰。还买了替代安抚物兔子，培养感情。

安抚奶嘴的戒除技巧在本书第十二章也有提及。

一周前，尝试少吃一会儿奶嘴，不成功，基本还是一醒就要吃。

昨天正日子到了，一早上提醒，她很爽快地答应了。晚上回家，又提醒了一次，但出现小规模撒泼打滚儿。

晚上睡觉，反复确认几遍，不再给奶嘴了。很乖，抱着兔子，枕在我肚子上，2分钟不到，睡着了！可把我乐得睡不着了！观察了一夜，醒了几次，有一次醒透了，气愤地满床踢腿几分钟，但抱上兔子，再拉手手，又睡了。

早上起来，动动很高兴地向我汇报，夜里做了个梦，梦里吃奶嘴了，并且说以后每天晚上都做这个梦，就不用真的吃奶嘴了。

虽然这个4岁的小人，还是只能吃5种东西，而且只能以4月龄的泥糊为主，但她也以自己的步伐在稳健成长着，越来越好，每一天都很开心。曾经一直到2岁，我都认为这个孩子我可能养不活。但一路努力走来，动动的生长已经不再是问题。疾病不仅仅是一个生物过程，而且还是一段经历，它很可能是一段刻骨铭心的经历，对你的整个人生都影响深远。

动动妈的故事很长，篇幅有限，这里截取和睡眠相关的一部分。“飞跑哄睡”“整夜抱睡”这些细节说起来云淡风轻，但当过妈的都明白，这何等不易。

当前现状是过敏知识并不普及，每每看到有误诊的案例我也忍不住觉得遗憾、心酸。除却医生的努力之外，有时候研究的深入和知识的更新，也要靠众多久病成医的家长深挖、推动。这本书所做的，正是希望将妈妈们的经历汇集起来，细节上可以参考，精神上能得到安慰和鼓励，艰辛处，有人风雨同舟。

四 胃食管反流症①

胃内正在消化的食物，经过食道上涌，被称为**胃食管反流**（Gastroesophageal reflux，GER）。婴儿的贲门括约肌发育不成熟，所以大约有2/3的健康婴儿刚吃完、打嗝时会若无其事地吐出一些，这是常见现象。一般的反流，无害也无须特别治疗，会随着年龄增长好转。

但少部分婴儿，会伴随拒食、体重增加缓慢、易激惹（哭闹多）、反复大量呕吐、呛咳、睡眠扰动，那么就可能是**胃食管反流症**（Gastroesophageal reflux disease，GERD），需要进一步诊断和处理。值得注意的是，早产儿、被动吸烟的婴儿中，患此症的风险更高。

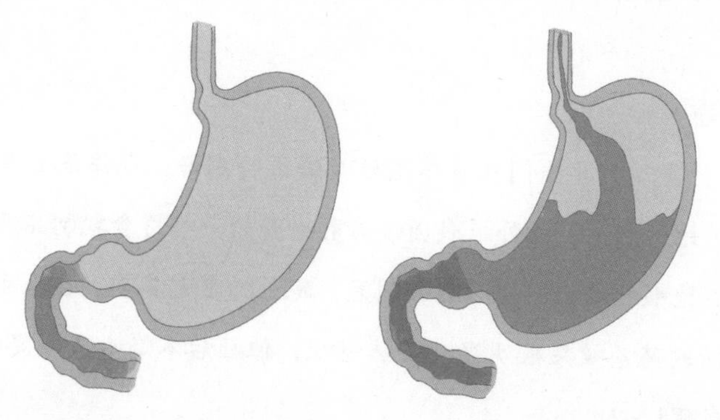

案例1：由团子妈分享

基本情况：**足月出生，断母乳较早，吃奶瓶很好，体重、身高、头围增长良好。**

① 本节参考了美国儿科学会发布的胃食管反流症处理指南（Gastroesophageal Reflux: Management Guidance for the Pediatrician ）https://www.aap.org/en-us/about-the-aap/aap-press-room/Pages/Not-all-Reflux-in-Infants-is-Disease-According-to-AAP.aspx#sthash.BDK4pqtS.dpuf 以及 http://www.uptodate.com/contents/acid-reflux-gastroesophageal-reflux-in-infants-beyond-the-basics

但每次进食奶瓶量总比同月龄孩子少30毫升。几乎从来不吐奶。在6个月开始加辅食后，喜欢吃各种菜泥、果泥，特别喜欢吃常温甚至从冰箱里刚拿出来的冰冷酸奶，对液体奶不感兴趣。

宝宝从出生开始，白天乖巧爱笑，4个月开始独立房间睡小床。

睡眠状况：每小觉最多睡30分钟便醒。晚上入睡毫无问题，但一般2～3小时就醒一次，严重时每小时醒1次。夜里醒来，如果不抱起就会持续哭泣。随着月龄增长发展为愤怒大哭大叫。

从第五个月开始到第八个月，因为冬季到来感冒2～3次，感冒结束喉咙也一直有黏液。与此同时开始夜里干咳，有时候被自己咳醒。按摩排痰效果不理想。

八个月确诊：八个半月时体检，再次向儿医重申各种症状，医生根据无原因夜咳开始怀疑胃食管反流。几天后约了耳鼻喉专科医生，医生用软管探镜从鼻孔伸入喉部，确诊孩子有非常严重的反流，整个喉部被灼烧得通红。

开了3个月疗程的降低胃酸的酸度的颗粒，晚饭前45分钟兑水冲服。同时晚餐不再给奶瓶，全部改成固体食品（蔬菜、米、面泥加上酸奶），疗程结束后睡眠状况明显好转了。

案例2：由莲莘妈分享

宝宝2个月，发现只要出门在童车里她就睡得特别好，也许是童车的倾斜角度能减轻胃酸反流对她的影响。此外，我因喂母乳也开始严格忌食乳制品后，感觉宝宝呕吐有所减少，但她呕吐后仍旧烧心痛苦明显，晚上睡眠尤其差。在医生建议下开始试用抑制胃酸分泌的药，效果很明显，虽然呕吐，但吐后不烧心了，哭闹减少了很多，晚上也变回了夜醒1～2次。

胃食管反流的一些改善方向：

★ 从调整喂养入手

从食物来源上，研究显示一些有反流症状的婴儿，对牛奶蛋白不耐受。所以配方奶喂养的宝宝，还可能需要遵医嘱换为水解或氨基酸配方奶喂养。母乳喂养的情况，妈妈需忌口奶制品以及豆类。避免给宝宝吃一些可能恶化反流的食物（柑橘类水果、辛辣类），此类情况在1岁时一般能够好转。

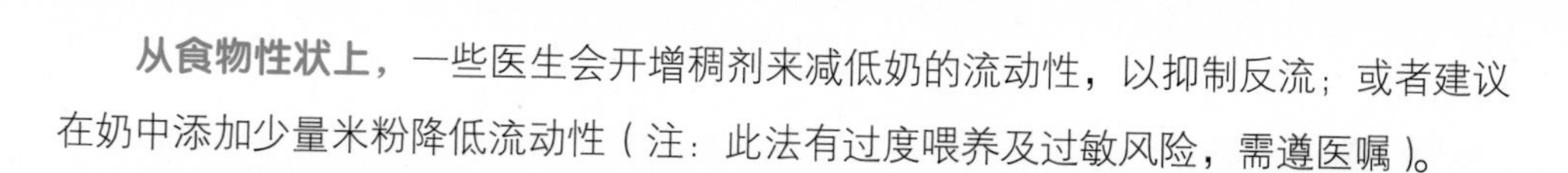

从食物性状上，一些医生会开增稠剂来减低奶的流动性，以抑制反流；或者建议在奶中添加少量米粉降低流动性（注：此法有过度喂养及过敏风险，需遵医嘱）。

进食中，常给宝宝拍嗝，少量多餐，避免过度喂养。

★ 采用合适的姿势来缓解反流

进食后，不要立即躺下，竖抱20～30分钟，也不要让宝宝自己坐着。

避免对腹部的挤压：不要过度摇晃，纸尿裤不能太紧，避免吃完立即趴着或剧烈运动。

之前的观念中，改善的方法还包括："在睡觉时增加床的倾斜角度，使宝宝头高于脚"，但近年的临床实践已经证实，该方式并无特别的效果。

★ 其他方面

由于二手烟可能会恶化反流，所以家长戒烟也有助于病症改善。

五 运动量不足导致的睡眠问题

运动能让人更容易入睡、增加深睡眠比例，婴儿在运动中得以学习、成长。

宝宝出生后，最初几个月，家人都很疼爱，尤其老人隔代亲，喜欢整天抱着。传统习俗里还有没满月、没过百天不能出门等陋习，限制了宝宝的运动发展。

婴儿的运动机会少会影响认知发展，运动量不足还会导致入睡困难，睡眠质量不高。

玩得好，才能睡得香！俗话说："小孩和小狗一样，一天不出门就烦躁。"话糙理不糙。

推荐适合宝宝的运动：

★ 趴着

让宝宝清醒的时候多趴，既锻炼颈部肌肉，也开阔视野，还能够缓解腹部不适（0～3个月）。

★ 翻滚

把宝宝放在床上、地上自在地翻滚，健身架也适合刚学会翻身的宝宝们（3～6

个月）。

★ **踢**

将气球、摇铃等物件轻轻套在宝宝脚踝，视觉和听觉的刺激会让宝宝主动踢腿（3～6个月）。

★ **爬**

爬是很好的全身运动，能锻炼宝宝的协调能力，错过爬的阶段对宝宝来说是个重大损失，别担心地上脏，让宝宝做一个自由快乐的爬行动物吧（6个月以后）。

★ **被动操**

对于0～3个月的宝宝被动操是非常好的亲子互动，网络上有详细的视频，在此不赘述。

★ **逗宝宝笑**

笑也是比较消耗体力的事情，简单重复的事情比较受宝宝青睐，比如用一根手指慢慢指向宝宝的肩膀，点一下再重复；夸张的动作如点头、抬头；给宝宝做鬼脸等。

★ **和家长互动的游戏**

爸爸宽阔的臂弯抱着宝宝像坐飞机一样，上升下降。妈妈双腿蜷起，宝宝的背靠在妈妈腿上，和妈妈面对面。宝宝躺在毯子里，由家长拉住四角做类似秋千的摇晃。

★ **躲猫猫**

如果已经会爬，引宝宝爬来找妈妈，找到后妈妈再接着换地方躲，出现一下让他知道妈妈的位置，或藏起后再探头出来，或发出声音吸引宝宝寻找。窗帘后、门后、不同房间都可以躲。

★ **带宝宝游泳、给宝宝洗澡**

妈妈们会发现宝宝游泳后会睡得更香。需要注意避免给宝宝使用颈圈，而要采用腋下圈或者选择亲子泳池，爸爸妈妈可以扶着宝宝在水里玩儿。

洗澡时宝宝可以和水亲密接触，尤其宝宝可以坐在澡盆里时，玩水可以让宝宝更喜欢洗澡。

皮肤是新生儿最大的感觉器官，通过水流的按摩刺激，促进孩子的触觉和平衡觉的发育，也有助于本体觉的建立，是孩子的感觉更加灵敏。戏水运动还可以促进循环系统的发育，加快新陈代谢速度。每次戏水过后都使得孩子愉快入睡，而在睡眠中生长激素分泌旺盛。

——摘自《张思莱育儿微访谈（养育分册）》

第十二章

睡眠用品解析

妈妈们总会希望把最好的东西给宝宝，也耗费很多时间去挑选，好的辅助工具会省时省力帮助宝宝安睡。

在这个章节，结合妈妈们的经验，整理和分析睡眠涉及的相关用品，供参考。

类别		物品
直接相关	地点	小床、摇篮、秋千、推车、安全座椅
	穿着	连体衣、睡袋、尿不湿、襁褓
	床品	枕头、褥子、床围
优化环境	空气质量	空气净化器、除螨设备
	温湿度	取暖器、空调、电风扇、凉席、加湿器、温湿度计
	光线	遮光布、夜灯
	声音	白噪音软件、床铃
	其他	蚊帐
安全相关		监控、护栏、地垫
帮助家长节省体力		背巾、背带、腰凳、瑜伽球、摇椅
帮助安抚宝宝情绪		安抚奶嘴、安抚巾，安抚玩具、绘本

注：本书与提及的所有产品、品牌均无利益关联。

第一节 睡在什么地方、穿什么睡

小床、摇篮、秋千、推车、安全座椅都是和睡眠地点相关的物品。本节重点介绍小床，其他的使用频率相对较低，不做重点阐述。

穿着上，连体衣和尿不湿大家了解得比较多，我重点谈睡袋。床品的选择上，重点分析枕头。

一　床的变迁

宝宝在床上的时间比任何地方都多，在安全的基本前提下保证舒适很重要。为了散味，有不少爸爸妈妈在宝宝出生前几个月就已经把婴儿床布置好了。

1. 婴儿床的种类

宝宝出生后的前几周，甚至前几个月里，可以睡在摇篮里，此时的宝宝也会比较喜欢秋千。

摇篮小了，就要换到小床内了，不少小床也是配备摇篮的。此外，经常会有需要换尿片的情况，大人一直弯腰操作也会造成劳损，婴儿床上配尿布台就会方便许多。说到尿不湿，有些家庭偏好用尿布，但这样，尿了就意味着必须更换，对宝宝的睡眠可能有打扰，选用优质的尿不湿能够对宝宝安睡有帮助。

宝宝2岁之后可以不再使用婴儿床。

有些宝宝只有在摇篮、推车、安全座椅中被晃动时才能够入睡。婴儿尚小之时，为了降低入睡难度，缓解家长养育疲劳偶尔使用是可以的，但应注意安全，不要过度依赖。

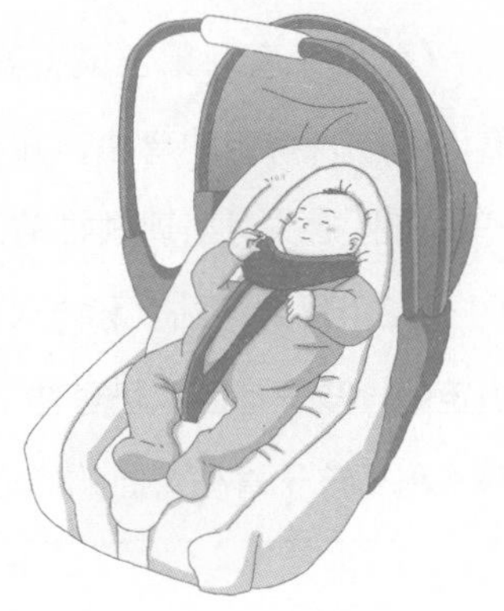

2. 挑选的注意事项

选购婴儿床时，除了要查看有无质量和安全认证，还要注意以下几点：

★ 尽量选择标准尺寸，这样配床品会比较方便；

★ 床栏杆的间距不能超过8.5厘米，以防宝宝的头滑出或卡住；

★ 床板高度最好能调节：宝宝尚不会坐、站时，床板高一些方便照顾；宝宝会坐、会站后，为防止爬出来、摔下来，需要把床板高度降低；

★ 婴儿床的设计要简单，花里胡哨的装饰品，可能会勾住宝宝的衣服。

婴儿床的放置

要放在和窗户、窗帘有一定距离的地方，防止小宝宝被窗帘绳卡住脖子，也防止从窗台坠落。

关于床品的使用

床单选纯棉的，经常洗晒防止螨虫滋生。

美国儿科学会推荐“**脚顶床尾**”的方法，在放婴儿时，让双脚蹬着床尾，盖上毯子后，把毯子的边缘塞进床垫下，防止婴儿把自己的脸埋入毯子里，从而造成窒息。更好的方式是穿睡袋或连体睡衣来替代盖毯子。

出于安全考虑，很多建议里，也不推荐使用床围和褥子。

家长问

孩子能睡席梦思床垫吗？

《张思莱育儿微访谈（养育分册）》中提道：“孩子出生时脊椎从侧面看没有成人特定的弯曲，几乎是直的或者仅稍向后凸出。当孩子2~3个月开始俯卧抬头时出现颈椎前凸，当6个月孩子练习坐时逐渐形成胸椎后凸，10~12个月练习站立和走时形成腰椎前凸。在这一过程中，这些弯曲不是恒定的，孩子仰卧时仍可伸平。席梦思床垫由于弹簧质量不一，过硬或过软都不利于孩子脊柱弯曲的形成，所以要选择适合孩子的优质床垫。”

离不了的睡袋

婴幼儿睡觉动静大，爱踢被子，也有被遮住脸的危险，有必要使用睡袋。

1. 睡袋有哪些种类？适合什么温度

按照季节不同，主要有4类睡袋，这里提供温度作为穿着参考。不过，穿多少还与垫被厚薄、室内风量有关，而入睡后1小时往往最热，凌晨则体温偏低，需综合考虑。

（1）单层棉或纱布的无袖睡袋

在炎热夏季使用，护住肚子，不包脚，睡袋内穿包屁无袖连体衣或者背心。不用睡袋而直接穿连体衣也比较常见。

（2）春夏薄款，无袖睡袋

适合春秋季节，20～26摄氏度使用，一般材质是单层棉料，有分腿和不分腿两种款式。偏热时，里面穿短袖包屁衣，偏凉则穿长袖连体衣。

（3）秋款带袖子单层睡袋

适合温度在20摄氏度左右时使用，考虑到安全问题，国外的睡袋一般是无袖设计，秋冬季无袖可能偏凉，国情所致，不少国产品牌都有长袖款。

（4）夹棉秋冬款睡袋

适合16摄氏度左右的天气，国内的设计一般带可脱卸袖。当温度低于10摄氏度，虽然也有家庭采用睡袋加被子的组合，还是建议用电暖气提高室内温度，而非一味选择过厚的睡袋。

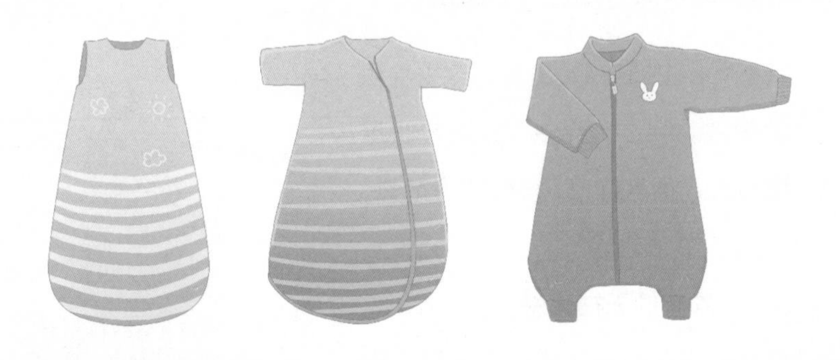

2. 关于睡袋的挑选和使用

挑选睡袋时，面料、里料最好选择优质纯棉的，尤其有夹层的厚款睡袋还要注意里料的品质。

睡袋价格不菲，很多人购买时会选偏大款，或是已经小了还在继续使用。其实不合身会影响舒适度，进而影响睡眠。袖子、领口太窄，会勒住或局部过热，太宽松，身子则可能从睡袋中脱出。

从出生后，就可以开始用，小婴儿散热功能不成熟，睡袋一定不能太厚。如果入睡很热，在不影响宝宝睡眠的前提下，可以晚点再穿。

一些没穿过睡袋的宝宝，突然开始穿厚睡袋，可能睡眠会受影响。

3. 关于睡袋款式的疑问

款式上要以简洁清爽为主，挑选经典款式比较保险。大小要合身，贴合月龄，不影响宝宝活动。

★ 无袖还是有袖？要不要带有手套帽子的款？

无袖比有袖舒适，天冷的话可以把袖子加上的可脱卸款是不错的选择。不要选择带帽子、领子和手套的睡袋，不单用不上，还影响散热。

★ 是否要分腿?

分腿睡袋方便活动，也不易蜷缩，更易被翻身期、睡觉爱动的宝宝接受。

缺点是，通常得额外穿袜子，尤其趴着时，脱卸尿不湿不便。不过，近年来出现的连腿和底部搭扣款弥补了这些缺陷。

不分腿的款式，束缚感小，更换尿不湿也相对更方便，缺点是翻身不便。

总之，是否分腿得依据宝宝的喜好和适应程度，没有绝对的优劣。

★ 拉链还是搭扣?

扣子相比拉链更加便捷，但易被打开，不如拉链牢固。小一些的宝宝，可以采用扣式，大了用拉链，按情况选择。此外，还可以选择肩部搭扣，底部拉链的款式。

关于拉链的选择，塑料材质比金属材质更合适。选择有防夹肉设计的隐藏拉链头，以免趴着的时候拉链抵住胸口。侧边拉链常比居中的拉链更舒适一些。

三 高枕无忧?

好的枕头可以给头部提供有效的支撑，放松身体，提高睡眠质量。宝宝的头部热量散发集中，枕头一定要透气。

常见的枕头材质有荞麦、茶叶、小米、油菜籽、记忆棉、乳胶、普通棉、毛巾等等。植物的材质，虽然有环保天然等旗号，但有变质的风险，效果上也差强人意。记忆棉、乳胶枕是更好的选择，不过价格也更高。

什么时候开始要用枕头，用多厚的?

《张思莱育儿微访谈（养育分册）》“刚出生的孩子脊柱基本上是直的，因此不建议使用枕头。因为孩子的头比较大，头和躯干基本处于同一个平面上。出于安全考虑，不推荐给小婴儿使用枕头。有些家长担心头型问题所以想给宝宝使用定型枕，这同样有安全风险。如果确实需要使用，请选择全透气的设计。”

如果担心新生儿平躺吐奶，可以将床垫垫高，而不是一定要用枕头。我遇到的情况中，很多宝宝的枕头都是摆设：枕不住，如果遇到这种情况，家长也别太纠结。

第二节 优化睡眠环境

温湿度、光线、声音、空气质量都属于睡眠环境范畴，这常和睡眠质量关联。

一 确保空气质量

宝宝在室内时间较长，尤其新装修的家庭，得确保没有污染物超标情况再入住（甲醛、苯、VOC等），多开窗通风。我遇到一些情况，宝宝因为雾霾、空气尘螨较重，引发过敏，夜间咳嗽，影响了睡眠质量，这时使用空气净化器、除螨就颇为必要。

二 调节温湿度

过冷过热都不利于睡眠，比较适宜的是20摄氏度左右。宝宝和父母穿差不多，甚至更少一点即可，头部不要包裹，以免影响散热。夜间最好能够使用睡袋，避免踢被子情况发生。

夏天新陈代谢旺盛，容易汗多起痱子，得开空调，用凉席，但别贪凉，也别直接将宝宝置于风口。夏天还有蚊虫多的情况，有时突然的起夜也可能是宝宝被蚊子咬了，注意及时灭蚊，使用蚊帐。

南方的冬天，由于没有集中供暖，天寒地冻时起夜照顾宝宝尤为辛苦，可以用空调，取暖器增温。油汀式的取暖器一般可以提高室内温度10℃，达到相对舒适的15~20℃。

当温度上升时，湿度会下降，干燥也会引起睡眠不安，宝宝会起夜喝水。可采用湿毛巾、水盆、加湿器等加湿措施。

房间内可以放置已经校准过的，温湿度表，留意宝宝睡眠中的室内温湿度的变化。

妈妈们的经历

六个多月，这几天晚上，没有1觉到3小时以上，很频繁醒，有一次怎么哄也哄不好，闹了差不多1.5小时，给水居然喝了100毫升，喝完倒头就睡，这才发现是因为刚通了地暖，宝宝热到了。

三 遮挡光线

很多妈妈都反映，一到夏天天亮得早，宝宝也跟着早起了。虽然我们不希望过度呵护，造成宝宝对环境过于敏感，但如果确实造成了比较大的影响，还是要采取一定的措施，遮挡光线。

遮光布是最常见的遮光选择，窗帘盒挂窗帘也比罗马杆遮光效果好。

睡眠随光线变化的情况

妈妈们的经历

我们家的就是光线问题，不管怎么晚睡，到点就醒。换了个带遮光的窗帘，立马改善。

我在网上看到过一款“**遮光帽**”，帽檐比较低，能在宝宝睡觉的时阻挡光线。但一旦遮挡住鼻子，影响呼吸，会有危险。其实可替换为用手遮挡光线的方式。

妈妈们的经历

用手在宝宝眼睛上方（不贴住皮肤）遮一下，顺便摸摸他的眉毛，能加强宝宝的睡意，这个方法我用到6个月。

除了遮光以外，为了方便夜间照顾宝宝，还有家庭采用夜灯来增亮，但要注意，过亮的光线容易抑制褪黑素的分泌，尽量不要长期使用，如果夜间太黑，可以拉开窗帘借助月光照明。

四 屏蔽噪声

临街的房子常有各种汽笛喇叭声，突然而来的噪声，会使睡梦中的宝宝受到惊扰。双层玻璃隔音之外，还可以在睡眠中播放一些背景音乐。白噪音软件，床铃都有可能达到这个功效，这两者也有一点的安抚作用。

详细内容可参考本书第二章“小土安抚技”里的声音小节。

第三节 睡眠安全相关物品

防撞床围，是为了保护头部不直接撞到木质护栏上，但由于有过造成过窒息案例，美国儿科学会建议不要使用。

宝宝刚会翻身时，是坠床的高发时段。可采用压在床垫下的**防摔护栏**，地上铺上地垫以防万一。攀爬能力强的孩子还可能能从小床里翻出来，这点不易发觉，尤其要注意。

家长如果在宝宝睡着后离开房间，可以配上监控装置，房间内的声音同步传送到手机，有特殊状况就可以及时查看。选择的时候最好带有夜视功能，在光线不足时也能使用。

我还遇到一些家庭，通过放在房间的电脑摄像头来监控，虽不方便，但胜在比较省钱。

第四节 帮助家长节省体力的物品

除了双手抱宝宝之外，背巾、背带、腰凳也都能够帮助人们在抱孩子、带孩子出门时更加省力，被妈妈们亲切地称为育儿神器。

能开始使用的时间，一般背巾最早，新生儿就可以用了，背带居中，腰凳则是要等能坐稳（6个月后）才能用。

一 背巾

背巾分包裹式和单肩带环式。

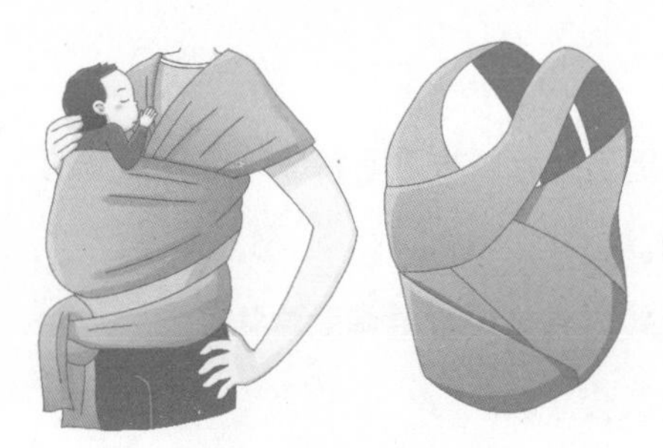
包裹式婴儿背巾 Wrap

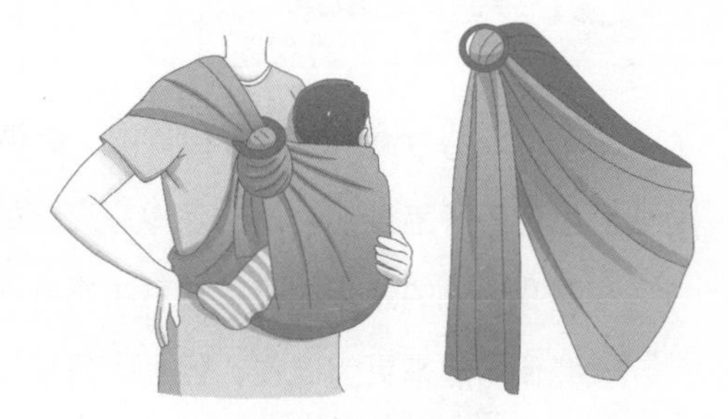
双环扣背巾（斜肩单背）Sling

背巾的优点和缺点

优点	缺点
对新生儿来说比背带能提供更好的支撑，解放妈妈双手，尤其适合带宝宝旅行。	使用不如背带便捷，重量终究还是靠人体来承受，使用时间过长还是会对腰造成负担
宝宝离妈妈更近，方便受到安抚和照顾，交流机会也更多。这一点对于早产儿尤为重要。	不注意安全的极端状况下，有可能导致窒息事件
包裹感，能缓解惊跳反射的影响，减少哭闹，方便哄睡	依赖之后，会不适应在床上睡
冬天用背巾比较暖和	天气炎热和多汗时不适用

使用背巾要注意安全，经常查看，以免发生窒息危险。

妈妈们的经历

我家快3个月时用的双环背巾，第1次用，2分钟就睡着了。有几次肚子胀，宝宝放进去后，不能蹬腿，就开始挣扎不肯进去。后来我选择他舒服的时候用背巾，可以腾一只手出来。

妈妈们用背巾哄睡的心得：不用等睡沉，坐在床边，把环松开一点，到你能钻出来的程度，抱着宝宝一起俯身连背巾放下。放下时候，用身体和手压一下宝宝，减少挪动造成惊醒的可能。稳一稳，把环解开或直接钻出来，然后把背巾扣解开，等真正睡熟了，再慢慢把背巾拿走。

背带、腰凳

背带（baby carrier）常和背巾一起被人们提及，可以根据年龄段来选择合适的背法。用背带背宝宝前，请一定做好充分的练习。

根据我个人的使用体验，背带虽然方便但比较容易热，我更偏爱腰凳。

腰凳使用起来更为简便，但也有妈妈反映用久会腰酸。

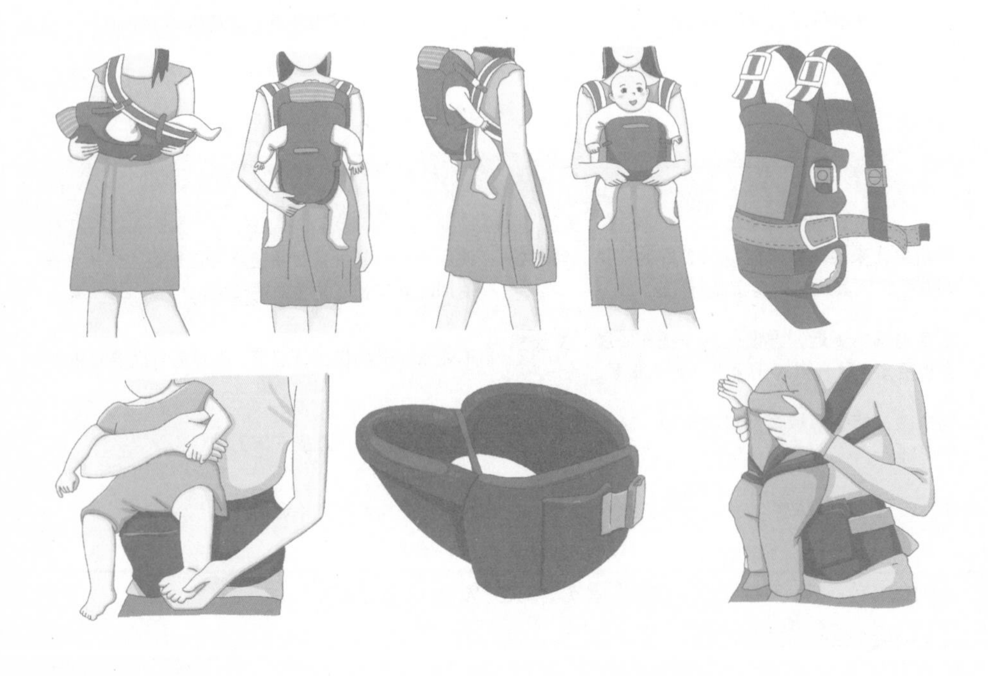

瑜伽球

我看到过一个视频，通过抱着宝宝，坐在瑜伽球上下轻弹，来安抚宝宝。后来很多妈妈告诉我，他们也是这样做的。这个方式用于替代抱着走路，也能轻松一些。同样需合理使用，别太依赖。

第五节 帮助安抚宝宝情绪的物品

情绪的平静对入睡很关键，市面上有很多的安抚物品，安抚奶嘴、安抚巾、安抚玩具等。其中又以安抚奶嘴知名度最高，有人称它为“神器”也有人谈之变色视为“异端”，本节就来说说这些物品，如何发挥作用，为什么能发挥作用。

一 安抚奶嘴详解

在吮吮中，婴儿能够得到身体和情绪上的放松。安抚奶嘴正是通过满足非营养类吮吸需求，达到安抚孩子的作用，是吮吸乳头或者吃手的替代品。一般用在入睡以及哭闹时。

妈妈们的经历

使用效果比较好的：我家宝10个月，从6个月开始使用安抚奶嘴，感觉安抚奶嘴能让妈妈从频繁吸吮中解脱出来，对减少不必要的夜奶有帮助。

有些依赖的情况：因为哄睡实在太难，大概是两个半月引入安抚奶嘴的，用了以后睡觉马上轻松了，但是问题是现在宝宝11个月了，没有奶嘴，会找，再困也不睡。

1. 安抚奶嘴是把双刃剑

安抚奶嘴的使用，需控制频率、时间、场合，别过分依赖，否则就是请神容易送神难。下面这张表，就结合它的积极作用及负面影响，谈如何趋利避害。

优点	潜在弊端	如何趋利避害
帮助宝宝放松减少哭闹	家长一哭就塞奶嘴了事，忽略哭闹背后的原因	对孩子的哭闹保持敏感
容易消毒，相对卫生	消毒不到位会有引发中耳炎的可能	注意消毒
比吃手容易戒，比吃手对牙齿的影响小	没有手指可控、随时即用；3岁之后仍然长期使用安抚奶嘴，可能影响上颚和颌骨的生长发育	多陪伴，从源头上减少对吮吸的需要；选择有牙科协会权威认证的设计；年龄大时，及时戒断
有助养成鼻呼吸的习惯，呼吸通路的保留也减少窒息发生；降低入睡、接觉的难度	如果醒来发现奶嘴不在，反而不容易继续睡	注意睡眠安全，丰富和多样化安抚方式，注重入睡能力的培养
满足吮吸需求，减少过度喂养	可能引起乳头混淆	待母乳喂养稳定后4～6周再引入

使用中还有一些其他注意点：

★ 不要使用奶瓶代替安抚奶嘴，奶嘴也不适合当成牙胶用；

★ 含着不吸吮时就取出，不要用安抚奶嘴蘸糖等甜味给宝宝含着；

★ 只在入睡确有难度时才用，没有睡沉之前，就尝试取出，如果失败，可以过几秒再尝试，或下次再试；

★ 用专门的挂夹挂奶嘴，而不是用绳子挂在宝宝脖子上，以免勒住；

★ 如果有宝宝喜欢的奶嘴，不妨多备一个，以防丢失时影响宝宝的情绪。

2. 挑选的注意点

安抚奶嘴也有段位之分，长大了就要把之前用的换掉。一般0～6个月称为1段（S），6～18个月称为2段（M），18个月以上为三段（L）。每个品牌段位略有不同。

材质上主要有乳胶、硅胶两种，功能上还有日用、夜用的细分。

材质	乳胶	硅胶
颜色	黄色的	透明的
原料	天然橡胶树汁	人工合成材料
气味	有乳胶味	无气味
使用寿命	1个月	2个月
感觉	偏软	偏硬
其他	因是天然材质有过敏可能	一般不会过敏

★ 优选仿生型的设计，材质不能含双酚A；

★ 奶嘴要有透气设计，防止压到小脸、出现口水疹；

★ 鲜艳靓丽的颜色，易受宝宝喜爱，带夜光的奶嘴会更方便夜间使用；

★ 选方便微波炉等消毒的品种。

3. 关于安抚奶嘴的疑问

（1）对牙齿会有影响吗?

奶嘴对牙齿的影响，和使用的频率、时间长短有关系。偶尔用无妨，如果不离嘴，长期吮吸动作易造成牙齿的咬合不良，影响牙齿的发育。

选择防止口腔异常发育的设计会减少对牙齿的危害，一般最晚3岁左右也需戒除了。

（2）吃手还是吃安抚奶嘴?

对于孩子来说手比安抚奶嘴更可控，取用也方便。但这既是手的优势也是劣势，奶嘴可以扔掉、找不到，但手却不能，一旦依赖很大，手会比奶嘴更不容易戒断。

加上卫生角度的考虑，综合来讲安抚奶嘴不弱于吃手，甚至可以替代。

（3）如果宝宝不接受奶嘴，怎么办?

常听妈妈们提及："我家宝不吃，都是用手拿着咬，塞进去就用小舌头顶出来，没有吸过。"

★ 开始时，先当玩具一样放在身旁，等熟悉了再让宝宝吃，奶嘴上沾一些母乳也能提高接受度；

★ 选宝宝心情好的时候引入，不接受可以下次再试，切忌强迫；

★ 奶嘴的吮吸方式和乳头不一样，宝宝需要时间去适应和学习：拉住安抚奶嘴的拉环，轻轻放在宝宝嘴巴上，再顺着吮吸反射的吸力去推拉。是往外拉，而不是一个劲往里送，感觉突然吸紧了再松手。

奶嘴不是必需品，如果不喜欢，没有必要勉强。超过6个月，效果、接受度也会大打折扣，引入的必要性也不高了。

4. 安抚奶嘴戒除

戒奶嘴并非易事，难度可能仅次于戒奶睡，说直白点就是不再给予奶嘴。

能在6个月～1岁，减少甚至停止使用是比较理想的。如果不能也无须紧张，美国儿科学会提及的最晚戒断时间是3～4岁。但若是宝宝特别依赖，完全离不开奶嘴，则要思考是否有更深层因素。

（1）学步前戒除奶嘴

用抱哄、轻轻摇晃、引入安抚巾、分散注意力、玩耍等其他方式让婴儿感到舒适，减少对奶嘴的需求，要有充分的耐心，给足宝宝适应的空间和时间。

（2）已经步入学步期后的戒除

学步儿理解力较强，奶嘴的戒除，更多需要获得孩子内心的认同。

接受戒除的理由：通过关于戒奶嘴的绘本，加强心理建设；选择诸如出去旅游之类的时机，告诉宝宝奶嘴留在家里了，没有出来旅行；告诉宝宝，奶嘴坏了，无法继续使用了。

举办特别的仪式：提前告诉宝宝，长大了，不能再继续用奶嘴了，之后选在宝宝生日之类的特殊日子，通过正式的仪式把奶嘴埋掉或丢掉，或用其他的礼物来和奶嘴进行交换。

逐渐减少使用时段：比如一开始白天晚上都用，先说服宝宝白天某个时段不用，作为奶嘴的禁用时段，随着时间推移，增加禁用时段。

空间上逐渐远离：把奶嘴从手边，逐渐放远到桌子上，最后放到别的房间，眼睛看不见的地方。

总之关于戒除，小宝宝以替代转移为主，大宝宝的以攻心说服为主。安抚奶嘴既不是“神器”也不是“异端”，平常心看待，注意各方面的细节，用对了就能利大于弊。

妈妈们的经历

案例1：很正式的办了一个奶嘴告别会，告诉她奶嘴已经陪她了2年，宝宝长大了，奶嘴要送给小宝宝了。之后找了盒子包装起来寄到他爸的办公室，将能咬能拿的牙胶，作为其他小宝宝给他的礼物。

妈妈们的经历

案例2：我家孩子从2个月起使用安抚奶嘴，直到24个月戒除，安抚奶嘴是对他而言，最重要的物品之一。有很多次想戒，却碰上不合适戒的时期，满2岁时，我偷偷把奶嘴剪断到只剩三分之一连着，吸起来吱吱漏风，他便随手丢到地上。当他问起奶嘴，我说奶嘴被你丢掉了啊，如果闹就把剪断的奶嘴给他，说只有这个坏的你要不要？2天后，宝宝觉得没意思就直接不再问奶嘴了。

经验是，最好能让宝宝亲手把奶嘴扔掉，这样再要找奶嘴时，比较容易说服他；选择父母都在的时候，多个见证者，遇上哭闹不止，爸爸妈妈都可以证明：奶嘴的确已经被扔到垃圾桶里去没有了。

小谈安抚巾

你可还记得，自己小时候被老师训斥时，双脚对搓或者摆弄衣角？类似的，很多婴儿还会通过抚摸妈妈的头发、妈妈的衣服、咬被子、啃枕头等行为来舒缓情绪。

很多人会把安抚巾想象成小毯子，其实安抚巾一般都不大（30～35厘米），类似手帕。婴儿在睡前，烦躁时，通过摸、抓、咬安抚巾的动作来释放情绪，寻找心理慰藉。

相比于枕巾、被子、手帕，安抚巾材质更厚实，也更方便清洗及携带。为让宝宝有不同的触觉感受，正反两面常采用不同的面料。四角还常打成结，或增加标签，以增加触摸时的感受，类似成人爱摸戒指凸起的部分。

1. 安抚巾的引入

当宝宝能够自己抓握时，就可以引入安抚巾了，比如放在床边，或吃奶的时候放在妈妈和宝宝之间，带着妈妈气味，会更易被接受。如果没有形成影响身心发育的特殊癖好，也无须刻意戒除。

2. 使用的注意点

★ 如果使用频率高，需要多买一个备用，以免丢失后影响宝宝的情绪。

★ 不同宝宝喜好不同，如果不喜欢也不要纠结，都是正常的。

★ 有时宝宝反而更喜欢普通纱布手帕，就无须特意买安抚巾。

★ 不要宝宝一哭，就把他丢给安抚巾，过度使用容易依赖。如果一旦看不见，就焦躁不安，其实违背了使用的初衷。

妈妈们的经历

在宝宝快6个月时买的，现在1岁2个月仍在用，娃挺喜欢，也没发现有依赖，睡前会咬一咬，半夜睡浅睡眠迷糊时候会自己抓起来咬一咬又睡过去。

妈妈们的经历

我已经是个快当妈的人了，依然要安抚巾才能入睡，我的是一条小毛毯，从出生到现在30岁一共才用了3条，抱到烂才换，而且不允许经常洗，要不然就很容易浅眠！

三 安抚玩具

和睡眠有关的玩具，一般是触感好的动物造型，带灯光，能播放音乐。从听觉、视觉、触觉，去吸引宝宝的注意力，达到安抚的目的。不过玩具对睡眠的作用因人而异，不是魔法，也不能替代父母的陪伴。

纯毛绒玩偶也颇受宝宝喜爱，睡眠仪式也可以和玩偶一起进行，好的玩偶还能缓解宝宝的分离焦虑，更大一些时，可以让宝宝来照顾玩偶入睡，扮演的游戏，对宝宝心智发展有帮助。

四 睡眠绘本

随着成长，醒着的时间越来越长，睡眠信号也难以发觉。安静的故事时光，能帮宝宝从一天的兴奋中逐渐平复，也是增进感情的好机会。

绘本的启蒙早在6个月就可以开始，到1岁半时宝宝已经颇能理解故事的乐趣，绘本不单是读给孩子也是读给家长的，我们可以从中获取灵感。

《不睡觉世界冠军》

大开页的书，画风唯美。枕头是船，箱子是火车车厢，篮子是热气球。插上想象力的翅膀，感受奇幻的广阔世界。看着黛拉姐姐和跳跳蛙、霹雳鼠、樱桃猪一起入睡，真觉得睡觉是件有意思的事。

大宝宝睡不着的时候，我们不妨引导他们进入想象的空间，放松下来。

《晚安，工地上的车》

男孩子到了1岁半多，会喜爱各式工程车：挖掘机、推土机、搅拌机等，这本书将各式工程车聚集，静悄悄的夜晚，他们一起打起了呼噜。如果你的孩子也爱车，相信会对这本书青睐有加。

如果宝宝总是抗拒睡眠，搬出他喜欢的小伙伴，玩具，告诉他："你看，他们都睡了呢"，或许宝宝能更能接受睡觉的安排。

《晚安，月亮》

明暗的变化让人感觉到睡意渐浓，夜幕降临。向每一件屋里的事物道晚安，这是不错的大月龄宝宝入睡程序，精彩的一天，也郑重其事地谢幕。

《晚安，大猩猩》

大猩猩偷了管理员叔叔的钥匙，把所有动物都放出来，并跟随着管理员叔叔回家。黑夜里管理员太太的那双眼睛，很有画面感。这是个风趣的故事，我家宝宝睡前，也会不时自语："晚安，大猩猩。"

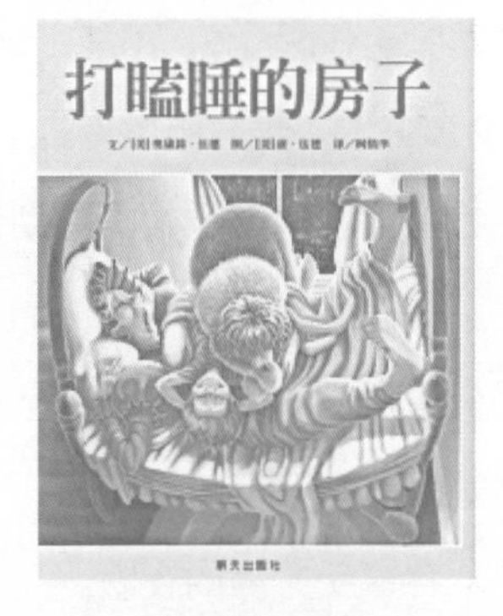

《打瞌睡的房子》

打瞌睡的房子里面，每个人都在睡觉，猫、狗、小老鼠都很形象，画面精致，虽然故事简单，但宝宝们就是喜欢这样的简单重复。

《睡觉去，小怪物！》

小怪物的很多行为会让你觉得眼熟，都是找尽各种借口：知道要进屋睡觉就跑、到处爬、拿着牙刷刷水管。问问宝宝："谁是小怪物？"也许你会看到他乐滋滋地笑了。这样直白的描绘出恼人的事，是大人和孩子都需要的治愈。

《你睡不着吗？》

这本书诠释了一个很耐心的父亲的形象，我烦躁时，也会想起熊爸爸的耐心，而有所触动。

《快点滚去睡！》

在无数个苦闷的夜里，狼狈、灰头土脸的家长，满怀愤愤喊出："快点滚去睡！"其实我们都有过，睡前大战郁闷到内伤的时候，你不是孤单一个。我想这本写给家长的书，是治愈的，有人替你直白道出，也许情绪就消散了，只剩莞尔一笑。

此外，还有很多与睡眠相关的绘本:《等一等，再睡觉》《不玩够，不能上床睡觉》《睡鼠睡不着》《小羊睡不着》《晚安，小熊》等，不少套书里，也有睡眠专题。

睡前故事未必要和睡觉相关，抛砖引玉地介绍，希望能帮助家长，探寻到亲子互动的方式、心态。

书不在多，按预算选择一两本即可，绘本不会是变魔法，如果孩子暂时不喜欢也别太遗憾。不管何种形式，只要能够传递爱，就足够好了。

这一章，也是全书最后一章，希望你和宝宝都能从容享受宁静的夜晚。

写给爸爸们的一封信

爸爸们工作压力大，常要加班，很辛苦。和孩子接触偏少，宝宝也常只要妈妈抱、妈妈陪，对爸爸抛出的橄榄枝不屑一顾。换尿布、换衣服之类事情，不是强项，做得毛毛糙糙，难免被嫌弃。于是久而久之，参与积极性越来越低，索性破罐子破摔了。

宝宝的睡眠令人发愁，家庭氛围紧张……面对这样的情形，爸爸能做些什么？

关心妻子，共同承担夜间育儿的重任

刚有孩子是家庭最困难的一段时期，早一点下班回家，和孩子妈聊聊一天之中发生的事情，分担家务，到家之后陪宝宝玩，晚上尽量不睡太晚，夜里帮着做拍嗝、换尿片之类的事情。

如果爸爸们勇敢地独立带孩子，感受养育不易，也会享受到难得的亲子时光。信任并配合孩子妈，帮忙哄睡而不是按哭喂养，虽然起步时辛苦，但这样却能够很大的改善孩子的睡眠状况。

妈妈们的经历

儿子1岁4个月，晚上闹无数次要吃奶，含一口就又睡觉，包括中午也是有我就必须奶睡，我如果不在也可以抱着哄或者自己玩着玩着睡，有天我大姨妈肚子痛，宝宝爸爸主动表态要晚上一个人带着睡，第一天晚上哭了两次，抱哄，第二天开始就没问题了，现在自行入睡整夜不用夜奶，睡眠质量好太多了。

关心老人，做好老人和妻子沟通的桥梁

婆媳是否有矛盾和丈夫的作为息息相关，多承担和老人沟通的任务，听听妻子和老人的抱怨，让他们情绪得以抒发。多传好话，让双方磨合得更好。总之，误解来自于不了解，亲身经历过带孩子的不易，才更能珍惜彼此的付出。别觉得养孩子就是喂奶，而喂奶你干不了，所以养孩子跟你就没关系了，爸爸可以给宝宝唱歌，给宝宝拍嗝，推车带宝宝出去玩，很多很多……

经营好家庭，养育好自己的后代既是责任也是成就，这个付出的过程会收获很多快乐，试过就能懂。看这本书的爸爸可能不多，但若你是其中一员，真的很棒！祝一切安好，家庭幸福。

参考文献

1 ［美］Dr, JamesB, Maas著，张秀华等译．睡出活力[M]．北京：人民卫生出版社，2008.

2 熊吉东主编．睡眠障碍[M]．北京：人民卫生出版社，2009.

3 赵忠新主编．临床睡眠障碍学[M]．上海：第二军医大学出版社，2003.

4 ［美］彼得·豪利著，蒡亚译．和失眠说再见[M]．北京：中国轻工业出版社，2009.

5 张思莱．张思莱育儿微访谈（健康分册）[M]．北京：中国妇女出版社，2014.

6 张思莱．张思莱育儿微访谈（养育分册）[M]．北京：中国妇女出版社，2014.

7 虾米妈咪著．虾米妈咪育儿正典[M]．南京：江苏科学技术出版社，2014.

8 ［美］特蕾西·霍格、梅林达·布劳著，张雪兰译．实用程序育儿法[M]．北京：京华出版社，2009.

9 ［美］马克·维斯布朗著，刘丹等译．婴幼儿睡眠圣经[M]．南宁：广西科学技术出版社，2011.

10 ［美］金姆·韦斯特、乔安娜·凯南著，李寒译．韦氏婴幼儿睡眠圣经[M]．北京：金城出版社，2011.

11 ［美］威廉·西尔斯、玛莎·西尔斯著，陆魁秋、张惠芬译．宝宝安睡魔法书[M]．汕头：汕头大学出版社，2004.

12 ［美］伊丽莎白·潘特丽著，文青译．宝宝不哭之夜间安睡秘诀[M]．北京：中国石油大学出版社，2013.

13 ［美］哈韦·卡普著，陈楠译．卡普新生儿安抚法（0~1岁）[M]．杭州：浙江人民出版社，2013.

14 ［瑞士］吕鲍尔德著，张丽欧译．我要和你们一起睡[M]．北京：电子工业出版社，2012.

15 ［美］詹姆士・麦克肯纳著，郑轲译.与宝宝同眠[M]. 北京：新世界出版社，2013.

16 ［美］特蕾西・霍格著，邱宏译. 婴语的秘密[M]. 天津：天津社会科学院出版社，2011.

17 ［德］安妮特・卡斯特-察恩、哈特穆特・莫根罗特著，颜徽玲译. 每个孩子都能好好睡觉[M]. 北京：中信出版社，2012.

18 ［美］理查德・法伯著，戴莎译. 法伯睡眠宝典[M]. 杭州：浙江人民出版社，2013.

19 ［美］帕梅拉・德鲁克曼著，李媛媛译. 法国妈妈育儿经[M]. 北京：中信出版社，2012.

20 ［美］贝南罗特著，林慧贞译. 从0岁开始[M]. 广州：广东经济出版社，2005.

21 ［美］林奂均著，许惠珺译. 百岁医生教我的育儿宝典[M]. 海口：南海出版社，2009.

22 ［英］吉娜・福特著，陈丽译. 超级育儿通[M]. 汕头：汕头大学出版社，2003.

23 ［美］伯顿・L. 怀特著，宋苗译. 从出生到3岁[M]. 北京：京华出版社，2007.

24 ［美］劳拉・E. 伯克著，陈会昌等译. 伯克毕生发展心理学：从0岁到青少年（第4版）[M]. 北京：中国人民大学出版社，2014.

25 ［美］斯蒂文・谢尔弗主编，池丽叶等译. 美国儿科学会育儿百科[M]. 北京：北京科学技术出版社，2012.

http://www.parentingscience.com

https://www.babysleepsite.com/